フィリップ・ヤンシー

この驚くべき恵み

What's so Amazing about Grace?

Philip D. Yancey

山下章子[訳]

いのちのことば社

WHAT'S SO AMAZING ABOUT GRACE?

by ***Philip Yancey***

Originally published in the U.S.A.

under the title

WHAT'S SO AMAZING ABOUT GRACE?

Japanese translation is under license to

Word of Life Press Ministries, Tokyo, Japan.

謝辞

書物の謝辞のページに挙げられている名前を読むと、アカデミー賞授与式の夜の受賞スピーチを思い出す。この夜、男優も女優も幼稚園の先生から三年生の時に教わったピアノの先生に至るまで、お世話になった人たちに感謝をささげる。

三年生の時のピアノの先生に感謝している点は同じだが、私には本を書くうえで贅沢品ではなく必需品のようになっている人たちがいる。本書の第一稿と最終稿とは驚くほど違っているが、それはおもに、次の人たちが出してくれた意見のおかげだ。ダグ・フランク、ハロルド・フィケット、ティム・スタッフォード、スコット・ホージー、ハル・ナイトらだ。これらの人たちに援助を求めたのは、彼らがみな執筆についても恵みについてもよく知っていると思ったからである。返ってきた答えを見ると、まさに私の予想したとおりだった。彼らには非常に多くを負っている。『クリスチャニティ・トゥデイ』誌の同僚、特にハロルド・マイラには、この原稿の中の非常に微妙な領域で助けられた。

私の原稿の編集をして報酬を受けているジョン・スローンには同情を禁じ得ないが、彼は第一稿ばかりでなく、最終稿まですべての原稿に意見を述べてくれた。編集者は目に見えないところで仕事をするものだが、でき上がったこの本を読むと、ジョンが本当に大きな貢献をしてくれたことがありありとわかる。

ゾンダーバン社のボブ・ハドソンにも感謝したい。彼は編集の最後の仕上げをしてくれた。

私のテーマは恵みであるから、感謝の気持ちがまさしくふさわしい。これら友人たちのことを思うと、たちまち恵まれた気持ちになり、つくづく自分にはもったいないないと感じる。

それを思うなら、使徒パウロにも感謝すべきだ。恵みについて私が今知っていることはみな、あのすばらしい「ローマ人への手紙」の中で教えられたものだし、本書のアウトラインもパウロに与えられた。本書では「恵みでないもの」を描き、恵みの真の意味を探り当てようとし、そのプロセスで出てくる問題点を扱い、冷たく頑なな世界の中で恵みがどのように実践されるかを論じるが、これはまさしく、「ローマ人への手紙」の話の進め方と同じである。

（本書に書かれた話は実話であるが、プライバシーを守るために場合によっては名前や場所を変えてあることを記しておく。）

目次

私は、みんなが知っていることしか知らない――恵みが踊っているときにいあわせたなら、私もそこで踊るべきであるということしか。

W・H・オーデン

1 究極の言葉

拙著『私の知らなかったイエス』（いのちのことば社、二〇一七年）の中で、ある実話を紹介したが、私はその後も長くその話に悩ませられた。シカゴで一文なしの人々のために働く友人から聞いた話である。

実に悲惨な状態の中にある売春婦が私のところへ来たのです。ホームレスで体の具合も悪く、二歳になる娘に食べ物を買うことさえできずにいました。彼女はすすり泣きながら、麻薬を買う金欲しさに、娘――まだ二歳のですよ！――を倒錯セックスの愛好家たちの手に渡してきたと言ったのです。娘を一時間預ければ、自分が一晩で稼ぐよりも多くの金が手に入るというのです。麻薬を打ち続けるためにはそうするしかなかったのだ、と。その話を聞くのは実に耐えがたいものでした。私には法的な責任がありました――幼児虐待を報告する義務です。でも、この人に何と言えばよいのでしょうか。
私はやっとのことで、教会に助けを求めようと考えたことがあるかと尋ねました。彼女の顔をよぎった、あの驚きの表情を忘れることはないでしょう。「教会ですって!」彼女は叫びました。「あんな所へなんか、行くものですか。もう十分惨めな思いを味わっているんです。教会なんかに行ったら、もっと惨めな気持ちにさせられるだけよ。」

友人の話を聞いて私の心に響いてきたのは、この売春婦によく似た女性たちが、イエスから離れるのでなく、この方に飛びついていったということだった。彼女たちは自分自身に悪感情をもてばもつほど、イエスというお方を避難所と考えた。教会はそのような賜物を失くしてしまったのだろうか。貧しい人々は、地上におられたイエスのもとに集まってきたが、無一文の人たちは今、イエスの弟子たちには歓迎されていないと感じている。これはいったいどういうことだろう。
この問いについて考えれば考えるほど、私は鍵となる一つの言葉に引き寄せられる。その一語から、すべてがひもとかれる。

英語で「恵み」(grace)という語がいかに多く使われるかということを考えれば、それだけでもこの言葉が驚くべきものであることを確信する――実際、これは究極の言葉なのである。水の一しずくに太陽のイメージが含まれるように、恵みという言葉には福音の本質が含まれている。この世は自分でも気づかないうちに恵みを渇望している。賛美歌の「アメイジング・グレイス」

（訳注＝聖歌二二九番「驚くばかりの恵みなりき」）が、作曲されて二百年後にヒットチャートのトップ・テンにくい込んだのも決して不思議なことではない。錨をなくして漂流している社会ほど、信仰という錨を下ろすのにふさわしい所はない。

しかし、恵みの状態というものはあっという間に過ぎ去ってしまう。幸福感に満ちた夜、ベルリンの壁が崩れ落ちる。南アフリカの人々が生まれて初めて投票するために長蛇の列を作る。イツァーク・ラビンとヤセル・アラファトがローズ・ガーデンで握手をする――一瞬、恵みが降りてくるのだ。それから東ヨーロッパは再建という長期の仕事にむっつりしながら取りかかり、南アフリカは国政の運営に知恵を絞り、アラファトは弾丸を逃れ、ラビンは銃弾に倒れる。消滅してゆく星のように、恵みは最後の青白い光を爆発させて散ってゆき、「恵みでないもの」というブラック・ホールに飲み込まれる。

H・リチャード・ニーバーは言った。「大きなキリスト教革命は、それまで知られていなかったものを発見することで訪れるのではない。だれかが、いつもそこにあったものを革新的にとらえるときに起こるのだ。」　奇妙なことに、私は教会の中に恵みが不足していることに気づくことがある。教会とは、パウロの言葉によれば、「神の恵みの福音」を宣言するために創《つく》られた機関であるはずなのに。

著述家スティーブン・ブラウンは、獣医なら犬を観《み》ただけで、一度も会ったことのない飼い主のことが少なからずわかると述べている。この世は、地上にいる私たち信者を見て、神の何を知るのだろうか。「恵み」（ギリシア語ではカリス）の語根をたどってみると、「私は喜ぶ、私は嬉しい」を意味する動詞が見つけられる。私の経験では、喜ぶ、嬉しく思うというのは、人が教会を思ったときに、真っ先に心に浮かぶイメージではない。教会といって人々が思い浮かべるのは、聖人ぶった人の姿である。教会とは、自分の行動をきよめる前に行く所ではなく、すっかりきよめた後に訪れる場所と思われている。恵みの場ではなく、道徳の場だと思われているのだ。「教会ですって！」あの売春婦は言った。「あんな所へなんか、行くものですか。もう十分惨めな思いを味わっているんです。教会なんかに行ったら、もっと惨めな気持ちにさせられるだけよ。」

そのような態度になってしまうのは、部外者の誤解や偏見のせいもあるだろう。貧困者のための無料食堂、ホームレス施設、ホスピス、刑務所などを訪れたことがあるが、そこで見たのは、豊かな恵みを降り注いで働くクリスチャンのボランティアたちの姿だった。それでもなお、あの売春婦の言葉には刺すような痛みを覚える。教会の弱点をはっきりと指摘しているからだ。私たちの中には、地獄を回避するのに熱心すぎて、天国へ向かう旅を祝うことを忘れているような人がいる。また、現代の「文化闘争」に関わる問題にせっかく関心をもっていながら、「恵みでないもの」に満ちたこの世界で教会が恵みの港として使命を果たすことを考えない人もいる。

「恵みは至る所にある。」ジョルジュ・ベルナノスの小説『田舎司祭の日記』で、死期の迫った司祭がそう述べる。そうなのだ。しかし私たちはいかにたやすく、その快さに気づかず、通り過ぎてしまうことだろう。

私はバイブル・カレッジに通っていた。卒業して何年も経ってから、その大学の学長と同じ飛行機に乗り合わせたことがあった。学長は、「君にとってうちの大学はどうだった？」と尋ねてきた。「良いこともあったし、そうでないこともありました」と答えた。「あの学校で、たくさんの信仰の篤い人にお会いしました。実際、私もあの大学で神に出会いました。それがどれほど大きなことだったか、言葉に表せません。それでいて、あとで気づいたことなのですが、四年間に恵みについてはほとんど学ばなかったように思うのです。恵みは聖書で最も重要な言葉、福音の核心かもしれません。私はどうしてそれを見落としてしまったのでしょうか。」

その後にチャペルで行った講演でこの会話に触れたが、学部の教師連の気分を害してしまった。私をもう招かないほうがいいと言う人たちもいた。もっと違った言い方をするべきだったのではないでしょうかと、もの柔らかに手紙に書いてきた人もいた。学生時代、恵みに取り囲まれていたにもかかわらず、自分にはそれを受け取る感覚器官が欠けていたのです、とでも言うべきだったというのだろうか。私は手紙をくれた人を尊敬していたので、長い間その忠告についてずいぶん深く考えた。それでも最終的に、人生の他のどの場所とも変わらないくらい、バイブル・カレッジのキャンパスで「恵みでないもの」を多く経験していた、と結論した。

カウンセラーのデイビッド・シーマンズは自らの経歴をかいつまんで、こう述べている。

「何年も前に私が到達した結論は、福音派のクリスチャンたちがかかえる感情の問題には、重大な要因が二つあるということだった。一つは、神の無条件の恵みと赦しを理解し、受け取り、それによって生き抜くことに失敗したこと。もう一つは、その無条件の愛と赦しと恵みを他の人々に与えることに失敗したことである。……私たちはすばらしい恵みの神学を読み、聞き、信じている。それなのに、そのように生きていない。恵みという福音の良き知らせが、感情レベルを貫いていないのだ。」

「この世はたいていのことを、教会と同じくらいか、それ以上になすことができる」とゴードン・マクドナルドは言う。「家を建てるのに、飢えている人に食べ物を与えるのに、病人を癒やすのに、クリスチャンである必要はない。しかし、この世にできないことが一つだけある。恵みを差し出すことだ。」マクドナルドは、教会がただ一つできる重要な貢献を指摘したのである。この世は教会以外のどこで、恵みを見つけることができるだろう。

イタリアの小説家イグナチオ・シローネは、警察に追われる革命家の話を書いている。同志たちは彼をかくまうために司祭の服を着せ、アルプスのふもとにある村へ送る。ところが、「司祭」が来たといううわさが流れるや、その隠れ家の戸口に農夫たちが長い行列を作る。自らの罪や破綻した生活といった話をたくさんかかえていたのである。「司祭」は彼らを追い返そうとするが、どうにもならない。座って農夫たちの話を聞くしかなかった。村人たちは恵みに飢えていたのである。

実際、だれもがそんな理由で、つまり恵みに飢え渇いて、教会に足を運ぶように思う。『ファンダメンタリストに育つ』という本に、日本のミッション・スクールを出た学生の同窓会の話が書かれている。「例外の一つ二つはあるけれども、全員が一旦、信仰から離れ、また戻ってきた」と学生の一人が後に報告した。「そして、戻ってきた私たちには一つ共通していることがあった。全員が恵みを発見していたということだ。……」

自分自身の長い旅を振り返ると、それは彷徨《ほうこう》、回り道、行き詰まりが特徴であると言うことができるが、自分をここまで引っぱってきたものは恵みへの探求だったと今はわかる。私は教会に恵みを見つけることがほとんどなかったため、いっとき教会を離れた。しかし他のどこにも恵みを見つけられなかったので、戻ってきた。

私自身は恵みを少ししか味わっていないし、受け取ったよりもはるかに少ない恵みしか返していない。それに、私は決して恵みの「専門家」ではない。実際、私が物を書いている理由は、恵みをもっと知りたい、もっと理解したい、もっと経験したいからだ。恵みを欠いた恵みの本を書く――そしてその危険は大いにあり得ることだ――気はない。だから最初のこの段階で、読者には、私が恵みを渇望しているという理由だけで信仰の旅人の資格を得たのであり、そういう者として書いていることをご了解いただきたい。

物書きにとって、恵みは簡単なテーマではない。E・B・ホワイトのユーモアに関するコメントを借りると、「〔恵みは〕蛙のように解剖することができるが、恵み自体はその過程で死んでしまう。そして内臓は、純粋に科学的な精神の持ち主以外はがっかりするものである」。私は『新カトリック百科事典』に書かれた恵みに関する十三ページの論文を読んだところだが、そのおかげで恵みを解剖し、その内臓をさらしたいという願いが、きれいさっぱりなくなった。私は死んでしまうものは欲しくない。だから、三段論法ではなく物語に頼ることにする。

要するに、私は恵みを説明するよりも、恵みを伝えたいという気持ちのほうが強いのだ。

第一部　甘美な調べ

2　バベットの晩餐会──物語

デンマークの出身のカレン・ブリクセンは男爵と結婚し、一九一四年から三一年まで英領東アフリカでコーヒー・プランテーションを経営する〔著書『アフリカの日々』（訳注＝邦訳は横山貞子訳、晶文社刊）にはそのころのことが書かれている〕。離婚後はデンマークへ戻り、イサク・ディーネセン名で英語の小説を書き始める。彼女が書いた物語の一つに『バベットの晩餐会』があるが、これは一九八〇年代に映画化されるや、一部の人たちから熱狂的な支持を受けた。

原作の舞台はノルウェーだったが、デンマークの映画制作者は、泥んこ道が走り、草ぶき屋根が並ぶデンマーク沿岸のひなびた漁村をロケ地に選んだ。この陰気臭い景色の中で、白いあごひげを生やした牧師が謹厳なルター派の礼拝者集団を導いている。

この教派は、ノア・ボスボーの農夫を誘惑しかねない世俗的な楽しみのすべてを排除している。みな黒い服を着ている。食事は蒸したタラと、ビールを一振りしたお湯でつくるパン粥だ。人々は安息日に集まり、「その名はいつもなつかしき、わが幸せの故郷、エルサレム」を歌う。新しいエルサレムこそ自分たちがただ一つの目ざすところであり、この世の人生はそこへ至るために耐え忍ぶべきものと頑なに信じている。

年老いた男やもめの牧師には、十代の娘二人がいた。マルティン・ルターにちなんで名づけられたマチーネと、ルターの弟子フィリップ・メランヒトンにちなんで名づけられたフィリッパである。村人たちは、この二人を見たいがために教会に足を運んでいた。姉妹の輝くような美しさは、本人たちがどれほど苦心しても隠しようのないものだった。

マチーネは、若く凛々《りり》しい騎兵に見初められる。けれども騎兵はマチーネに退けられて――年老いた父親の面倒をだれが見るというのだろう――彼女のもとを去り、ソフィア王妃の侍女と結婚する。

フィリッパは美しいばかりでなく、ナイチンゲールのような声の持ち主でもあった。エルサレムの歌を歌うと、天上の都が光り輝いて立ち現れてくるようだった。そんな彼女は、当時最も有名だったオペラ歌手、フランスのアシール・パパンと知り合う。静養するためにこの海岸に来ていたパパンは、寂しい村の泥道を歩いていたときに、パリのオペラ座にふさわしいほどの声を聞いて仰天する。

パパンはフィリッパに言う。本格的な歌唱法をぜひ教授させてほしい、そうすればフランス中の人があなたの足もとにひれ伏すでしょう。王族が整列してあなたを迎え、あなたは馬車に乗って、あの絢爛たるカフェ・アングレへ食事に出かけるのです、と。嬉しくなったフィリッパは、ほんの数回だけレッスンを受けることを承諾する。しかし恋の歌を歌うと不安に襲われ、胸の奥深くでときめきを感じると、いっそう困惑を覚えるのだった。そして、パパンの腕の中で『ドン・ジョバンニ』のアリアを歌い終え、優しくキスをされたとき、この新しい喜びが捨て去るべきものであることを確信する。父親は今後のレッスンをお断りする旨の手紙を書き、アシール・パパンは当たりくじをなくしたかのように意気消沈してパリへの帰途につく。

十五年が過ぎ、村は変貌している。今は亡き父親の負っていた使命を、すでに中年の域に達した未婚の二人の姉妹が果たそうと努めている。だが、父の厳しい指導がなくなった今、教会はひどく分裂していた。ある男性信徒は商売がらみの問題で、別の信徒を恨んでいる。三十歳の信徒が二人の教会員と性的関係にある、といううわさも広まっている。二人の年輩の女性が十年間も互いに口をきかずにいる。教会員たちは今でも安息日に集まって古い賛美歌を歌ってはいたが、出席者は数えるほどだったし、音楽も生彩を欠いている。こうした問題を抱えながらも、牧師の娘たちは篤い信仰を持ち続け、礼拝の準備をし、歯のないお年寄りたちのためにパンをゆでていた。

それは、だれもあえて泥道を歩こうとは思わないどしゃぶりの雨の夜だった。姉妹の家のドアが激しく叩かれた。ドアを開けると、女がひとり崩れるように倒れ込み、気を失う。二人は一生懸命に介抱するが、意識を取り戻した女はデンマーク語が話せなかった。女は姉妹に、アシール・パパンからの手紙を手渡す。パパンの名前を見つけたフィリッパは頬を赤く染め、手を震わせながら女の紹介状を読む。女の名前はバベット、フランスの内戦で夫と息子をなくしている。いのちが危険にさらされ、逃げる必要に迫られた彼女を見たパパンが、この村なら彼女の面倒を見てくれるのではないかと思って、船の旅を世話したという。手紙には「バベットは料理ができます」と書かれていた。

姉妹にはバベットに払うお金がなかったし、そもそもメイドを雇うことがためらわれた。バベットの料理も信用できなかった――フランス人は馬や蛙を食べるんじゃなかったかしら。しかしバベットの身振り手振りや、その必死に頼む様子を見て、気持ちを和らげる。部屋と食事を与えれば、どんな仕事もしてくれるだろう。

それから十二年、バベットはこの姉妹のために働いた。マチーネにタラの裂き方やうすがゆの作り方を初めて教わったときは眉をつり上げ、鼻に少ししわを寄せたものの、与えられた仕事に文句を言うことはなかった。彼女は町の貧しい人々に食べ物を与え、家事全般を引き受けた。安息日に礼拝の手伝いもした。このどんよりとした土地にバベットが新しいいのちを吹き込んだことは、だれの目にも明らかだった。

バベットはフランスでの生活について一言も口にしなかったので、十二年後のある日、彼女が初めて手紙を受け取ったとき、マチーネとフィリッパはとても驚いた。手紙を読んだバベットが目を上げると、姉妹がじっと見つめている。バベットはどうということもなさそうに、すばらしいことが起きました、と告げる。パリの友人が毎年バベットにフランスの富くじを買ってくれていたのだが、今年、そのくじが当たったというのだ。一万フランである！　姉妹はバベットの手を握りしめて「おめでとう」と言うのだが、その心は沈んでいた。もうすぐバベットは出て行ってしまうのだ。

バベットのくじが当たったとき、姉妹は父親の生誕百周年を記念する祝賀会の相談をしているところだった。その姉妹にバベットが頼み事をする。私はこの十二年、お二人に何一つ願い事をしませんでした、と切りだした。姉妹がうなずく。「でも今、お願いしたいことがあります。この記念礼拝の食事の支度をやらせてくれませんか。皆さんを本物のフランス料理でもてなしたいのです。」

姉妹はこの計画に大きな不安を抱いたが、バベットが十二年間何一つ願い事をしなかったというのは、まぎれもない事実であった。彼女の願いを認めてやるしかないのである。

フランスからお金が届くと、バベットは食材を調達するために、しばらく留守にした。戻って来てから数週間にわたり、波止場に着いた船からバベットの台所へ向かう食材の荷が降ろされ、ノア・ボスボーの人たちは、次々に驚くべき光景を目撃する。人夫たちが手押し車に載せているのは、小鳥の入った積荷である。そのあとに続くのは、シャンパン――シャンパンとは！――やワインの箱だ。丸ごとの牛の頭、新鮮な野菜、トリュフ、キジ、ハム、奇妙な海の生き物、まだ生きていて蛇のような頭を左右に動かしている巨大なカメ――これらすべてが、バベットが仕切る姉妹の台所に運び込まれるのだった。

マチーネとフィリッパは、魔女の作るごった煮かと思うような品々におびえ、この恐ろしい状況を教会員たちに語る。今では年老いて白髪頭となった、たった十一人の教会員たちみなが同情の声をあげる。話し合いの結果、バベットが誤解しないように、料理の感想を言わないでフランス料理を食べることにした。舌は称賛と感謝を表すために用いるのであって、異国情緒に満ちた味を堪能するためには用いないことにしたのである。

晩餐会当日の十二月十五日は雪が降り、このさえない村も白くきらきらと輝いている。姉妹は思いがけない客人も迎えることになり、喜んでいる。九十歳のミス・レーヴェンイェルムが甥にエスコートされてやって来るのだ。その甥とは、かつてマチーネに求愛した騎兵であり、今や王宮に仕える将軍であった。

バベットは陶器やクリスタルグラスをどうにかして探し集め、ろうそくや常磐木《ときわ》で部屋を飾った。食卓が美しく整えられた。食事が始まると、村人たちは申し合わせを思い出し、池のまわりのカメよろしく黙って席に着いている。食べ物や飲み物の感想を口にしているのは、将軍一人である。「アモンティラードではないか!」一杯目のグラスを掲げて叫ぶ。「これまで味わったこともない至上のものだ。」将軍は一さじすすっただけで、それがカメのスープであることがわかったが、ユトランドの沿岸でどうしてこんなものにお目にかかれるのだろう。

「信じられない!」次の料理を味わった将軍が言う。「これはブリニのデミドフ風だ!」他の客はみな額にしわを寄せて、この珍味を無表情、無言で食べている。将軍が一八六〇年もののシャンパン、ブーブ・クリコについて熱弁をふるうと、バベットは、将軍のグラスにつねにシャンパンがなみなみとつがれているよう、給仕の少年に言う。将軍だけが、目の前に置かれたものを喜んでいるようだ。

だれ一人、食べ物や飲み物を話題にしなかったが、この晩餐会は気難しい村人たちに次第に不思議な影響を及ぼしていく。体が温まり、舌もなめらかになった村人たちは、牧師が生きていた昔の日々や、湾が凍りついた年のクリスマスのことなどを話し始める。商取引で他の教会員をだましていた教会員が、ついにそれを告白し、反目し合っていた二人の女性が、いつのまにか打ち解けておしゃべりをしている。ある女性がげっぷをすると、隣にいた男性の教会員が思わず「ハレルヤ！」と言った。

しかし、将軍は食事のことしか話さなかった。給仕の少年が締めくくりのうずらのパイ詰めを持ってくると、この料理を見たのはヨーロッパでただ一か所、かつて女性シェフで名を馳せたパリのレストラン、あの有名なパリのカフェ・アングレだと叫ぶ。

ワインがまわって、すっかり良い気持ちになった将軍が、こらえきれずに立ち上がって、スピーチを始める。「親愛なるみなさん、慈悲と真実が出会いました。」演説が始まった。「正義と幸福がキスをします。」そして一息つく。「テーブルスピーチは、いつもその目的をわきまえて行ってきました。ところが今、胸元を多くの勲章で飾ったレーヴェンイェルム将軍も、かの牧師の素朴な会衆の中では、これから語られる内容を伝えるための吹き口のようです。」将軍は、恵みのメッセージを語っていた。

会衆は将軍の演説を十分に理解したわけではなかったが、その瞬間、「この世の虚しい幻想が、彼らの目から煙のように消え失せ、彼らは真実の世界を見ていた」。この小さな群れは解散し、星のまたたく空の下、きらきらと輝く雪におおわれた町へ出て行く。

『バベットの晩餐会』は二つの場面で終わっている。外では老人たちが噴水のまわりで手に手をとって、あの古い信仰の歌を元気に歌っている。それは聖餐式の情景だ。バベットの晩餐会が門を開け、恵みが忍び込んできたのである。イサク・ディーネセンはこう付け加えている。彼らは「まるで自分たちの罪を羊毛のような白い雪で清められたよう」で、「その新しい無垢の衣をまとって、子羊のように跳びはねていた」。

最後の場面は家の中である。汚れたお皿や油だらけの鍋、貝殻、こうら、軟骨、木箱、野菜の切りくず、空きビン等がうず高く積まれた、ごちゃごちゃの台所だ。雑然としたその場所に座っているバベットは、十二年前ここに着いた夜と同じく、弱りきっているように見える。姉妹はにわかに、あの誓いのとおり、だれもバベットに今夜の食事の話をしていなかったことに気づく。

「すばらしいお食事だったわ。」マチーネがおずおずと言う。

バベットは放心しているようだ。しばらくして彼女が言う。「私は昔、カフェ・アングレの料理人でした。」

「あなたがパリに戻ってしまっても、私たちはみな今夜のことを忘れないわ。」バベットの言葉が聞こえていないかのように、マチーネがこう付け加える。

だがバベットは、私はパリには戻りません、と言う。パリにいた友人や親戚は、みな殺されたり投獄されたりしていた。それにパリに帰るには当然のこと、かなりの費用がかかる。

「だって一万フランがあるでしょう。」姉妹が尋ねる。

そこでバベットは驚くべきことを言う。獲得した賞金一万フランの最後の一フランまで、みんなが今平らげたばかりのご馳走に使ってしまった、というのだ。バベットは言う。「驚かないでください。カフェ・アングレでは十二人分のディナーにこれくらいかかるものです。」

将軍の演説に注目すると、イサク・ディーネセンが『バベットの晩餐会』を単なるすばらしい食事の話としてではなく、恵みのたとえとして書いたことは疑いの余地がない。与える者がすべてを費やし、受け取る側に全く費用がかからない贈り物。これこそレーヴェンイェルム将軍がバベットのテーブルで、まわりに集まった陰気臭い表情の教区民に語ったことであった。

「私たちはみな、恵みは天地万物、どこにおいても見つかるものだと聞かされてきた。しかし人間の愚かさや近視眼的物の見方の中で、神の恵みを有限だと思っている。……だが私たちの目が開かれ、恵みが無限であることが見え、わかるときがやって来る。友人たちよ、恵みは私たちに何一つ要求しないが、私たちは確信をもってそれを待ち望み、感謝をもってその存在を認めよう。」

十二年前、バベットは恵みに欠けた人々の中に降り立った。彼らはルターの信奉者だったので、恵みの神学をほぼ毎日曜日に聞き、週日は敬虔な行動と禁欲によって神の恵みを得ようとしていた。ところが、恵みは晩餐会という形をとって彼らのところへやってきた。バベットの晩餐会だ。それは、絶対にそれを得られないはずの人々、それを受け取る資格のないような人々に惜しみなくふるまわれた、記念すべき食事会であった。恵みはいつものように、ノア・ボスボーにも訪れた。つまり、無料で、付帯条件一切なしに、費用はあちらもちでやってきたのである。

死すべき人間のはかない恵み、それを我々は神の恵み以上に求める。

シェイクスピア『リチャード三世』

3 恵みのない世界

友人が会社へ行くバスの車中のことだ。隣の席の若い女性が通路の向こう側の席の人と話をしているのが耳に入った。女性はスコット・ペックの『愛と心理学』（訳注＝邦訳は氏原寛・矢野隆子訳『愛と心理療法』創元社）を読んでいたのだが、これは『ニューヨーク・タイムズ』紙のベストセラー・リストに最も長く掲載されていた本だ。


「何を読んでいるんですか。」通路の向こうの人が尋ねた。

「友だちからもらった本です。この本で人生が変わったと言ってました。」

「はあ、そうですか。どんな内容ですか。」

「よくはわからないのですが、人生の手引きみたいですね。まだそんなに読んでいないんですよ。」彼女は本をめくり始めた。「ここに章タイトルが出ています。『訓練、愛、恵み……。』」

向こうの男性がすぐに口をはさんだ。「恵みって、何ですか。」

「わかりません。まだ恵みのところまでいっていないのです。」

私はこの最後の言葉を、夕方のニュースを聴くときに考えることがある。戦争、暴力、富める者が貧しい者にかける圧力、宗教紛争、訴訟、家族の崩壊などが蔓延するこの世界は、明らかにまだ恵みのところまで行っていない。「ああ、恵みを欠いた人間とは……」こうため息をついたのは、詩人ジョージ・ハーバートだ。

不幸にも、ある種の教会を訪れたときなどにも、私はこのバスでの会話を思い起こす。水瓶に注がれる極上のワインのように、恵みというイエスの驚くべきメッセージが、教会という器の中で薄められてしまっている。「というのは、律法はモーセによって与えられ、恵みとまことはイエス・キリストによって実現したからである」と使徒ヨハネは書いた（ヨハネ一・一七）。クリスチャンは長年、真理を討議し判定することに膨大なエネルギーを費やしてきた。どの教会も、自分たち独自の解釈を正当なものとしている。しかし恵みについてはどうなのか。ライバルたちより「恵みがまさっている」ようにしよう、と競っている教会を見つけるのはなんと難しいことだろう。

恵みは、キリスト教がこの世にもたらす最高の贈り物、私たちのただ中にある霊の新星であり、復讐や人種差別や憎しみよりも強い力を放つ。悲しいことに、この恵みを渇望している世界に対して、教会が「恵みでないもの」という別の形を提供していることがある。私たちは、バベットの晩餐会にあずかった人々よりも、ゆでたパンを食べに集まるいかめしい人々に似ていることがなんと多いことか。

私は、「律法の時代」と「恵みの時代」とをはっきり区別する教会で育った。その教会は、旧約聖書に書かれている道徳上の禁止事項はおおかた無視しながらも、正統派ユダヤ教徒に匹敵するほどの禁止事項の序列をもっていた。序列のトップが喫煙と飲酒だった（ただし、そこは経済がタバコに依存する南部のことで、喫煙に関してはいくらか許容されていた）。映画鑑賞がこれらの悪徳のすぐ下に位置づけられ、教会員の多くは『サウンド・オブ・ミュージック』さえ観に行こうとしなかった。ロック・ミュージックは当時産声をあげたばかりだったが、これも悪魔的起源をもつ可能性がきわめて高く、忌まわしいものとみなされた。

他の禁止条項――化粧やアクセサリー、新聞の日曜版を読むこと、日曜日にスポーツをしたり観戦したりすること、男女がいっしょに泳ぐこと（奇妙なことに「混浴」と名づけられていた）、女の子のスカートの長さ、男の子の髪の長さ――に注意を払うかどうかが、個人の霊性を測るものだった。こうしたきわめて曖昧とも言える領域についてのおきてに注意を向けることで、人は霊的になる。私はこうした思いを強く抱いて、少年時代を過ごした。律法の時代と恵みの時代とに大きな違いがあるなどとは、どうしても思えなかった。

いろいろ他の教会へも行ってみて、霊性とはこうしてはしごを一段一段上がってゆくようなものだという考えはどこでも変わらないと思った。カトリック、メノナイト、チャーチ・オブ・クライスト、ルター派、南部バプテストはみな、独自の律法主義的なしきたりをもっている。この規定のパターンに従うことで、人はその教会から、そしておそらくは神から認められるのである。

後に痛みの問題について書くようになったとき、私は別の形の「恵みでないもの」に出会う。

読者の中には、私が苦しみの中にいる人々を思いやることに不満を覚える人がいたのだ。彼らは、「人が苦しむのは、それがその人にふさわしいからです。神が罰しておられるのです」と言った。私のファイルにはそのような手紙がたくさん収められているが、それらはヨブの友人たちの「灰のことわざ」（ヨブ一三・一二）を現代的に言い直したものだ。

スイスの医師ポール・トゥルニエは独特の深い信仰の持ち主だが、著書『罪と恵み』の中でこう言っている。「この罪というすこぶる深刻な問題を皆さんといっしょに研究するにあたって、ある至極明白で悲劇的な事実を持ち出さずにはいられない。それは、宗教は――どんな人の信じる宗教も、私自身の宗教も――解放する代わりに粉砕することがある、ということである。」トゥルニエは、自分のところへやって来る患者について語っている。昔しでかしたことに罪悪感を抱いている男性、十年前に行った妊娠中絶をいつまでも心から追い出せずにいる女性。トゥルニエは、患者たちが真に求めているのは恵みだと言う。しかし彼らは教会で、恥や懲罰という脅し、あるいはさばかれている感覚を受けることがある。要するに、恵みを求めて教会の中をのぞくと、「恵みでないもの」に出会うことが多いのだ。

離婚した女性から最近聞いた話だが、十五歳の娘と教会堂の隅に立っていると、牧師夫人が近づいてきた。「離婚なさるそうですね。私にわからないのは、あなたがイエスさまを愛し、ご主人もイエスさまを愛しているのに、どうしてそんなことをするのかということです。」この友人は、牧師夫人からそれまで声をかけられたことがほとんどなかったという。それなのに、娘のいる所であからさまに非難されて茫然としたという。「夫も私もイエスさまを愛していたのに、結婚生活が修復できず崩壊してしまい、本当につらかったのです。牧師夫人が私の肩に腕を回して『かわいそうに……』と言ってくれてたら……。」

マーク・トウェインは、「言葉の最悪の意味において善良な人々」についてよく語っていたが、その表現は多くの人たちにとって、今日のクリスチャンの評判をよくとらえている。私はこのところ、見ず知らずの人――たとえば、飛行機で席が隣り合わせになった人――と話を交わすときに、こんな質問をする。「『福音派のクリスチャン』という言葉を聞いて、どんなことを思い浮かべますか。」 たいてい政治に関係した答えが聞かれる。妊娠中絶反対を声高に叫ぶ人たち、ゲイの権利に反対する人たち、あるいはインターネットを検閲しようという案を出す人たち。何年も前に解散した組織だが、モラル・マジョリティ（訳注＝保守的なキリスト教系政治団体）についての話も聞く。恵みをにおわせるようなことは一度も――一度たりとも――聞いたことがない。どうやら、恵みはクリスチャンがこの世界に放っている香りではないらしい。

H・L・メンケンは、ピューリタンとは、だれかがどこかで幸せにしているのではないかという恐怖にとりつかれた人間だ、と言った。今日、多くの人が、これと同じ風刺的な描写を福音主義者やファンダメンタリストにあてはめようとするだろう。喜びがなく堅苦しいというこの評判はどこから来るのだろう。ユーモア作家アーマ・ボンベックのコラムが、一つの手がかりを提供している。

「私は教会でこの前の日曜日、後ろを向いてみんなに笑顔を振りまいている幼い子どもをじっと見ていた。その男の子は別にのどをごろごろ鳴らしていたわけでもなければ、唾を飛ばしていたわけでもない。ハミングしていたわけでも、椅子を蹴飛ばしていたわけでもない。賛美歌集を破いていたわけでも、母親のハンドバッグの中をかき回していたわけでもないのだ。ただニコニコしていただけである。ところが、その母親はその子の身体をぐいっと引っぱり、オフ・ブロードウェー演劇の小劇場でも響き渡るくらいの声で、聞こえよがしに言った。『にやにやするのはやめなさい！　ここは教会よ！』　そうして、平手でぴしゃりと叩いたのである。涙がその男の子の頬をつたい落ちると、『そのほうがまだましだわ』と言って、祈りに戻った。……

突然私は怒りが込み上げてきた。世界全体が涙にくれているような気がした。あなたがもしも涙していないのなら、今からでも泣くべきだ。涙の跡を顔につけているこの子を抱き寄せ、私の神さまの話をしてあげたいと思った。喜んでおられる神さま。ほほえんでおられる神さま。私たちのようなものを造ったのだから、きっとユーモアのセンスにあふれておられるはずの神さま。……伝統的に、人は、会葬者にあるような厳粛さ、悲劇の仮面をつけたような重々しさ、ロータリークラブのバッジが示す献身などといっしょに信仰を身にまとっている。

なんと愚かなことか、と思った。私たちの文明に残された唯一の光――唯一の希望、私たちの唯一の奇跡――私たちのただ一つの、無限という約束のすぐそばに女性は座っているのに。教会で笑うことができないのなら、この子はいったいどこへ行ったらよいのだろう。」

クリスチャンについてのこうした性格描写は確かに完全なものではないだろう。私は、恵みを具現しているクリスチャンを数多く知っている。しかし、どういうわけか歴史を通じて教会は「恵みでない」評判を得てきたのである。イギリスの幼い少女が、「ああ神さま、悪い人を良い人にしてください。そして良い人を優しい人にしてください」と祈ったように。

十九世紀のおそらく最も偉大なアメリカの哲学者ウィリアム・ジェイムズは、その古典的研究『宗教的経験の諸相』にあるように、教会に対して好意的であった。彼は、帽子を取って挨拶しなかったからといってクエーカーを迫害し、衣服を染めることの道徳性について激しく議論するクリスチャンの狭量を理解しようとまでした。そして、「決して花の匂いをかがず、どんなに喉がかわいても水を飲まず、蠅ですらけっして逐わず、不愉快なものを見てもけっして嫌な顔をせず、自分の快適さを妨げるようなものについてもけっして苦情をいわず、けっして腰をかけず、また跪いているときでもけっして肘をつくまい」と決心したフランスの田舎司祭の禁欲主義について書いている。

高名な神秘主義者、十字架の聖ヨハネは信者たちに、あらゆる喜びや希望を抑制するように、「大勢の人々を喜ばせるのでなく、うんざりさせるように」、また「自らを卑しみ、そして他の人々があなたを卑しむことを望む」よう助言した。聖ベルナルドゥスはスイスの湖の美しさを見ないように、自分の目をおおうことを習慣としていた。

今日、律法主義はその焦点を変えている。完全に俗化された文化にあって、教会は、道徳的優越感を通して、あるいは「文化闘争」において敵対者に激しい態度をとることを通して、「恵みでないもの」を示すことが多いようである。

教会はまた、和合を欠くことで「恵みでないもの」を伝えている。マーク・トウェインは次のように述べた。犬と猫をいっしょの檻の中に入れ、仲良くやっていけるかどうかという実験を行った。二匹が仲良くやっていくようになったので、鳥と豚とやぎを檻の中に入れてみた。鳥と豚とやぎも、いくらか折り合いをつけたあとにとても仲良くやるようになった。そこでバプテスト、長老派、カトリックを入れてみると、あっという間に生きているものがいなくなった。

もっと深刻に書いているのは、現代ユダヤの知識人アンソニー・ヘクトである。

「長い年月の間に、私はそれ〔自分の信仰〕について理解が深まったばかりでなく、クリスチャンである隣人らの確固たる信念もさらに理解するようになった。その多くは私の敬服する善良な人々であり、彼らからはとりわけ善そのものを学んだ。そしてキリスト教の教義にも、魅力的と思えるものが多くあった。しかし、プロテスタントとカトリックが互いに抱き合っている決して和らぐことのない敵意ほど、私に衝撃を与えたものはなかった。」

私はずっとクリスチャンを非難してきたが、それは自分もクリスチャンであって、私たちには自らを着飾る理由がどこにもないと思うからだ。私は自分の人生の中で、「恵みでないもの」が伸ばす触手と戦っている。自分の育ちからくる厳格さを永久に持ち続けることはないだろうが、プライドや人をさばこうとする性向、どうにかして神に認められなければという思いと毎日戦っている。ヘルムート・ティーリケが言うように、「……悪魔は、敬虔な巣の中に自分のカッコウの卵を置くことに成功する。……地獄の炎の悪臭も、神の恵みが腐敗して発する邪悪な臭いに比べれば、取るに足りないものである」。

しかし本当のところ、「恵みでないもの」の強い毒性はあらゆる宗教に見られるものだ。最近復活した北米先住民族の太陽踊りの儀式を目撃した人によると、若いラコタ族の戦士は、鷲のかぎ爪を乳首にくくりつけ、聖なる柱に結ばれているロープを強く引っぱりながら、肉がかぎ爪に突き通されるまでからだを外側に向けて放り出す。そして蒸気の充満した小屋に入って、赤く焼けた石を耐えられない温度になるまで積み上げるのだが、それもこれも罪を贖おうとするものなのだという。

コスタリカで信心深い農夫が玉石を敷いた路上を、ひざを血だらけにして這っている姿や、インドでヒンドゥー教の農夫が天然痘の神々や毒蛇に犠牲をささげているのを見たことがある。イスラム諸国も訪ねたことがあるが、そこでは「道徳警察」が警棒を持って、けしからぬ装いをしている女性や、車の運転をしている女性を捜していた。

宗教に反発するヒューマニストが「恵みでないもの」をもっと悪い形で発明してしまうことが多いのは、全くの皮肉《アイロニー》だ。現代の大学では、「自由」な思想――フェミニズム、環境、多文化主義――をめざす活動家たちが、「恵みでないもの」のもつ情け容赦のない精神を証明しているかもしれない。私はソヴィエト共産主義ほど徹底した包括的な律法主義はないと思う。そこには、間違った考えや言葉の誤用、共産主義者の理想に対する不敬をすべて密告するスパイ網が張りめぐらされていた。たとえば、ソルジェニーツィンは、プライベートな手紙の中でスターリンについて不用意なことを書いたため、強制労働収容所で長い年月を過ごすことになってしまった。また、中国の紅衛兵が行った取り調べほど過酷なものはないだろう。その取り調べには、「三角帽」と、公衆の面前で行われる自己批判まで備わっていた。

最高のヒューマニストの考案するシステムさえ、宗教の認めない「恵みでないもの」によるシステムだ。ベンジャミン・フランクリンは十三の美徳を定めたが、そこには、沈黙（「他人や自分を利することだけを話し、どうでもいいような会話を避けよ」）、倹約（「他人や自分を良くするためだけに金を使え、浪費をしてはならない」）、勤勉（「時間を無駄にするな、常に何か有用なことに従事し、不必要な活動は切り捨てよ」）、静穏（「つまらないこと、またありふれたことだろうが、避けられないことだろうが、偶発的な出来事に煩わされるな」）が含まれていた。彼は各美徳に一ページをあてた本を作り上げ、「欠点」の記録用に線で囲った欄を作った。毎週違った美徳を選んでそれに励み、犯した過ちは毎日すべて記録し、十三週ごとにまた最初から始めて、一年間でリストを四巡するようにした。フランクリンは何十年もその小さな本を持ち歩き、十三週をきよらかに過ごせるよう努力した。だが進歩するにつれ、なお別の欠点と奮闘している自分に気がつくのだった。

「自然感情の中で、おそらくプ、ラ、イ、ドほど征服しがたいものはない。プライドを嫌悪せよ。

プライドと戦え。プライドの息の根を止めろ。できるだけ抑制せよ。プライドはそれでも生きていて、隙あらばのぞき込み、姿を現す。……たとえ私が完全にプライドを克服したと確信できたところで、今度は自分の謙虚さを誇っているにちがいないのだ。」

あれほどさまざまな形でなされた精力的な努力は、恵みに対する深い憧憬を暴露したのだろうか。私たちは、「恵みでないもの」の煙霧で息の詰まりそうな大気の中に生きている。恵みは業績ではなく贈り物として、外からやって来る。情け容赦のない、適者生存で、自己中心的なこの世界から、恵みはなんと容易に姿を消してしまうことだろう。

罪は恵みに対する憧憬をあらわにする。ロサンゼルスのある団体は「アポロジー・サウンドオフ（存分におわびを）・ライン」なるものを運営している。これは通話者に過ちを告白する機会を提供するテレフォン・サービスで、通話者は電話代だけ払えばよいのである。もはや司祭に価値など認めていない人々が、ここでは自分の罪を留守番電話に安心して打ち明けている。匿名の二百人が毎日このサービスを利用し、六十秒のメッセージを残していく。姦淫はよくある告白だ。強姦や、幼児への性的虐待、殺人といった犯罪行為まで告白する人がいる。アルコール依存症から立ち直ろうとしている人は、「私は十八年間依存症だったが、その間に傷つけたすべての人に謝りたい」というメッセージを残した。電話は鳴り続ける。「ただ、ごめんなさい、とだけ言いたいのです。」若い女性がすすり泣く。自分の起こした自動車事故で五人が亡くなったという。「あの人たちを取り戻せたらと思うんです。」

不可知論者の俳優W・C・フィールズが楽屋で聖書を読んでいるのを、あるとき同僚が見つけた。フィールズは当惑し、聖書をパタリと閉じて説明した。「抜け穴を探していただけなんだ。」おそらく恵みを探していたのだろう。

フラー神学校の心理学教授ルイス・スミーズは、まる一冊を使って恥と恵みの関係を描いている（タイトルは適切にも『恥と恵み』である）。「罪責感とは、私が感じていたような問題ではなかった。私がいちばん感じていたのは、価値のなさの固まりで、それは意識していたどの具体的な罪にも結びつけることができないものだった。私が赦し以上に必要としていたのは、神が私を受け入れ、私を所有し、私を抱き、私を認め、決して私から離れないという感覚だった。たとえ神が御手の上にあるものにほとんど心動かされることがなくても。」

スミーズは続けて、ダメージを与える恥に共通する三つの源を見極めたと言う。それは世俗文化、恵みのない宗教、受容性のない親である。世俗文化は、人は格好よく見え、良い気分でいて、成功しなければならないと語る。恵みのない宗教は、規則の字面に従わなければならない、失敗すれば永久に拒絶されると語る。「恥を知れ！」と叫ぶような受容性のない親からは、決して認めてもらえないことを私たちは確信する。

暮らしている所の汚染された空気にもはや気がつかない都市生活者と同じように、私たちは「恵みでないもの」の空気を知らずに吸い込んでいる。早くも幼稚園にあがるころからテストされて評価を受け、「上級」「普通」「要努力」コースへと区分けされる。その時から数学、科学、読解力、「社会性」や「市民としてのあり方」にまで等級をつけられる。テストの答案は、間違いが――正解ではなく――強調されて返ってくる。これらはすべて、私たちが現実の世界に生きるうえで役立つものだ。現実世界にあるのは容赦のないランキング、子どもの間でよくやる「お山の大将」ゲームの大人版だ。

軍隊は「恵みでないもの」を最も純粋な形で実践している。兵士はみな称号、制服、俸給、行動規準をあてがわれ、自分の立場を他人との関係で正確に知る。上位の者には敬礼して従い、下位の者には命令を下す。企業はもっと繊細だ――あからさまだ。フォード社は従業員を一（事務員と秘書）から二七（取締役会長）までの等級に分けている。屋外駐車場を使用する資格を得るには、少なくとも等級の九に行かなければならない。等級一三なら窓、植物、インターコム・システムといった役職員の特典がつく。等級一六のオフィスには専用のバスルームが備えてある。

どの機関も、「恵みでないもの」と、自分の力で歩んでゆくという主張の上で動いているようだ。司法省、航空機頻繁利用客プログラム、住宅ローン会社は、恵みでは機能しない。政府にとって「恵み」という言葉は無縁に近い。スポーツでは、フォワード・パスを決めたり、ストライクを投げたり、バスケットでシュートを決めたりした人に特別の報酬を与えるが、敗者のための場所などは用意しない。『フォーチュン』誌は毎年最も裕福な五百人をリストに載せているが、最も貧しい五百人の名前はだれも知らない。

拒食症という病気は、「恵みでないもの」が直接的に生み出したものである。美しい痩せぎすのモデルが理想であると言えば、十代の少女がそれをめざして絶食し、死に至る。現代西洋文明の奇妙な副産物である拒食症は、これまでの歴史には見られなかったものであり、また現代のアフリカのような場所（痩せていることではなく、太っていることが称賛される）ではめったに起こらない。

これらはすべて、建前では社会的平等をうたう合衆国で起きている。他の社会は階級や人種、カーストに基づいた厳しい社会システムを通じて、「恵みでないもの」の技を磨いてきた。南アフリカは、以前は各市民を四つの人種カテゴリーのどれか一つに割り当てていた。白人、黒人、有色人種、アジア人（日本の投資家が反対したところ、政府は「名誉白人」というカテゴリーを新たに設けた）である。インドの身分制度は非常に複雑で、インドに三百年もいたはずのイギリス人が、一九三〇年代になって初めて知った階級があったほどだった。その階級に属する人々は、不可触賤民の衣服の洗濯をする役割をあてがわれていた。このあわれな人々は、自分たちが姿を見せると、高いカーストを汚してしまうと信じていたので、他の人々との接触を一切避け、夜にだけ外に出ていたのだ。

『ニューヨーク・タイムズ』紙が最近、現代日本における犯罪について連載を組んだ。市民十万人あたりで刑務所に入っているのが、合衆国の五百十九人に対し、日本では三十七人だけであるが、それはなぜなのだろうか。『タイムズ』の記者は答えを探しながら、殺人罪の刑期を終えたばかりの日本人男性にインタビューをする。刑務所にいた十五年間、だれ一人、彼を訪ねて来る者はいなかった。出所後に会った妻と息子からは、もう村には戻って来ないでくれ、とだけ言われたという。結婚している娘二人は、彼に会おうとしない。「私には孫が四人いると思います」とその男性は悲しそうに言った。彼は孫たちの写真すら見たことがない。日本社会は「恵みでないもの」の力を利用する方法を知っている。「面目を保つ」ことに価値を置く文化には、不名誉をもたらす人のいる余地がないのである。

業績ではなく、誕生という偶然とも言えるものがそれぞれを結びつけている家族さえ、「恵みでないもの」の汚染された煙霧を吸い込んでいる。アーネスト・ヘミングウェイの語る話はこの真理を明らかにしている。あるスペイン人の父親が、家出してマドリードへ行った息子と和解しようとする。今では自責の念にさいなまれている父親は、「エル・リベラル」紙に広告を出した。「パコ、火曜日正午にホテル・モンタナで会ってくれ。何もかも赦している。父より。」パコはスペイン人にはよくある名前である。さてこの父親が広場へ行って見つけたのは、父親を待つパコという名の若者八百人だった。

ヘミングウェイは、家族の中にある「恵みでないもの」を知っていた。彼の信仰深い両親は――ヘミングウェイの祖父母は福音主義のホイートン・カレッジへ通っていた――ヘミングウェイの放蕩生活をひどく嫌い、しばらくすると母親は、目の前に息子が姿を現すのを許さなくなった。ある年の彼の誕生日、母親は父親が自殺したときに使った銃をケーキといっしょに送りつけてきた。またある年には、母親の人生は銀行のようなものだと説く手紙を寄こした。「子どもはすべて母のもと、多額の無尽蔵とも見える銀行預金を与えられてこの世に生を受けます。」彼女は続けて、その子はお金を引き出すが、最初は何年も預金をしない、と書く。後に成長したとき、それまで引き下ろしただけのものを補充するのがその子の責任なのだ。そしてヘミングウェイの母親は、「残高の帳尻を合わせる」ためにアーネストがどのように預金すべきか、その方法をあれこれ細かく書いていた。花や果物やお菓子を贈ること、母親宛の請求をこっそり支払っておくこと。そして特に「神と救い主イエス・キリストへの義務を怠ったり」しないという決断。ヘミングウェイは、母親とその救い主に対する憎しみを生涯克服することがなかった。

時には、「恵みでないもの」が背後で立てている単調なうなり声を、高く快活で軽やかに響く恵みの調べがさえぎることもある。

ある日、メーカー直販店で、買ったズボンのポケットに手をつっこむと、二十ドル紙幣が入っていた。お金の持ち主を突き止めるすべもなく、店主は「それはあなたのものだ」と言った。私はズボン一本（十三ドル）を購入し、儲かって店を出るという初めての経験をした。そのズボンをはくたびにこの経験を思い返し、バーゲンの話題になると決まって友人にその時の話をする。

またある日、四千二百メートルの山に登った。初めての試みだった。苛酷な、精も根も尽き果てるようなハイキングで、やっと平地に下りて来たときは、ディナーにステーキを食べてエアロビクスを一週間休む権利を得たような気分になった。町へ戻る途中、車が曲がり角を曲がったとき、鮮やかな緑色のポプラの木々に守られた原始のままのアルプスの湖にでくわした。その向こうには、それまで見たこともない虹がくっきりと弧を描いている。私は道端に車を停めて、黙ったまま長いこと、それを見つめていた。

ローマに旅したとき、妻と私は友人の助言に従って朝早くサン・ピエトロ大聖堂を訪れることにした。「夜明け前に、ベルニーニの彫像が全部飾ってある橋へ行くバスに乗るんだよ。」友人がそう教えてくれた。「そこで日の出を待ってから、数ブロック先のサン・ピエトロ大聖堂へと駆けつける。朝早くそこにいるのは、シスター、巡礼者、司祭ぐらいだろう。」その朝、太陽はよく晴れた空にのぼり、テベレ川を赤く染め、マーマレード色の光線をベルニーニのえも言えぬほど美しい天使の彫像に投げかけていた。友人の指示に従い、私たちはその場所を後にして、サン・ピエトロ大聖堂へと元気よく歩いて行った。ローマはちょうど目を覚まそうとしているところだった。確かに旅行者は私たちだけだった。大理石の床の上を歩く私たちの足音がバシリカに大きく反響する。私たちはピエタ、祭壇、そしてさまざまな記念碑を称賛し、外階段を昇ってミケランジェロが設計した巨大なドームの基部にあるバルコニーにたどり着いた。ちょうどそのとき、広場に入り込んできた二百人の列に気がついた。「絶妙のタイミングだ。」その人たちを旅行者だと思って、妻にそう言った。しかし彼らは旅行者ではなく、ドイツから来た巡礼者の合唱団だった。彼らは列をなし、私たちのちょうど真下で半円形を作ると、賛美歌を歌い始めた。彼らの声が高まり、ドーム中に鳴り響き、四声のハーモニーになったとき、ミケランジェロの半円は単なる建築学的偉観をたたえる作品ではなく、天上の音楽の宮となった。その響きは私たちの細胞を震わせた。それは実体となった。まるで、それに寄りかかったり、その中で泳いだりすることができるかのようだった。バルコニーではなく、その賛美歌が私たちを支えているような気がした。

確かに、自力で得たわけではない贈り物や予想外の喜びこそ、最も大きな喜びを伝えるということには、神学的に重要な意味がある。恵みは押し寄せてくる。あるいはバンパー・ステッカーが言うように、「恵みはひょっこりやって来る」。

多くの人々にとっては、ロマンティックな恋愛が純粋な恵みに最も近い経験である。だれかが私を――この私を！――地球上で最も望ましく、魅力的で、気の合う人だと思っている。だれかが夜、この私のことを思いながら眠らずにいる。だれかが私が願う前に私を赦し、服を着るときに私のことを思い、私を軸に人生を決めている。だれかがそのままの私を愛してくれている。だから、ジョン・アップダイクやウォーカー・パーシーのようなキリスト教の感性を強くもった現代作家たちは、小説の中で恵みの象徴として情事を取り上げているのではないだろうか。彼らは私たちの文化が理解できる言語で話している。つまり、教義としてではなく、ゴシップとして恵みを語っているのだ。

『フォレスト・ガンプ』のような映画もある。母親から教えられた決まり文句を使って話をする、IQの低い子どもを描いた映画だ。この男はヴェトナムで仲間を救出し、恋人ジェニーが不貞を働いても彼女に誠実であり続け、自分自身にも自分の子どもにも真実であり、自分が物笑いの種になっていることなどどこ吹く風のように生きる。映画は、一枚の羽が映る不思議な場面で始まり、終わる――恵みの調べはあまりにも軽く、どこに落ちるか、だれにもわからない。『フォレスト・ガンプ』対「今の時代」の関係は、『白痴』対「ドストエフスキーの時代」の関係に相当し、『白痴』の時と同様の反応を引き起こした。多くの人がそれを愚直でばかげており、受けねらいだと思った。しかし、『パルプ・フィクション』や『ナチュラル・ボーン・キラーズ』

に見られる暴力的な「恵みでないもの」に対して、この『フォレスト・ガンプ』に、鮮やかに浮び上がった恵みの香りをかいだ人々もいた。『フォレスト・ガンプ』はこの時代で最も成功した映画となった。世界は恵みに飢えているのだ。

インド駐在中にハンセン病にかかったピーター・グリーブが、病と共にあるその人生を振り返っている。視力を半分失い、一部麻痺した身体でイギリスへ戻り、英国国教会系シスターのグループが運営する施設で暮らす。働くことができず、社会から見捨てられ、やりきれない思いでいっぱいだった。自殺も考えた。緻密な脱走計画を立てても、いつも踏み切れない。ほかに行き場所がなかったのだ。ある朝早く起きて、何とはなしに庭をぶらついていた。ぶつぶつという声が聞こえるので、それを追ってチャペルまで行くと、シスターたちが壁に書かれた名前の患者のために祈りをささげている。その中に自分の名前もあるのが見えた。ともかくその経験が彼の人生行路を変えたのである。彼は自分が望まれた存在であることを感じた。恵みを感じた。

たくさんの問題をかかえているし、「恵みでないもの」に何としても置き換えようとする傾向があるにもかかわらず、信仰が生き続けるのは、「外部」から予想もしない瞬間にやってくる、分不相応な贈り物の神秘的な美しさを私たちが感じるからである。罪や恥に彩られた人生が破滅へと通じているのを信じまいとして、私たちは望み得ないときに望みを抱き、別のルールによって営まれている別の場所があるのではないかと、希望を持ち続ける。私たちは愛に飢えて成長し、言葉で言えないほど心の底から、「創造者」に愛されることを望んでいるのである。

恵みは当初、信仰の形や信仰の言葉をとって私にやってきたわけではなかった。私は、「恵み」「恵み」と始終口にしながら、違うもののことを言っている教会で育った。恵みは、多くの宗教用語と同様、もはや信用できなくなるほどその意味を失っていた。

私が最初に恵みを経験したのは、音楽を通してである。通っていたバイブル・カレッジで、私は変人と見られていた。人々は公然と私のために祈り、また悪霊払いが必要かと直接聞いてきた。私は悩み、混乱し、わけがわからなくなった。寮のドアは夜は鍵がかけられたが、幸い私の部屋は一階にあった。部屋の窓からはい降りては、チャペルに忍び込んだ。チャペルには三メートル近くあるスタインウェイのグランドピアノが置かれていた。楽譜がかろうじて読めるほどの小さなライトがついているだけのチャペルの暗闇の中で、毎晩一時間ほど、ベートーヴェンのソナタやショパンの前奏曲、シューベルトの即興曲などを弾いた。私の指は、触感による秩序のようなものをこの世界に叩きつけた。精神が混乱していた。身体も混乱していた。この世界も混乱していた——しかし、私はここで、美と恵み、雲のように軽くて、蝶の羽のように衝撃的な、神秘という、隠れた世界を感じたのである。

同様のことが自然界でも起きた。雑然とした考えや人々から逃れるため、私はよく、ハナミズキの木があちこちに見える松林の中をかなり遠くまで歩いた。川に沿ってトンボがジグザグに飛ぶ道筋をたどり、頭上を旋回する鳥の群れをながめ、丸太を割いてその中に玉虫色の甲虫を見つけたりした。生きとし生けるものに自然が形と場所を与えている、その確かで必然性のある姿が好きだった。この世界には壮麗さ、偉大なる善、そしてそう、喜びのしるしがあることの証拠を見た。

ちょうどそのころ、恋に落ちた。それはまさしく「落ちた」感じだった。耐えられない軽さという状態へとまっさかさまに転げ落ちるような感じだ。地軸が傾《かし》いだ。私は当時ロマンティックな愛など信じていなかった。そんなものは人間の作ったもので、十四世紀イタリア詩人の発明だと思っていた。善や美に対してと同じく、愛に対しても心の準備ができていなかった。突然、心臓が胸に収まりきらないほど膨らんだような気がした。

私が経験していたのは、神学用語で言う「一般恩寵」だった。感謝しているのに、その対象がないこと、畏怖の念を抱いているのに崇拝する対象がないのは恐ろしいことだった。少しずつ、本当に少しずつだが、私は子ども時代に投げ捨ててしまった信仰に戻っていった。「私たちがまだ見ていない花の香り、まだ聞いたことのない調べの反響、まだ一度も訪れていない国からのニュース」、そうしたものへの深いあこがれを呼び覚ますものに対してC・S・ルイスが使う言葉、「恵みのしずく」を経験したのである。

恵みは至る所にある。ちょうど、レンズを通して見ているため、レンズの存在に気づかないでいるようなものである。神はついに、周囲にある恵みに気づく目を与えてくださった。私は物書きになったが、それは、恵みをよく知らないクリスチャンのために色あせてしまったさまざまな言葉を再生させようとしてのことだと信じている。最初の仕事はキリスト教の雑誌で、親切かつ賢明な雇用主ハロルド・マイラのもとで働いた。彼は、私が自分なりのスピードで、見栄をはることなく、信仰を解明していくのを許してくれた。

最初の何冊かの本のためにポール・ブランド博士といっしょに仕事をした。博士は人生の大半を、南インドの暑く乾燥した地方でハンセン病患者の治療にささげていた。患者の多くが不可触賤民のカーストに属していた。このどうにも先の見えない土壌で、ブランド博士は神の恵みを経験し、それを伝えていた。ブランド博士のような人々から恵みを受けて、私は恵みを知ったのである。

私には、恵みのうちに成長するために脱ぎ捨てるべき皮が一枚残っていた。成長段階に植えつけられた神のイメージが、悲しいことに不完全なものだったのだ。私は、詩篇の記者たちの言う「情け深く、あわれみ深く、怒るのにおそく、恵みに富んでおられる」神を知るようになった。

恵みは、それを受けるに値しない人々にただで与えられる。私もそうした人々の一人である。昔の自分を振り返って考えると、憤りやすく、怒りにからみつかれ、まさに、家族と教会から学んだ「恵みでないもの」の長い鎖の中で固くなっている一つの輪であった。いま私は、自分なりのささやかな仕方で恵みの調べを吹こうとしている。それは、かつて癒やしや赦しや優しさを受けた時に痛切に感じた憧れが、ただ神の恵みから来ていることを確信しているからだ。教会が恵みの文化を育んでいくよう、私は心から願っている。

放蕩者にこそ……父の家での思い出がよみがえってくる。無駄遣いをしないで暮らしていたら、この息子は帰郷しようなどと思わなかっただろう。

シモーヌ・ヴェイユ

4　愛に痛む父

イギリスで開かれた比較宗教会議で、世界中から集まった専門家たちが、キリスト教信仰には特有の考えがあるかどうかを議論した。そして、キリスト教独自と思われる考えをふるいにかけていった。受肉だろうか。神が人間の形をとって現れるという考えは、形は違っても他の宗教にもあった。復活だろうか。死から生還する話もやはり他の宗教にあった。議論がしばらく続いたところで、C・S・ルイスが部屋にぶらりと入って来て、「これは何の騒ぎだい？」と尋ねた。仲間たちが、キリスト教が世界の宗教の中で果たした独自の貢献について論じていたと答えるのを聞いて、ルイスは言った。「ああ、それは簡単だ。恵みだよ。」

そのあと議論が少しなされたが、結果的に会議の参加者はルイスに同意せざるを得なかった。神の愛はただで、付帯条件なしに与えられるという考えは、人間の本能にことごとく反するようだ。仏教の八正道、ヒンドゥー教のカルマの教義、ユダヤ教の契約、イスラム教の戒律の体系——どれもが、是認を獲得する方法を提供する。キリスト教だけがあえて神の愛を無条件なものとしている。

イエスは、人間が本来恵みに抵抗感をもっていることに気づいていたため、恵みについてよく語られた。イエスは、神の恵みで満ちあふれている世界を描かれた。良い者の上にも悪い者の上にも太陽がさし、雨が降る所。蒔くことも刈ることもしない鳥たちが種をただで集める所。岩だらけの丘の斜面に世話がされていない野の花が咲く所。外国からの訪問者が土地の人が見過ごしているものに気づくように、イエスは至る所に恵みをご覧になった。しかし恵みを分析したり定義したりすることはなかったし、恵みという言葉を使われることもほとんどなかった。むしろ、私たちが知っているたとえ話を通して恵みを伝えられた——それらの物語をここで思いきって、現代的な状況設定に移し換えてみようと思う。

マンハッタンはローワー・イーストサイド、フルトン魚市場の近くに、一人のホームレスの男が住んでいる。魚の残骸やはらわたのねとねとした臭いにはむせ返るようだし、日の出前に騒がしく到着するトラックは忌々しい。かといって市の中央部は人がいっぱいで、警官からは嫌がらせを受ける。波止場のそばなら、大型ごみ容器裏の荷揚げ場で寝ているゴマ塩頭のひとり者を邪魔する者はいないのである。

市場の人たちがイタリア語で叫び合いながらウナギやオヒョウをトラックから降ろしているある早朝、そのホームレスの男は起き上がると、観光客向けレストランの裏手にある大型ごみ容器をあさる。早く仕事にかかれば、かならず掘り出し物が手に入る。昨夜の手つかずのガーリック・ブレッドやフライドポテト、ひとかじりしただけのピザ、一切れのチーズケーキ。めいいっぱい食べた残りは茶色の紙袋に詰める。ビンや缶は、さびたショッピング・カートの中のビニール袋にしまい込む。

やがて港を包む霧に朝の太陽がほの白い光をさし、波止場近くの建物の上に顔を出す。先週の宝くじが、しなびたレタスの中にまぎれ込んでいるのが見えるが、放っておこうとする。結局はいつもの習慣で、拾い上げてポケットに押し込んだ。もっとツキに恵まれていたときは、毎週一枚宝くじを買っていた。昼過ぎになって、くじのことを思い出し、新聞で番号を確認する。数字が三つ目まで合っている、四つ目も、五つ目も――なんと全部七だ！　まさか。そんなはずがない。こんなろくでなしがニューヨークの宝くじに当たるなどありっこない。

だが本当に当選していたのである。その日、テレビのレポーターたちが、今後二十年間、毎年二千五百万円ずつ受け取ることになった、ひげボウボウで、だぼだぼズボンをはいた今やメディアの寵児となったホームレスの男を紹介すると、彼はまばゆい光に目を細めた。革のミニスカートをはいたスマートな女性が顔にマイクを押しつけて、「どんなお気持ちですか」と尋ねる。彼は茫然とした様子で見つめ返し、彼女の香水の香りを味わう。人からそう聞かれたのは久しぶり、本当に久しぶりだ。

今にも飢え死にしそうだったのに、まさに生き返ったような気がし、もう二度と空腹を覚えることはないらしいと、徐々にわかってくる。

あるロサンゼルスの起業家が、冒険旅行ブームに目をつけてひと儲けしようと決断する。アメリカ人は海外旅行中、皆が皆ホリデイ・インに寝泊まりしてマクドナルドで食事をするわけではない。あまり知られていない所へ行くほうが好きな人もいる。彼は古代世界の七不思議を巡る旅を思いつく。

結局、古代の七不思議のほとんどは現存していないことがわかった。しかしバビロンの空中庭園を再建しようとする動きがあり、あちこち足を運んで調査してから、チャーター機、バス、宿泊施設を手配し、プロの考古学者に同行できますというガイドも見つけた。冒険が目的の旅行者が好む類のツアーである。この起業家は高額なテレビ広告の連続ものを制作すると、それをこのツアーに参加する裕福な旅行者たちが見そうなゴルフ・トーナメントの間に流すようにスケジュールを組んだ。

夢を実現するため、この起業家は投資家から一億円を借りる手はずを整えた。ツアーを四回行えば経費をカバーできるし、ローンの返済もすぐに始められると計算してのことだった。

しかし想定外の事態が起きる。第一回目のツアーの二週間前に、サダム・フセインがクウェートに侵攻し、国務省は、古代バビロンの空中庭園があったイラクへの渡航を一切禁じたのである。

この話を投資家にどう打ち明けたものか、彼は三週間煩悶する。銀行に行ったが、埒があかなかった。家を担保にどれくらい借金できるか調べたが、借りられるのはたったの二千万円、必要額の五分の一にしかならない。最終的に、残りの生涯で毎月五十万円ずつ支払う計画を立てた。

契約書を作ったものの、このあまりにも無理な計画は沈没していくのだった。月五十万円では一億円のローンの利子さえ返せないだろう。それに、どこで毎月五十万円を手に入れるというのか。しかし破産すれば信用が失墜する。サンセット通りの支援者事務所を訪ね、緊張しながら謝罪の言葉をあれやこれやと口にし、だれの目にも愚かな支払い計画の説明をした。エアコンのかかったオフィスで、汗だくになって話した。

突然、資本家が手をあげて話をさえぎった。「待ちたまえ。何と無意味なことをしゃべってるんだ。返済だって？」資本家は笑った。「ばかを言うんじゃないよ。私は投資家だよ。儲かる時もあれば、損をする時だってある。君の出した提案の危険性はよくわかっていたよ。だが、確かにいい考えだった。それに、戦争が始まったのは君のせいじゃないだろ。これについては、もういいから。」資本家は契約書を取り上げると、二つに破ってシュレッダーに放り込んだ。

イエスの語られた恵みの話の中で、若干形を変えながら、三つの福音書に出てくるものがある。けれども私が好きなのは、もう一つ別の版のものだ。一九九〇年六月の「ボストン・グローブ」紙に掲載された、特異な結婚披露宴の記事である。

ある女性が婚約者と連れ立って、ボストン中心街のハイアット・ホテルへ行き、披露宴の食事を注文する。二人はメニューを見ながら、じっくり話し合い、陶磁器や銀器を選び、気に入った生け花の写真を指定した。二人とも高価なものが好きだったので、請求額は百三十万円にのぼった。手付金としてその半額分の小切手を切ると、二人は家に帰って、結婚式の招待状の準備をした。

招待状が郵便受けに届く日、男のほうが結婚を躊躇し始める。「確信がないんだ。これは実に大きな責任を伴うことだ。もうちょっと時間をかけて考えてみよう。」

怒った婚約者が披露宴の予約を取り消しにハイアット・ホテルへ行くと、イベント担当主任の女性は心からの理解を示してくれた。「実は、私も同じ目にあったことがあるんです。」そう言って、自らの婚約破棄の話をした。だが、払い戻しに関する返事はかんばしいものでなかった。

「契約には拘束力があります。払い戻しは十三万円だけです。選択は二つです。手付金の残りを失うか、あるいはこのまま披露宴を開くかです。申し訳ないのですが。」

とても正気の沙汰とは思えないが、この婚約を破棄された女性は考えれば考えるほど、このままパーティーを開くという方向に気持ちが傾いていった――改めて言っておくが、単なる結婚祝賀会などではなく、まさに大晩餐会である。十年前、この女性はホームレス用の宿泊所で暮らしていた。仕事を見つけ、一生懸命に働いて、かなりの蓄えもできた。彼女は、ボストンの一文なしの人たちにこの街の夜をプレゼントしようという突飛な考えを思いつく。

かくして一九九〇年六月、ボストン中心街にあるハイアット・ホテルで前代未聞のパーティーが催された。主催者はメニューを骨なしチキンに変え――「花婿のために」と言って――救護院やホームレスの宿泊所に招待状を送った。その暖かい夏の夜、いつもはかじりかけのピザを厚紙からはがしている人々が、チキンのコルドンブルー風を食べていた。タキシードを着たハイアットのウェイターたちが、松葉杖やアルミニウムの歩行器で身体を支える高齢者にオードブルを運んだ。全財産を持ち歩いている宿なしの女性、ホームレスの人、麻薬等の依存症患者らは、路上での厳しい生活から一夜離れてシャンパンをすすり、チョコレート・ウェディング・ケーキを食べ、夜遅くまでビッグ・バンドのメロディーにのって踊った。

ミシガン州トラバース・シティのすぐ上にあるサクランボ園で少女は成長した。両親はいささか旧弊で、彼女の鼻につけたリングや聞いている音楽、スカートの長さに過剰な反応を示した。娘を幾度か外出禁止にしたが、そうすると、少女の心は激しく湧き立った。「大っ嫌い！」口論の後、父親が部屋のドアをノックすると、彼女は叫んだ。そしてその夜、頭の中で何十回もイメージしてきた計画を実行に移した。家を出たのである。

デトロイトには以前、教会の青年たちといっしょにバスでタイガースの試合を見に行ったことがある。トラバース・シティの新聞がデトロイト中心部のギャング、麻薬、暴力事件を詳細に報じていたので、両親が自分をこの町に捜しに来ることなどないはずだと考えた。カリフォルニアやフロリダなら、捜しに来るかもしれないが、ここなら大丈夫だ。

デトロイトでの二日目、見たこともない大きな車を運転している男に出会う。彼は少女を車に乗せ、昼食を買い与え、宿泊場所を手配してくれた。男は、経験したことのないほど気分が良くなる丸薬をくれる。自分は間違っていなかったんだ、と思った。両親は私をあらゆる楽しいことから遠ざけていたんだ。

すてきな生活は一か月、二か月続き、一年に及んだ。大きな車をもった男――少女は「ボス」

と呼んでいる――は、男たちの好むことを教える。男たちは、未成年の彼女に割増金を払うのだ。少女はペントハウスに住み、いつでも好きな時にルームサービスが頼める。故郷の人のことを考えることもあるが、その生活はあまりにも退屈で野暮ったく、自分がそこで育ったなんて信じられないくらいだ。牛乳パックの背面に「この子を見ませんでしたか」という見出し付きの自分の写真が印刷されている。それを見ると少し怖くなる。しかし今は髪はブロンドで、化粧をし、ボディー・ピアスをしているので、未成年と間違えられることはない。そのうえ、友だちといえばほとんどが家出人なので、デトロイトには密告する人などいない。

一年後、病気の徴候を示す顔色の悪さを見て取ると、ボスの態度は驚くほど意地悪になった。「今どき無駄な時間を過ごしちゃいられないんだよ。」腹立たしげにそう言うと、少女はあっという間に一文なしで路上に放り出されてしまう。それでも一晩に何人か客をとるが、たいした稼ぎにはならない。そうして得た金は全部自分の習慣を続けるために使われた。冬になって北風が吹きつけると、少女はいつのまにか大きなデパートのシャッターに身体を寄せて眠っていた。「眠っている」という言葉は正しくないだろう――十代の少女が夜のデトロイトの繁華街で警戒心をゆるめることなどできないからだ。目のまわりには黒いくまができている。咳もひどくなっていた。

ある夜、少女は眠らずに横になって人々の足音を聞いていたが、突然自分の人生の何もかもが違ったふうに見えた。自分は一人前の女性ではない感じがした。寒くて恐ろしい街で迷子になった幼い女の子のような気がした。そして、しくしく泣きだした。ポケットはからっぽでお腹もすいていた。緊急の治療も必要だった。身体を丸めて、コートを着たまま新聞紙にくるまって震えている。突然記憶のスイッチが入り、心の中にイメージが広がった。トラバース・シティの五月、百万本もの桜がいっせいに花を開く。ペットのゴールデン・レトリバーがテニス・ボールを追いかけて、花をつけた何列もの桜の木の間を走って行く。

「神さま、私はなぜあそこを離れたんでしょう。」ひとり言を言うと、痛みが心を突き刺した。「家の犬だって、今の私よりましな食事をしている。」むせび泣いていると、何より家に帰りたがっている自分に気がついた。

電話を立て続けに三回かけてみたが、三回とも留守番電話につながった。最初の二回はメッセージを残さずに切ったが、三回目にはこんなメッセージを残した。「パパ、ママ、私です。家へ帰ろうかと思っています。これからそちらへ向かうバスに乗ります。明日の夜中に着くと思います。パパたちの姿が見えなかったら、……、バスを降りずにカナダへ行きます。」

バスがデトロイトとトラバース・シティ間のすべての停留所に停まると、七時間ほどかかる。バスに乗っている間に、この計画の欠陥に気がついた。両親が町を出ていてメッセージを聞いていなかったらどうしよう。両親と直接話ができるまで、もう一日待つべきだったのではないか。仮に家にいたとしても、娘はとっくに死んでいると思っているかもしれない。ショックから立ち直る時間を、両親にいくらかでも与えるべきだったのではないか。

こうした思いと、父親に言おうと思っている言葉とが頭の中を行き来していた。「パパ、ごめんなさい。私が間違っていた。パパのせいじゃないわ。みんな私が悪いの。パパ、赦してくれる？」こんな言葉を何回も繰り返してみたが、まだその時が来ていないのに喉がこわばる。もう何年も人に謝ったことがなかったのだ。

バスはベイ・シティからライトをつけて走っていた。何千ものタイヤ、そしてアスファルトの蒸気にこすられてすり減った車道を、小さな雪片が叩く。鹿が道を横切り、バスは急カーブを切る。あっちにもこっちにも大きな広告板がある。そして、トラバース・シティまでの距離を知らせる標識だ。「ああ、神さま。」

エアブレーキがシューッという抵抗音を響かせて、バスがステーションにすべり込むと、運転手はマイクに向かって、はじけるような声でアナウンスする。「皆さん、十五分間です。十五分だけここに停まります。」人生を決定する十五分。少女はコンパクトの鏡に顔を映し、髪の毛をなでつけ、歯についた口紅をなめて落とす。指先についたタバコのしみを見て、両親はこれに気づくだろうかと思った。ここへ来てくれていたらの話だが。

少女は何が待ち受けているかを知らずにステーションビルに入った。心の準備のために頭の中で一千もの場面を演じてきたのに、その一つも役に立たなかった。ミシガン州トラバース・シティのコンクリート壁とビニール椅子をしつらえたバス・ステーションビルには、総勢四十人の兄弟姉妹、大おばさんにおじさんにいとこ、おまけに祖母や曾祖母までが立っていた。みんなまぬけな格好のパーティーハットをかぶり、笛をピーピー吹き鳴らしている。そしてパソコンで作った「お帰りなさい！」の横断幕が、ビルの壁の端から端までかけられている。

温かく迎える人々の中から父親が現れた。少女は、目の中でゆらゆらしている熱い水銀のような涙の向こう側を見つめ、懸命に覚えてきた言葉を発し始めた。「パパ、ごめんなさい。私……。」父親は少女の言葉をとどめた。「そんなこと言ってる暇はないんだ。謝っている時間なんてないんだよ。パーティーに遅れてしまう。これから家でおまえのためにパーティーを開くんだ。」

私たちはどんな約束にも落とし穴を見つけることに慣れているが、イエスの途方もない恵みの話には、私たちを神の愛にふさわしくないものとするような落とし穴や抜け道は存在しない。イエスの恵みの話には、どれもその中心に信じられないような結末がある――真実とは思えないほどすばらしい結末が。

これらの話は、私自身が子どものころに抱いていた神理解といかに違うことだろう。私が思っていたのは、確かに赦す神なのだが、懺悔する者をもじもじさせた後に、嫌々ながら赦す神だった。神を厳しい管理者、愛よりも畏敬の念を好み、遠くから雷のような声をとどろかせる方だと想像していた。イエスが語るのはそうではなく、家の財産の半分を食いつぶした息子を抱きしめようと走り出て行って、自らが人前で恥ずかしい思いをする父親である。「これで思い知ったかね！」式のもったいぶった説教などなさらない。そうではなく、イエスは嬉しくて仕方のない父親の様子を語っておられる――「この私の息子は、死んでいたのが生き返り、いなくなっていたのが見つかった」――そしてうきうきした言葉が付されている。「そして彼らは祝宴を始めた」と（ルカ一五・二四、米改訂標準訳）。

赦しを阻んでいるのは神のためらいではなく――「ところが、まだ家までは遠かったのに、父親は彼を見つけ、かわいそうに思い……」（同二〇節）――私たちのためらいなのだ。神の腕はいつでも差し出されている。踵《きびす》を返したのは私たちのほうなのだ。

私はイエスの語られた恵みの話をよく考え、その意味があふれ出てくるようによく考えてきた。それでもこの驚くべきメッセージに向かうたびに、「恵みでないもの」のヴェールが、神に対する私の見方を覆っていることに気づかされる。なくした硬貨を見つけて飛んだり跳ねたりして大喜びしている主婦は、神のことを考えたときに私の心に自然に浮かんでくるものではない。しかし、それこそがイエスの主張する神のイメージなのである。

放蕩息子の話はそもそも、イエスのなさった一連の三つの話のひとつであるが――いなくなった羊、なくした硬貨、いなくなった息子――三つの話はみな、同じ点を主張している。どれもが失った側の喪失感を強調し、再び見つけた時のスリルを語り、歓喜の場面で終わっている。実際、イエスはこう言われた。「あなたは神であるとはどんな気持ちであるか知りたいか？　この二本足の人間の一人がこちらに目を向けるときには、わたしは、なくしたと思ってあきらめていた最も高価なものを取り戻したように感じるのだ。」　神ご自身にとって、それはまたとない発見のように感じられるのである。

不思議なことだが、再発見は発見よりも心の琴線に触れるものかもしれない。モンブランの万年筆も、一度なくしてから見つかった時のほうが、最初に得た時より持ち主は幸せな気持ちになる。私は四章分の原稿をモーテルの部屋の引き出しに入れ、そのまま忘れてきてしまったことがある。まだコンピューターのなかった時代なので、データなど残っていなかった。モーテル側は掃除係が原稿の山を捨ててしまった、と二週間言い張った。私は悲嘆にくれた。あの四章の推敲に何か月も時間をかけたのに、もう一度最初からやり直すエネルギーなど、どこに残っているだろう。同じ言葉はもう二度と見つからないだろう。ところがある日のこと、ほとんど英語を話せない掃除係の女性が電話をかけてきて、あの四章分の原稿は捨てていなかったと告げたのである。まさしく、私は原稿を書いている最中に感じたよりもはるかに大きな喜びを、そのときに覚えたのである。

この経験のおかげで、半年前に誘拐された娘が無事に見つかった、とＦＢＩから電話報告を受けた親の気持ちが少しばかりわかるような気がした。また、軍の訪問を受け、スポークスマンから情報の混乱の謝罪を受けた妻の気持ちも少し理解した。墜落したヘリコプターには夫が乗っていなかったと判明したのだ。そしてこうしたイメージは、家族がまた一人戻ってきた時に宇宙の創造者がどんな気持ちになるものかをちょっぴり味わわせてくれる。イエスの言葉で言うと、「あなたがたに言いますが、それと同じように、ひとりの罪人が悔い改めるなら、神の御使いたちに喜びがわき起こるのです」（ルカ一五・一〇）。

恵みは驚くほど個人的なものである。ヘンリ・ナウエンが指摘しているように、「神は喜ばれる。それは、世界の諸問題が解決したからでもなく、人間のすべての苦痛と苦難が終わったからでもなく、数千もの人々が回心し、いまや神をたたえているからでもない。そうではない。神が喜ばれるのは、いなくなった子の一人が見つかったからなのだ」。

フルトン・ストリートのホームレスの男、一億円を失った起業家、ボストンの宴会に集まった雑多な一団、トラバース・シティ出身の十代の売春婦、イエスのたとえ話に登場する人物一人一人の倫理性に焦点を当てるとしたら、全く奇妙なメッセージを受け取ることになる。イエスが、どのように生きるかを教えようとして、このたとえ話をもちだされたことは明らかだ。神がどんな方で、だれを愛するかについて私たちのもっている考えを正すために、たとえ話をお語りになったのだと私は思っている。

ヴェネチアのアカデミア美術館にパオロ・ヴェロネーゼの描いた絵があるが、その絵を描いたがために異端審問にかけられることとなった。弟子たちと宴会の場にいるイエスを描いた絵だが、絵の片隅でたわむれているローマ兵や、その反対側で鼻から血を出している男、そこらをうろつく迷い犬、幾人かの酔っぱらい、アフリカ人、時代錯誤と思えるのだが、フン族までが描かれている。この不適切な描写を説明するために異端審問に呼び出されたヴェロネーゼは、こうした人々こそイエスがつきあった人間であることを福音書から示し、自分の絵を弁護した。審問者は憤慨し、ヴェロネーゼに絵の題名を変更させ、その場面を宗教的ではなく世俗的なものにさせた。

そうすることによって、異端審問者たちはイエスの時代のパリサイ人の姿勢をなぞったのである。パリサイ人もまた、イエスとともに多くの時間を過ごした収税人やサマリヤ人、外国人や悪い評判の女に憤慨した。こうした人々を神が愛しておられるという考えをなかなか理解できなかったのである。イエスが恵みのたとえ話で群衆を魅了しておられたまさにその時、パリサイ人は文句を言ったり歯がみしたりしながら、群衆の端に立っていた。イエスは彼らを挑発するように、放蕩息子の話の中で、無責任な行動にほうびをやったといって、父親に正当な怒りの声を発する兄を登場させておられる。あんな裏切り者に宴会を開いてやるなんて、父親はどんな「家の価値観」を伝えようとしているのだろう。それによって、どんな徳が養われるというのか。*

福音は、私たちが考えつくようなものとは全く異なっている。たとえば私にしても、不品行な人より徳のある人を尊ぶのは当然のことと思っている。聖なる神に拝謁を申し込む前に、自分の行為をきよめるのが当然と思っている。ところがイエスのお語りになる神は、一流の宗教の教師を無視し、「神さま。こんな罪人の私をあわれんでください」（ルカ一八・一三）と懇願する普通の罪人のほうを振り向かれる。実際、神が「善良な」人よりも「本物の」人を好まれることが聖書には一貫して明示されている。イエスの言葉で言うと、「ひとりの罪人が悔い改めるなら、悔い改める必要のない九十九人の正しい人にまさる喜びが天にあるのです」（同一五・七）。

死を目前にしたイエスの最後の行為は、十字架にかけられた盗人を、単に恐怖から回心しただけだと十分知りながらもお赦しになったことである。その盗人が聖書を勉強することは絶対にないし、会堂や教会に通うことも、自分が不正を働いた人々に償いをすることもないだろう。盗人は「イエスさま。……私を思い出してください」と言っただけで、イエスは「あなたはきょう、わたしとともにパラダイスにいます」と約束されたのだった（同二三・四二、四三）。これも、恵みとは私たちが神のためになしたことではなく、神が私たちのためになさったことによるものであることを思い起こさせる。

天国に行くにはどうすればよいかと聞けば、たいていの人が「良いことをしなさい」と答える。イエスの話はその答えと矛盾する。私たちがしなければならないのは、「助けて！」と叫ぶことだけである。神は、ご自分を受け入れる人はだれでも歓迎してくださる。そして事実、神は先に行動を起こしておられるのだ。医者、弁護士、結婚カウンセラーなどの専門職についている人のほとんどは、自分自身に高い価値を置き、顧客が自分たちのところに来るのを待っている。だが、神は違う。ゼーレン・キェルケゴールが次のように言っているとおりである。

「罪人のこととなると神はただ黙って立ち、腕を広げて『こちらへ来なさい』と言うのではない。いなくなった息子を待っていた父親のように、神はそこに立って待っているではなく、進んで捜しに出かけられるのだ。いなくなった羊を捜す羊飼いのように。失くした硬貨を捜す女のように。神は出て行かれる――いや、神は出かけてしまわれたのだ。しかも、どんな羊飼いやどんな女よりも果てしなく遠くまで行かれたのである。神は、神であることから人間になるほど、罪人たちを捜すために、果てしなく遠いところまで行かれたのだ。」

キェルケゴールはおそらく、イエスのたとえ話の最も重要な局面を指摘したのである。イエスのたとえ話は、単に聞く者の注意を引きつけるような心地よい話でも、神学的な真理を保持するための文学的なものでもない。それは、イエスの地上における生涯の原型だったのである。イエスは安全な囲いの中から外の暗く危険な夜へ出て行った羊飼いだった。ご自分の宴会に、収税人や堕落した人間、売春婦を歓迎された。健康な人ではなく病人のために、義人ではなく不義な人々のためにやって来られた。そして自分を裏切った人々に——とりわけいちばん必要としたときに自分を見捨てた弟子たちに——愛に痛む父親のような反応を示された。

神学者カール・バルトは『教会教義学』の中に何千ページも執筆したあとで、神について単純な定義に行き着いた。神とは、すなわち「愛の方」である、と。

少し前に、十五歳の娘とけんかをしているという友人の牧師から連絡をもらった。娘は避妊をし、幾晩も家に帰って来ないこともあったという。両親はいろいろと罰を与えてみたが、効果がなかった。娘はうそをつき、だまし、言った。「厳しすぎるあなたたちが悪いのよ！」

友人は語った。「ぼくは居間の窓の前に立ち、娘が帰って来るのを待ちながら、暗闇を見つめていた。強い怒りを覚えていた。放蕩息子の父親のようでありたいと思ったけれども、娘がぼくたちを自分の思いどおりにしようとして、ナイフを振り回したことに激怒していた。もちろん、娘はだれより自分自身を傷つけていた。そしてぼくは、預言書の中で神が怒りを表しておられる箇所の意味がよくわかった。人々は神を傷つける方法を知っていた。そして神はあまりの痛みに叫び声をおあげになった。

でも、娘がその夜、いや翌朝、帰って来たとき、ぼくが何をしてやろうと考えたと思う？ 娘を抱きしめて、いつくしみ、おまえのためにできるだけのことをしたいと言ってやろうとした。ぼくはどうしようもなく、愛に痛んだ親なんだ。」

いま私は神について考えるとき、愛に痛む父親のイメージを持ち出しているのだが、それは以前思い描いていた厳格な君主のイメージからは程遠いものだ。窓の前に立って、痛みを感じながら暗闇を見つめている友人のことを思う。イエスの描かれた、待っている父親のことを思う。心を傷め、ひどい目に会わされた父。しかしそれでも、何より赦して新しい始まりを望んでいる父。「この私の息子は、死んでいたのが生き返り、いなくなっていたのが見つかった」と喜んで宣言したい父親である。

モーツァルトの「レクイエム」には、私の祈りとなったすばらしいせりふがある。私が確信をもって祈っている祈りである。「覚えていてください、慈しみ深いイエスよ。あなたが旅に出られたのは、私のためだということを。」イエスは覚えていてくださると私は思っている。

＊現代の説教者フレッド・クラドックは、ただこの点を明らかにするために、たとえ話の細部をいじくり回したことがある。説教の中で、この父親がはずした指輪と脱いだ着物を「兄」のほうにやり、その長年にわたる忠誠と従順をたたえて、肥えた子牛を殺したことにしたのである。教会の後ろの席にいた女性が叫んだ。「そう書いてあるべきなんですよ！」

この点、この静止点がなかったら、ダンスはないだろう。しかし存在するのはダンスだけなのだ。
T・S・エリオット

5 恵みの新しい数学

「福音の不愉快な数学」と題した私のコラムが『クリスチャニティ・トゥデイ』誌に掲載されるや、だれもが風刺に好意的であるわけでもないことがわかった。このコラムを酷評する手紙で、わが家の郵便ポストの中は焦げつかんばかりだった。激怒したある読者はこう書いていた。「フィリップ・ヤンシー、あなたは神ともイエスとも共に歩んでいない！」「このコラムはまさに冒瀆だ。」またある読者は、私の「反キリスト的な知性偏重の哲学」を非難していた。さらにある読者は私を「悪魔的」ときめつけ、「こういうつまらない未熟な人間を引っこ抜くぐらいのスタッフがいないのか」と編集者に物申した。

懲罰を受けているように感じたし、冒瀆的、反キリスト的、悪魔的とみなされることに慣れていなかったので、そのコラムのことを改めて考えてみた。何がいけなかったのだろう。四つの話を取り上げたのだが、どれも福音書にあるものだ。そして、明らかに冗談半分に――というか、私はそう思っていたのだ――その話の中の数学のおかしさを指摘したまでである。

ルカは、九十九匹の羊の群れを残して、一匹の迷子の羊を捜しに暗闇の中へ飛び出して行った羊飼いのことを語っている（一五・三－七）。その行為は確かに尊いものであるが、その根底にある数学をよくよく考えてみてほしい。イエスは九十九匹の羊を「野原に」残していったと言っておられるが、それはつまり家畜泥棒や狼、羊のもついきなり逃げ出そうとする本能を黙認するということだろう。迷子になった小羊を肩に背負って帰って来たとき、今度は二十三匹がいなくなっていたら、羊飼いはどんな気持ちだろう。

ヨハネの福音書には、マリヤという女が外国産の香油をイエスの足に三百グラムも——一年分の賃金に相当するのだ！——注いだと語っているところがある（一二・三－八）。この無駄遣いを考えてみるがいい。ほんの少量の香油で、十分目的を遂げられたのではないだろうか。ユダも、この愚かしさを理解していた。かぐわしい香りを放ちながらこぼれて、土間にまで流れているこの宝物を売ったら、貧しい人たちが助けられたはずなのに。

マルコはさらに三つ目の場面を記録している（一二・四一－四四）。イエスは、ある女性が宮の献金箱に銅貨を二枚落とすのを見たあとで、それよりもずっと多くささげられた献金を低く評価なさったのである。「まことに、あなたがたに告げます」とイエスは言われた。「この貧しいやもめは、献金箱に投げ入れていたどの人よりもたくさん投げ入れました。」イエスがこの言葉を優しい口調で語られたものと思いたい。おおかたの献金者にとって、この評価はありがたくないものだからだ。

四つ目の話はマタイの福音書にあるのだが、このたとえ話についての説教をこれまでほとんど聞いたことがないのも、もっともなことである。イエスは、農場主がぶどう園で働く人たちを雇った話をなさった。日の出のころに仕事にかかった人もいれば、午前中一服する時間、昼休み、午後の休み時間、あるいは終業時刻の一時間前に仕事を始めた人もいた。みな満足しているふうだったが、賃金をもらう段になって、焼けつくような太陽のもとで十二時間働いた屈強な男たちが知ったのは、せいぜい一時間働いただけの、汗もほとんどかいていない新参者まで自分らと全く同額の賃金をもらうということだった。雇い主の行為は、働く側のやる気や公平な報酬といった常識とはことごとく矛盾していた。それは単純明瞭に言って、不愉快な経済学だった。

私はあのコラムで風刺について教訓を得ただけでなく、恵みに関する重要な教えも学んだ。「不愉快」という言葉を使ったのは間違いだったかもしれないが、恵みは確かに、甲高く「不公平」の音を立てる。なぜ貧しい女性の小銭が金持ちの一億円よりも多い勘定になるのか。それに、自分が信頼を寄せている常雇いと同額の給与を新入りに支払う雇い主などいるものだろうか。

あのコラムを書いてまもなく、『アマデウス』(ラテン語で「神に愛されし者」)を観に行った。神の思いを理解しようとする十七世紀の野心的作曲家アントニオ・サリエリを描いた芝居である。敬虔なサリエリには神をたたえる不朽の音楽を創作したいという真摯な願いがあったものの、その才能がない。神は前代未聞の音楽の才能という最も偉大な贈り物を、思春期前半のいたずらな少年ウォルフガング・アマデウス・モーツァルトに惜しみなくお与えになり、サリエリは激しい怒りを覚える。

私はこの芝居を観ながら、長いあいだ自分が悩んできた問題の裏面を見ていることに気がついた。その芝居は聖書のヨブ記にあるのと同じ疑問を、ただ裏返しに提示していたのだ。ヨブ記の記者は、神はなぜ地上で最も義なる男を「罰する」のだろうと考え込んだ。『アマデウス』の作者は、神はなぜ神からの贈り物を受けるに値しない悪ガキなんぞに「報いる」のだろうと考え込んだ。痛みの問題は、恵みの引き起こすつまずき《スキャンダル》と軌を一にしている。この芝居には、つまずき《スキャンダル》を表現しているせりふがある。「神に教訓を与えることができないのなら、人間に何の意味があるのか」である。

義務を果たすエサウより、陰謀を企てるヤコブを神はなぜ選ばれるのか。なぜサムソンというモーツァルトのような不良に、超自然的な強い力をお授けになるのか。なぜ小さな羊飼いの少年ダビデをイスラエルの王に仕立てられるのか。どうして、そのダビデ王の密通の実であるソロモンに、知恵という最高の贈り物をお与えになるのか。これら旧約聖書のどの話を取っても、恵みの引き起こすつまずき《スキャンダル》が表面下で重々しい音を立てており、最終的にはイエスのたとえ話の中で大変動を起こして噴出し、モラルの地形を作り変えるのである。

労働者と、ひどく不公平な賃金というイエスのたとえ話は、このつまずき《スキャンダル》を真っ正面から取り上げている。この話の現代ユダヤ版では、午後遅く雇われた労働者がとてもよく働いたので、感心した雇い主は丸一日分の賃金を支払うことに決めたとしている。イエス版では違う。最後に来た労働者の一群は何もしないで市場に立っていた、とある。そんな態度をとるのは、収穫期なのに怠慢でやる気のない労働者だけである。そのうえ、こののろまな連中はこれといった働きもしなかったので、他の労働者たちは、この男らの受け取った賃金にショックを受けたのである。まともな雇い主なら一時間分の労働に、十二時間分の労働と同額の賃金を払ったりするだろうか！

イエスの話は経済学的にはとても意味をなさないが、実はそれこそがねらいだったのである。イエスは恵みについてのたとえ話を語られたが、恵みは一日の賃金のようには計算できないものなのだ。恵みは、仕事の速さにも、計算にも関係しない。私たちは恵みを神からの贈り物として受け取るのであって、苦労して得ようとした挙げ句に得るものではないのである。雇い主の答えの中でイエスが明確になさったのが、そのことである。

「私はあなたに何も不当なことはしていない。あなたは私と一デナリの約束をしたではありませんか。自分の分を取って帰りなさい。ただ私としては、この最後の人にも、あなたと同じだけあげたいのです。自分のものを自分の思うようにしてはいけないという法がありますか。それとも、私が気前がいいので、あなたの目にはねたましく思われるのですか」（マタイ二〇・一三―一五）。

「サリエリよ、おまえはわたしがこれほどモーツァルトに寛大なので、ねたむのか。サウルよ、おまえはわたしがこれほどダビデに寛大なので、ねたむのか。パリサイ人よ、おまえたちはわたしがゲームの最後になって異邦人に門を開くので、ねたむのか。わたしがパリサイ人より収税人の祈りをよしとしたことが、盗人の今際の際の告白を受け入れ、彼をパラダイスに喜んで迎えたことが――それがねたみを起こさせたのか。わたしが従順な群れを置いて迷子を捜しに出かけたことや、どうしようもない放蕩者に肥えた子牛をふるまったことを苦々しく思っているのか。」

イエスの話に登場する雇い主は、丸一日働いた人々をだまして、十二時間分でなく一時間分の賃金を皆に支払ったわけではない。丸一日働いた人々は、約束されていたものを得た。彼らの不満は、反感を買う恵みの数学によるものなのだ。雇い主に自分の金を思いどおりにする権利があるからといって、ならず者に本来与えてしかるべき金額の十二倍を支払うことなど、男たちにはとうてい受け入れることができなかった。

このたとえ話を学ぶ多くのクリスチャンが、その日の終わりごろに加わった労働者でなく、丸一日働いた者に自らを重ね合わせるのは意味深長である。私たちは自分を責任感のある働き人だと考えたがるので、この雇い主の奇妙なふるまいに、当時の聴衆と同様、困惑させられる。私たちにはこの話のポイント、つまり神は賃金ではなく贈り物を与えようとしておられるという点を見逃す危険性がある。だれ一人、功績によって支払いを受けるということはない。神が要求するような完璧な人生を送ることなど、だれにもできないからである。公平という原理に基づいて報酬を受けるのなら、私たちは全員が地獄行きである。

ロバート・ファーラー・ケイポンの言葉で言えば、「もしも世界が帳簿を上手につけることで救われることができたなら、世界はイエスでなくモーセによって救われていただろう」。恵みは一般に認められている計算原理には還元されない。損得が問題となる「恵みでないもの」の王国では、他の労働者よりも多くを受ける者たちがいるだろう。だが、恵みの王国では「価値がある」という言葉さえ用いられないのだ。
フレデリック・ビュークナーは言う。

「人々には何でも受け入れる用意がある。何も見えない暗闇の向こうに大いなる光があるという事実以外は。古い畑を汗水流して耕し続ける準備がある。牛たちが蹄の先をぶつけて、テキサス州が買えるくらい豊かな宝が畑に埋まっていることに気がつくまでは。人々は有利な条件で取り引きをする神には備えているが、一日働いても一時間働いても同じ給与をくれる神には備えができていない。人々はせいぜいイモリの目ほどの大きさの、からし種のような神の国には備えができているが、鳥が枝にとまってモーツァルトを歌うような、巨大なベンガル菩提樹には備えができていない。第一長老教会の持ち寄り夕食会に行く準備ができていても、小羊の結婚の夕食会に行く準備はできていない……。」

弟子の中ではユダとペテロが最も際立って数学的だと思う。ユダには数字を扱う才能があったにちがいない。そうでなければ他の弟子たちは彼を会計係に選ばなかっただろう。ペテロは細かいことに厳密で、いつもイエスの言葉の正確な意味を明確に定義しようとしていた。福音書は、イエスがたくさんの魚が獲れる奇跡を起こされたとき、ペテロが大きな魚を百五十三匹たぐりよせたと記録している。数学者でなければ、暴れまわる大量の魚の数をわざわざ数えたりするだろうか。

そういうわけで、几帳面な弟子ペテロの性格では、恵みの数学的公式を追究するのは至極当然のことだった。イエスにこう尋ねている。「兄弟が私に対して罪を犯した場合、何度まで赦すべきでしょうか。七度まででしょうか」（マタイ一八・二一）。当時のラビは、人は最大三回まで赦すことが望ましいと言っていたのだから、ペテロは寛大すぎるくらいだ。

しかしイエスはすぐに、「七度まで、などとはわたしは言いません。七十七度までと言います」（新国際訳）とお答えになる。「七度を七十倍するまで」としている写本もあるが、イエスが七十七と言われたのか、四百九十と言われたのかは問題にならない。イエスは、赦しとは人がそろばんで計算するようなものではないことを示されたのである。

ペテロの質問に促されて、イエスはもう一つ辛辣な話をされることとなった。どういうわけか数億円の借金をもつくってしまったしもべの話である。これほど巨額の借金を重ねられるしもべは現実には存在しないということが、イエスの話の要点を強調している。つまり、たとえこの男の家族や子ども、財産の全部を差し押さえたとしても、借金の完済はとても無理なのである。それは決して赦され得ないことである。にもかかわらず、この王は心からあわれんで、いきなり、借金を帳消しにして、しもべを放免したのだった。

ここで、話の流れが一変する。今赦されたばかりのしもべが、自分が数万円貸している同僚をつかまえて、その首を絞めにかかる。「借金を返せ」と要求し、なんとその男を牢に投げ入れる（マタイ一八・二八）。要するに、この貪欲なしもべは「恩知らず」なのである。

イエスがこうした大げさな筆致でこのたとえ話を描いている理由は、この王が神を表していることを明かされたときに判明する。その理由は、私たちの他者に対する態度を決定するはずである。つまり、神はすでに、私たちの山のような借金を赦してくださっているのだから、他者から受ける不当な行為は、いかにはなはだしいものであっても、蟻塚のサイズにまで縮んでしまうという謙虚な姿勢である。神が私たちを赦してくださったという事実に照らせば、どうしてお互いを赦せないことがあろうか。

C・S・ルイスが言うように、「クリスチャンであるとは、赦しがたい人々を赦すことである。神があなたの中にある、赦しがたいものを赦してくださったからである」。ルイス自身、聖マルコの日に使徒信条の「我は……罪の赦しを……信ず」のフレーズを繰り返していたときに突然啓示を受け、それによって神の赦しがどれほど深いものであるかを悟ったのである。私の罪はなくなっている、赦されている！「この真理は心の中にまばゆい光に照らされながら現れたので、自分がそれまで一度も（そして何度も罪を告白し、何度も赦しの宣言を受けた後でも）この真理を心からは信じていなかったことに気がついた。」

イエスのたとえ話をよく考えれば考えるほど、福音の数学を描写するのに「不愉快な」という言葉をまた使いたくなる。イエスは、私たちが「目には目を、歯には歯を」という「恵みでないもの」の世界から完全に抜け出て、無限の恵みである神の国に入るようにと招くために、こうした恵みの話をお語りになったものと私は信じている。ミロスラフ・ヴォルフが言うように、「分不相応な恵みの経済は、砂漠のようなモラルの経済にまさっている」。

私たちは学校に上がる前からずっと、この「恵みでないもの」の世界でいかにうまくやっていくかを教えられ続けている。早起きは三文の得。虎穴に入らずんば虎児を得ず。ただほど高いものはない。自分の権利を主張せよ。支払っただけのものを得よ。私がこうしたルールに詳しいのはそれによって生きているからだ。私は働いただけのものを得るために働いている。勝つことが好きだし、自分の権利を主張する。人々には、その人にふさわしいもの――それ以上でもそれ以下でもないもの――を得てほしいと思っている。

しかし耳をすますと、おまえは受けて当然のものを受けなかったのだという大きな声が、福音から聞こえてくる。私は罰を受けて当然だったのに、赦しを得た。怒りを受けて当然だったのに、愛を得た。借金を払えずに牢に入るのがふさわしかったのに、きれいな信用歴を得た。厳しい説教を聞かされ、ひざをついて悔い改めるのがふさわしかったのに、宴会――バベットの晩餐会――を開いてもらった。

恵みはいわば神のジレンマを解決するものである。聖書をじっくり読み込まなくても、神が人間に対して抱いておられる心の緊張が見てとれる。神は私たちを愛しておられるのに、私たちの行動は神を不快にさせている。神は人間の中にご自身のイメージを見いだすことを望んでおられるのに、せいぜい損なわれた断片を発見する程度なのだ。それでもなお、神はあきらめることがおできにならない――あきらめようともなさらない。

神が人間から遠く離れた存在であり、力ある方であることの証明として、イザヤ書の次の一節がよく引用される。

「わたしの思いは、あなたがたの思いと異なり、わたしの道は、あなたがたの道と異なるからだ。――主の御告げ――天が地よりも高いように、わたしの道は、あなたがたの道よりも高く、わたしの思いは、あなたがたの思いよりも高い」(イザヤ五五・八―九)。

しかしこの箇所は、神が実は赦したくて仕方がないという様を描いているのである。天地を創造した神は、ご自分と被造物を隔てている大きな裂け目に橋をかけることがおできになる。放蕩者であるご自分の子たちがどんな障害物を置こうが、神は和解し、赦そうとなさる。預言者ミカが言うように、「怒りをいつまでも持ち続けず、いつくしみを喜ばれる」(ミカ七・一八)のだ。

相矛盾する神の感情が全く同じ場面で引っぱり合うことがある。たとえばホセア書で、神はご自分の民を優しく扱おうとする思いと厳粛にさばこうとする思いの間で揺れ動いておられる。「剣は、その町々で荒れ狂い」と神は警告を発し、その後、愛の叫びを漏らしておられる。

「エフライムよ。わたしはどうしてあなたを引き渡すことができようか。イスラエルよ。どうしてあなたを見捨てることができようか。わたしの心はわたしのうちで沸き返り、わたしはあわれみで胸が熱くなっている。」

「わたしは燃える怒りで罰しない」と神は結論を述べられる。「わたしは神であって、人ではなく、あなたがたのうちにいる聖なる者であるからだ。」 またもや神は懲罰を下す権利を行使なさらない。イスラエルは、神から拒絶されるに十分値するが、本来受けて当然のものを受けない。「わたしは神であって、人ではなく……自分のものを自分の思うようにしてはいけないという法がありますか」（ホセア一一・六－九）。神はご自分の家族を取り戻すためなら、どんなに遠い所であろうが出かけて行かれる。

実際にあった驚くべきたとえ話に、イスラエルへの愛を説明するために、神が預言者ホセアにゴメルという女をめとれと言われた話がある。ゴメルは、ホセアに三人の子どもを産むが、その後、家族を見捨てて別の男と暮らそうとする。彼女がしばらく売春婦として働いていたとき、神はショッキングな命令をホセアにお与えになる。「再び行って、夫に愛されていながら姦通している女を愛せよ。ちょうど、ほかの神々に向かい、干しぶどうの菓子を愛しているイスラエルの人々を主が愛しておられるように」（三・一）。

ホセア書では、恵みがもたらすつまずき《スキャンダル》が、町のうわさ話となった。もしも妻から、ゴメルがホセアにしたような扱いを受けたら、その夫の胸中はどんなものであろうか。妻を殺したいと思ったただろうし、赦したいとも思っただろう。離婚したいと思っただろうし、和解したいとも思っただろう。妻は夫の顔をつぶし、夫の心を和らげもした。なんと、あらゆる予想を覆して、圧倒的な愛の力が勝利する。妻を寝取られ、地域の笑いものであったホセアは、戻ってきたゴメルを喜んで迎え入れたのだ。

ゴメルは公正も正義すらも得なかったが、恵みを得た。私はこの話を読むたびに――あるいは、厳しさに始まり涙にくれる神のお言葉を読むたびに――関係を回復するためだけに、そうした屈辱にあえて耐えられる神に驚嘆する。「エフライムよ。わたしはどうしてあなたを引き渡すことができようか。イスラエルよ。どうしてあなたを見捨てることができようか。」「エフライム」と「イスラエル」の代わりに自分の名前を入れてみるといい。福音の核心には、荒々しく圧倒的な愛の力にあえて屈する神がおられる。

ホセアから何世紀も後に、一人の使徒が神の応答をより分析的な言葉でもって説明しようとした。「しかし、罪の増し加わるところには、恵みも満ちあふれました」（ローマ五・二〇）。恵みが分不相応なものであり、私たち人間ではなく神の先導によることをパウロほど思い知らされた人はいない。ダマスコ途上で地に打ち倒されて以降、パウロは恵みの衝撃から立ち直ることがなかった。パウロの手紙には、二つ目の文に「恵み」という言葉が出てくるものが多い。フレデリック・ビュークナーが言うように、「恵みは彼自身が生涯で受け取った最高のものなので、パウロが手紙の読者に望む最高のものは恵みなのである」。

パウロが「恵み、恵み」と繰り返し述べたのは、私たち人間が神の愛を自分の力で得たと思ったとき、どんなことになるかを知っていたからである。苦しいとき、たとえば神を裏切ったり、これといった理由もなくただ愛されていないと感じたりするとき、私たちの足元はぐらつくだろう。私たちのありのままの姿をご覧になったら、神はもう愛してくださらないかもしれないと恐れを抱くだろう。パウロ――かつて自分を「罪人のかしら」と呼んだ――は、神が私たちを愛するのは、私たちの人となりのゆえではなく、神が神であられるゆえであることを確かに知っていた。

パウロは、恵みが明らかにつまずき《スキャンダル》になると気づいていたので、神がどのように人間と和解されたかを一生懸命に説明した。私たちが恵みに戸惑うのは、不正があれば代償が払われなければならないという、だれもがもつ直観に恵みが反しているからだ。殺人者を無罪放免にすることはできない。幼児虐待者に、肩をすくめて「こうしたかっただけさ」と言わせることなどできない。こうした反対意見を予想しながらも、パウロは代価がすでに支払われた――神ご自身によって――ことを強調した。神は人間に愛想を尽かすのではなく、ご自分のひとり子をお見捨てになったのだ。

バベットの晩餐会のように、恵みはそれを受ける者にはびた一文もかからないが、恵みを与える者にはすべてを失わせるものである。カルバリという途方もない代価が支払われたのだから、神の恵みは、おじいちゃんの「優しさ」のようなものではない。ドロシー・セイヤーズは言った。「ただ一つ本物の法がある――宇宙の法である。それはさばきという形で成し遂げられるか、恵みという形で成し遂げられるかであるが、とにかくいずれかによって成し遂げられなければならない。」キリストはご自分の肉体にそのさばきを受けることによって、その法を成し遂げ、神は赦しの道を見つけられたのだ。

映画『ラスト・エンペラー』では、中国最後の皇帝に選ばれた幼な子が、世にも不思議な贅沢三昧の生活を送り、千人の宦官にかしずかれている。弟が「あなたが良くないことをしたら、どうなるの？」と尋ねると、皇帝は「ぼくが良くないことをすると、他の人が罰を受けるんだ」と答える。それを証明しようとして壺を割ると、しもべの一人が叩かれる。だがキリスト教神学では、イエスがこの古代からのパターンをひっくり返したのである。しもべが間違いを犯して、王が罰せられたのだ。恵みは、それを与える者自身が罰を受けたがゆえに、ただなのである。

著名な神学者カール・バルトがシカゴ大学を訪れると、多くの学生や学者が取り囲んだ。記者会見で質問が出た。「バルト博士、ご研究から学んだ最も深遠な真理とは何ですか。」バルトはためらうことなく答えた。「イエスは私を愛しておられます、私はこのことを知っています。聖書がそう語っています」（訳注＝讃美歌四六一番「主われを愛す」第一節の最初の二行の原詞）。私もカール・バルトと同意見だ。それなのに、なぜこんなにしょっちゅう、その愛を得ようとするかのような行動をとるのだろうか。なぜそれを受け入れるのに、このように困難を感じるのだろうか。

アルコホリックス・アノニマス（ＡＡ。訳注＝アルコール依存症患者の自助グループ）の創設者、ボブ・スミス博士とビル・ウィルソンは十二ステップ・プログラムを考案するとき、治療プログラムを六か月間で八つも挫折した有名な弁護士ビル・Ｄを訪ねた。その後、ビル・Ｄは看護師二人に暴行を加えた罰で病院のベッドに縛りつけられていたので、訪問者の言葉をやむを得ず聞いた。二人は依存症の体験談や、「ハイヤー・パワー」を信じることで発見したばかりの希望について語った。

二人が「ハイヤー・パワー」と口にするや、ビル・Dは、「だめだ、だめだ」と言いながら、悲しげに頭を横に振った。「もう遅すぎるんだ。私は今でも神を信じているが、神がもう私を信じていないのがよくわかっているんだ。」

ビル・Dの言葉は、私たちの多くが時として感じることを表現している。私たちは度重なる失敗や失われた希望、自分は無価値であるという感覚に押しつぶされ、恵みに対して無感覚同然にさせる殻を引き寄せている。虐待する家族のもとへ何度も戻ってしまう里子のように、かたくなに恵みに背を向けるのだ。

私は、雑誌編集者から不採用の通知が届いた時や読者から批判的な手紙が送られてきた時に自分がどんな反応を示すかを知っている。予想以上に高額な印税の小切手が届いたとき、気分がどれほど高揚するか、反対に、額が少ないときにどれほど気持ちが落ち込むかを知っている。その日の終わりのセルフイメージは、他の人から受けたメッセージに左右されている。私は人から好かれているだろうか。愛されているだろうか。友人、隣人、家族からの反応を待っているのだ——飢えた者のように、反応を待っている。

ときたま、本当にときたまなのだが、恵みの真理を感じることがある。たとえ話を学んでいるときに、その話が「私」についてのものだとわかることがある。私は、羊飼いが群れを置いて見つけようとした羊であり、父親が地平線に目を走らせて捜していた放蕩息子であり、借金を赦されたしもべである。私は神に愛された者である、と。

少し前、郵便物の中にあった友人からの便りに数語だけ記されていた。「私はイエスが愛する者だ。」差出人の住所を見て、笑みがこぼれた。私のゆかいな友人は、こうした敬虔なスローガン作りが得意なのだ。しかし電話をすると、そのスローガンの出所は、著述家であり演説者でもあるブレナン・マニングだと教えてくれた。マニングはあるセミナーで、イエスが地上で最も親しかった友、弟子ヨハネに言及した。ヨハネは福音書で「イエスが愛された者」と名乗っている。マニングは言った。「『あなたはどういう人ですか』と尋ねられたとき、ヨハネなら、『私はイエスの弟子、使徒、伝道者、四福音書の一つを書いた者です』と答えたりせず、『私はイエスが愛する者です』と答えるだろう。」

私も、自分を「イエスが愛する者」であると見られるようになったら、どうなるだろうかと考えた。一日の終わりに自分をどれほど違ったふうに見られるだろう。

社会学には、鏡の自分という理論がある。人は、自分の人生で最も重要な人物(妻、父親、上司など)から思われているような者になる、という理論である。私に対する神の愛を述べている聖書の言葉を本当に信じたならば、鏡をのぞき、神が見ておられるものを見たならば、私の人生はどのように変化することだろう。

ブレナン・マニングはアイルランド人司祭の話をしている。ある司祭が田舎の教区を巡回中、道端でひざまずいて祈っている年老いた農夫と出会う。心動かされた司祭は、その人に言う。「あなたはとても神さまに近い所にいますね。」農夫は祈りをやめて顔を上げ、ちょっと考えてから微笑む。「ええ、神さまは私のことが大好きなんです。」

神は時間の外におられる、と神学者たちは語る。神は、芸術家が仕事に使う媒体を選ぶようにして時間を創造し、しかもそれに縛られることがない。神は、未来と過去をいわば永遠の現在としてご覧になる、と。この神の特性についての考えが正しいなら、神が私のように気まぐれで、移り気で、気難しい人間を「愛された者」などとお呼びになれる理由を、神学者は説明したことになる。私の人生グラフに神がご覧になるのは、善に向かったり悪に向かったりするぎざぎざ曲線ではなく、善にまっすぐ向かう直線である。神の御子の善は一瞬のうちに獲得され、永遠に適用されるのだ。

十七世紀の詩人ジョン・ダンが次のように言ったとおりである。

「いのちの書には、自制心がなかったマグダラのマリヤの名が直ちに記された。祝福された処女の名が高潔さのゆえに記されたように。キリストに向かって剣を抜いた聖パウロの名は、キリストを守ろうとして剣を抜いた聖ペテロと同じくらい早く載せられた。というのも、いのちの書は一語一語、一行一行書かれていったのではなく、全部いっしょに一度に印刷されたからである。」

私は、自分の善行と悪行を天秤にかけ、いつも足りないところを見つける数学的な神のイメージをもって成長した。なぜか、福音書に記されているあわれみ深い寛大な神を見失っていた。その神は、「恵みでないもの」の容赦しない律法を打ち砕く方法を見つけようとされる。算術表を引き裂いて、「恵み」という新しい数学、英語の中で最も不思議な言葉、複雑で意外な結末をもつ言葉を紹介しておられるのだ。

　恵みはいろいろな姿で現れているため、定義するのが難しい。けれども私は、神との関わりの中で恵みの定義のようなことをしてみようと思う。恵みとは、神に愛していただくために私たちにできることはもはや何もない、という意味である。霊の健康体操や禁欲をどれほどしようが、神学校で得た知識がどれほどあろうが、正しい改革運動をどれほど行おうが、関係ない。そして恵みとは、神からの愛を減らすために私たちにできることは何もない、という意味でもある。人種差別、プライド、ポルノ、姦淫、殺人がどんなにあろうとも。恵みとは、無限の神が私たちに、ありったけの愛を注いでおられるということなのだ。

　神の愛を疑い、神の恵みを問う人には、簡単な治療法がある。聖書を開いて、神がどんな人々を愛しておられるかを調べてみるのだ。ヤコブは大胆にも神にレスリングを挑み、その戦いで生涯癒えぬ傷を負い、神の民、「イスラエルの子たち」の名祖《なおや》となった。聖書は、殺人と姦淫を犯しながらも、旧約聖書中最大の王、「神ご自身の心にかなう人」と名声を得た男のことを語っている。イエスなど知らないと呪いをかけて誓った弟子に率いられた教会のことについても述べている。そしてキリスト教の迫害者という身分から、新たに召し出された宣教師の話をしている。

私の手もとにアムネスティ・インターナショナルからの郵便物がある。そこに載っているのは、殴打された人、家畜用の突き棒でつつかれた人、唾をはきかけられた人、感電死させられた人の写真である。それらの写真を見ると、「他者に対してこんなことができるなんて、どんな類の人間なんだ」と思う。それから「使徒の働き」を読むと、そうしたことができる類の人間に出会うのだ——今や恵みの使徒であり、イエス・キリストのしもべであり、歴史上最大の伝道者である。神がそういう人間を愛するなら、たぶん、本当にひょっとして、私たちのような者をも愛してくださるのだ。

恵みについてのこの定義を、私は割り引くことができない。なぜなら聖書が、できる限りそれを徹底するようにと命じるからだ。使徒ペテロの言葉で言うと、神は「あらゆる恵みに満ちた神」（Iペテロ五・一〇）である。そして恵みとは、神に愛していただくために私にできることはもはや何もないし、神からの愛を減らすために私にできることも何もない、という意味なのだ。つまり、正反対のものを受けるにふさわしいにもかかわらず、神の家族の食卓につくよう招かれているということである。

私は本能的に、受け入れられるためには「何かをしなければならない」という気がしている。恵みの調べがたてているのは矛盾と解放という驚くべき音であり、私は日々そのメッセージを聞く力を求めて祈らなければならない。

ユージン・ピーターソンは、四世紀の神学界で対抗したアウグスティヌスとペラギウスの著しい相違を述べている。ペラギウスは都会的で礼儀正しく、その話には説得力があり、だれからも好かれていた。アウグスティヌスは不道徳な青春時代を過ごし、母親と奇妙な関係をもち、多くの敵を作った。しかし、アウグスティヌスが神の恵みから出発し、恵みを正しく理解したのに対し、ペラギウスは人間の努力から出発し、恵みの理解を誤った。アウグスティヌスは情熱的に神を追い求めたが、ペラギウスは神を喜ばせようと方法論的に働いた。ピーターソンは続けて、クリスチャンは理論的にはアウグスティヌスになるが、実際はペラギウスになる傾向があると言う。クリスチャンは、他の人や、神までも喜ばせようと強迫的に働くのだ。

毎年春になると、私はスポーツ・キャスターが「三月の熱狂」と診断を下す病の犠牲者となる。バスケットボールの最終試合の中継にチャンネルを合わせたくなる誘惑に勝てないのだ。六十四チームから成るトーナメント戦で最後に残った二チームが、NCAAチャンピオンシップで激突するのだが、その様子がテレビ放映される。最も重要なこの試合は、いつもあと一秒を残すというところで、十八歳の少年がフリースロー・ラインに立つようだ。

少年は神経質にドリブルをする。この二本のショットをはずせば、キャンパス一の愚か者、州一の愚か者になってしまうのだ。もしかしたら、二十年後、この時のことを思い起こしながらカウンセリングを受けるかもしれない。しかし、ショットを決めればまさにヒーローだ。新聞の第一面に写真が載るだろう。州知事にだって立候補できるかもしれない。

もう一回ドリブルしたところで、相手チームがタイムを要求して彼に揺さぶりをかける。彼は将来のすべてをかけてサイドラインに立つ。すべてが彼にかかっている。チームメイトが励ますように、その身体をぽんと叩く。

ある年のことだが、電話がかかってきて、部屋を出ようとしたとき、ちょうど少年がシュート態勢に入ったところだった。額には苦悩のしわが刻まれている。下唇をかんでいる。左のひざが震えている。二万人のファンが彼のために、旗やハンカチを振りながら叫んでいる。

電話は予想以上に長かった。そして部屋へ戻ると、新しい光景が目に入った。あの少年がゲータレードで髪の毛をぐっしょりさせてチームメイトの肩の上にまたがり、バスケットボール・ネットのコードをちょん切っていたのだ。彼はもう何も心配しないでよかった。笑顔が画面いっぱいに映し出された。

この二枚の静止画面――フリースロー・ラインにかがみ込んでいるあの少年と、そのあと友人らの肩に乗って喜び騒いでいる少年――は、私にとって「恵みでないもの」と「恵み」の違いを象徴するものとなった。

この世界は「恵みでないもの」によって動いている。すべては私の行動にかかっている。私はシュートしなければならない、と。

イエスの国は私たちを別の道へと誘っている。私たちの業績ではなくイエスご自身の業績による道である。私たちが何かを成し遂げる必要はない。ただついてゆけばいいのだ。イエスはすでに私たちのために、「神が受け入れてくださる」という高価な勝利を得てくださっている。

この二つのイメージを考えると、とてもやっかいな問いが心をよぎる。私の霊の生活に類似しているのは、この二つの場面のどちらなのかという問いである。

第二部　「恵みでないもの」の循環を断つ

6 連鎖――物語

一八九八年、デイジーはシカゴの労働者階級の家庭に十人きょうだいの八番目として生まれた。父親の稼ぎは家族を養うのにやっとで、父親が酒を飲みだすと、家計がますます苦しくなった。私がこれを書いている今、デイジーは百歳の誕生日を迎えようとしているが、当時の話をすると、必ず身体を震わせる。父親は「酒乱」だったという。年端のいかない弟や妹をリノリウムの床の向こう側まで蹴飛ばし、デイジーは、よくべそをかきながら隅っこにちぢこまっていた。そして心底、父親を憎んでいた。

ある日、父親が妻に、昼までにこの家から出て行けと言った。十人の子どもたちは母親のまわりに集まり、スカートにしがみついて泣いた。「お母さん、だめ、行かないで！」だが父親は動じなかった。肩を落とし、両手にスーツケースをさげて歩道を歩いて行く母親の姿がどんどん小さくなっていく。いよいよ母親が見えなくなるまで、デイジーはきょうだいにつかまって、張り出し窓に顔を押しつけていた。

やがて子どもの何人かが母親のもとに行き、他の何人かは親戚の家へ引き取られることになった。そして、デイジーだけが父親と暮らすことになった。彼女は心の中に固いしこりを抱えて成長した。それは苦々しい思いであり、父親が家族に加えた仕打ちに対する憎悪だった。子どもたちはみな早々に学校を辞め、就職したり軍隊に入ったりし、一人また一人と別の町へ出て行った。やがて、それぞれ家庭をもち、子どもをもうけ、過去と訣別しようとした。父親も突然姿を消した――だれも居場所を知らなかったし、心配もしなかった。

何年もたってから、その父親が再び姿を現し、皆を驚かせる。自分は死んでいたのだ、と父親は言う。酔っぱらって身体が冷えきったある晩、救世軍の救済施設にぶらりと入った。食券をもらうには、まず礼拝に出席しなければならない。説教者が、「イエスを受け入れたい人はいませんか」と尋ねたとき、ただ礼儀として、他の酔っぱらいといっしょに前へ進み出たのだった。「罪人の祈り」が実際に聞かれたとき、だれよりも驚いたのが父親その人だった。心の中の悪魔がおとなしくなった。酔いが覚めた。聖書を学び始め、祈るようになった。生まれて初めて、愛され受け入れられていると感じた。新しくなったような気がした。

そして今、おまえたちを一人一人訪ねて、赦しを請うているのだ、と父親は子どもたちに言う。起こしてしまったことは、もう弁解のしようがない。元に戻すことなどできない。しかし、おまえたちにはとにかく申しわけないと思っている、と。

すでに中年の域に達し、家族をもつ身となっていた子どもたちは、最初のうち懐疑的だった。父親の誠実さがいつ何どき引っくり返るかわからないと疑う者もいれば、金が欲しいのだろうと推測する者もいた。だが、そうしたことは起こらなかった。やがて父親は、子ども全員の理解を得る――デイジーを除いては。

デイジーは、父親――彼女は「あの男」と呼んでいた――とは二度と口をきくまいと、ずいぶん前に誓っていた。父親が再び現れたことに、ひどく動揺した。ベッドに身を横たえると、父親が酔って怒りだしたときの古い記憶に襲われた。「『悪かった』と言うだけで、あれを全部帳消しにするなんてとてもできないわよ」と言い張った。父親とはいっさい関わり合いたくなかった。

父親は酒をやめてはいたが、以前のアルコールのせいで、手の施しようがないほど肝臓を悪くしていた。重病になり、人生最後の五年間をデイジーの姉の家族とともに過ごした。その娘一家の住まいは、デイジーの家の八軒先で、同じ道沿いにあるそっくりのテラスハウスが立ち並ぶ地区にあった。自分の立てた誓いを守り、死期の迫った父親を見舞うようなことはしなかった。買い物に出かけたり、バスに乗ったりすれば必ず父親のいる家の前を通ったのであったが。

だが、デイジーは、子どもたちが祖父を見舞うことは許可していた。臨終が近くなったとき、父親は一人の少女が戸口に現れて、部屋の中に入って来るのを見た。「おお、デイジー、デイジー、やっと来てくれたんだね。」父親は涙を流しながら、その子を抱きしめた。部屋にいた大人たちは、それがデイジーでなく、デイジーの娘マーガレットであると言えなかった。父親は幻覚の恵みを体験していたのである。

デイジーは、生涯父親のようにはなるまいと堅く決心し、一滴もアルコールを口にしたことがなかった。しかし、いくらか穏やかな形ではあったとはいえ、父親と同じ暴政で家族を支配していた。頭の上に氷嚢を載せて長椅子に横になり、子どもたちに「うるさい!」と金切り声をあげるのだった。

「なんだってあんたたちみたいなばかな子ができちまったんだか。」彼女は叫ぶ。「あんたたちのせいで私の人生はめちゃくちゃよ!」大恐慌に襲われていたが、それでも子どもを養わなければならない。子どもは六人いて、二寝室のテラスハウスで育てていた。そんな狭い所に押し合いへし合いして住んでいたので、いつも子どもを邪魔に思った。夜になると、「あたしが見ていなくても、おまえたちが悪さをしたのはわかっているんだ!」と、子ども全員に鞭をくれてやることもあった。

デイジーは鋼鉄のようにかたくなに、謝ることも赦すこともしなかった。娘のマーガレットが子どものころ、自分のしたことを涙ながらに謝ろうとしたことがあった。だがデイジーは、親によく見られる矛盾をはらんだ答えを返した。「悪かったなんて思ってるもんかね! 第一、本当に悪いと思っていたら、そんなことをするはずがないだろう!」

私はマーガレットをよく知っているが、こうした「恵みでないもの」の話を彼女からたくさん聞いてきた。マーガレットは、母親のデイジーとは全く違う人間になろうと心に決めていた。しかしその人生にも大小含めたさまざまな悲劇が起きた。そして四人の子どもたちが十代になると、もはや彼らを支配することはできなくなった。自分も母親のように、氷嚢を頭に載せて長椅子に横たわり、「うるさい!」と叫びたかった。子どもたちに鞭をくれて、自分の正しさをわからせたかった。あるいはそうすることで、心に渦巻く緊張を解き放ちたかったのかもしれない。

一九六〇年代に十六歳になった息子のマイケルは、とりわけマーガレットの気にさわった。ロックンロールを聴き、「金縁メガネ」をかけ、髪を長く伸ばしている。マイケルはマリファナを吸っているところを見つかって、マーガレットに家から追い出され、ヒッピーのコミューンに移り住んだ。マーガレットはなおも、マイケルを脅したり叱ったりし続けた。マイケルのことを裁判所に報告し、遺産相続人のリストからもはずした。考えつく限りのことをやったが、マイケルには届かなかった。息子に浴びせかけた言葉がそのまま返ってきた。とうとうある日、怒りに駆られたマーガレットは「あんたの顔なんて二度と見たくない！」と言った。これは二十六年前のことで、以来彼女は息子に会っていない。

マイケルも私の仲の良い友人だ。この二十六年間、私は、彼らが和解らしきものになんとかこぎつけるようにと何回も試みたが、そのたびに「恵みでないもの」のもつ恐ろしい力に直面させられた。マイケルに対して言った言葉で後悔しているものがあるか、取り返したいと思っているものがあるかと尋ねると、マーガレットはまるで私がマイケルであるかのように、たちまち激しい怒りを表した。「神がなぜあの子をずっと前に取り去ってしまわなかったのかわからないよ。あんなひどいことをやらかしたというのに！」とても恐ろしい眼をして、そう言った。

その人目もはばからぬ激昂に私は虚を衝かれ、しばらく彼女を見つめていた。マーガレットは両手を固く握りしめ、顔をほてらせ、眼のまわりの筋肉を痙攣《けいれん》させていた。「息子が死ねばいいと思うんですか。」私はこう言ってしまった。マーガレットは一言も答えなかった。

マイケルはほろ酔いの六〇年代を経験したが、LSDで精神がうつろになっていた。ハワイへ移り住み、ある女性と暮らし、別れ、また別の女性のところへ行き、別れ、それから結婚した。

「スーは本物だ。」訪ねた私に、彼はそう言った。「スーとならうまくいくよ。」

続かなかった。マイケルと電話で話したが、「キャッチホン」の技術に会話を妨げられた。電話がカチッと音をたてると、マイケルは「ちょっと待って」と言い、四分間ほど受話器が沈黙する。やがて再び通じると、彼は「ごめん」と謝ったが、雰囲気が暗くなっていた。「スーからだった。ぼくたち、離婚の最終的な金銭問題について話し合っているところなんだ。」

「君がまだスーと連絡をとっているとは知らなかったよ。」私は会話を続けた。

「とってるわけないだろ!」彼は、マーガレットから聞いたのと変わらない口調で叫んだ。「彼女の顔なんて二度と見たくないんだ!」と。

長い沈黙があった。ちょうどマーガレットの話をしていたところだったのだ。私は何も言わなかったが、マイケルは自分の声に母親の口調を感じ取っていたようである。実際、彼の声は、ずっと昔シカゴのテラスハウスで怒鳴っていた母親と、声の調子がそっくりだった。

家族のＤＮＡに登録されている霊の欠陥のように、「恵みでないもの」が連鎖の中に受け継がれていく。

「恵みでないもの」は、感知できない有毒ガスのように静かに、そして死を招く力をもって働く。父親は赦されずに死ぬ。母親は、かつて体内に宿していた子に口をきかない。この毒素が世代から世代へと、いつのまにか継承されていく。

マーガレットは毎日聖書を学ぶ敬虔なクリスチャンだ。あるとき彼女に放蕩息子のたとえ話について話してみた。「あのたとえ話をどう解釈しますか。赦しのメッセージが聞こえますか。」

明らかに彼女は赦しの問題を考えていた。そのたとえ話はルカの福音書一五章にある三つの話――失われた硬貨、迷子の羊、失われた息子――の三番目に出てくると、躊躇なく答えたからだ。放蕩息子の話全体の要点は、人間がいかに、いのちのない物体（硬貨）や動物（羊）と違うかを示すことだと彼女は言った。「人間には自由意志があるのよ。道徳的責任があるの。あの少年はひざをついて這って戻ってこなければならなかった。悔い改めなければならなかった。それがイエスのお話のポイントだったのよ。」

マーガレットよ、イエスの話のポイントはそれではなかったんだ。この三つの話がどれも強調しているのは「見つけた人」の喜びだ。確かに放蕩息子は自分の意志で家に戻ったが、この話の中心は明らかに、父親の法外な愛である。「こうして彼は立ち上がって、自分の父のもとに行った。ところが、まだ家までは遠かったのに、父親は彼を見つけ、かわいそうに思い、走り寄って彼を抱き、口づけした。」息子が悔い改めようとすると、父親は、息子が準備していた言葉をさえぎって、祝宴を進める。

レバノンの宣教師が、あるときこのたとえ話を一団の村人たちに読んだ。イエスが描いたのと非常によく似た文化の中に暮らしていたが、そうした話を聞いたことが一度もない村人たちにである。「どんなところに注目しますか。」宣教師が尋ねた。

村人たちは、この話の二つの部分に注目した。まず、自分の相続分を前もって要求したこの息子は、父親に「あんたは死ねばいい！」と言ったも同然だということだった。彼らには、そのような侮辱を受けたり、そんな息子の要求に同意したりするような家長が想像できなかった。第二は、この父親が長い間いなくなっていた息子を迎えるために「走った」ことである。中東では立派な人物は、堂々と威厳をもってゆっくり歩くのであり、決して走らない。イエスの話の父親は走る。だからイエスの聴衆がこの話の詳細に息を呑んだことは間違いないだろう。

恵みは不公平だ。それが恵みに関して最も難しい点の一つなのだ。ある父親が長い年月の後に、「お父さんは謝ったんだから、あのときのひどい仕打ちを赦してくれ」と娘に言うなど理不尽だし、十代の息子が、犯した多くの罪を見逃してくれと母親に頼むことも不公平極まりない。しかし、恵みは公平さに関係するものではないのだ。

家族に当てはまることは、部族や人種、国家にも当てはまる。

他の人を赦すことができない者は、自分が渡らなければならない橋を破壊する。
ジョージ・ハーバート

7 不自然な行為

前章で、一世紀にわたって「恵みでないもの」に支配されてきた家族の話をした。世界の歴史を見ると、類似した話で、もっと悪い結果を生んだ出来事が何世紀も繰り広げられているのがわかる。北アイルランドで爆弾を投下している十代の若者や、巧みに鉈《なた》を使うルワンダの兵士、旧ユーゴスラヴィアの狙撃兵たちに、なぜ人を殺しをしているのかと尋ねても、本人たちにも答えられないかもしれない。アイルランドは今も、十七世紀にオリバー・クロムウェルが行った暴虐に復讐する機会をねらっている。ルワンダとブルンジでは、いつ始まったかだれも覚えていないほど昔から部族間抗争が続いている。ユーゴスラヴィアは第二次大戦時の報復をしており、六世紀前のように他国に支配されまいとしている。

「恵みでないもの」は家族や国家、諸機関にとって、人生の背後に潜んでいる不平不満のように働いている。悲しいことに、それが私たち人間の自然な状態なのである。

アリゾナ州ツーソン近郊の、ガラスで囲ったバイオスフィア（訳注＝実験用の生活空間）から出てきたばかりの二人の科学者と食事をしたことがある。男女四人ずつが、自ら二年間の隔離実験の被験者となった。全員がすぐれた科学者で、心理テストを受け、外界から遮断されている間に直面するであろう過酷な状況について十分な説明を受けたうえでバイオスフィアに入ったのだ。科学者たちの話によると、数か月たつと八人の「被験者」は四人ずつ二つのグループに分かれ、実験最後の何か月間かは、グループ間で口もきかなかったという。「恵みでないもの」の目に見えない壁によって、真二つに引き裂かれたのだ。

レバノンで人質に取られたアメリカ人フランク・リードが解放されたとき、彼はささいな言い争いが原因で、人質仲間の一人と数か月間口をきかなかったと告白した。その間、反目するこの二人の人質は、鎖で繋がれたまま大半の時間を過ごしたのである。

「恵みでないもの」は母親と娘、父親と息子、兄弟と姉妹、科学者同士、囚人同士、部族や人種の間に深い裂け目を作る。そのまま放置されて裂け目が広がったとき、それを治療する方法が一つだけある。赦しという弱々しい縄の橋である。

白熱した議論の最中に、妻が神学の鋭い公式を思いついた。夫婦して私の欠点について、かなり激しい言い合いをしていたのだが、「あなたの卑劣な行為を赦すなんて、全く驚くべきことだわ！」と言ったのである。

私は罪ではなく、赦しについて書いているので、「私の卑劣な行為」の詳細は省くことにしよう。妻のコメントで衝撃的だったのは、むしろ、赦しの性質に関する鋭い洞察だった。それは缶から噴霧される芳香剤のように、世界に散布される甘いプラトニックな理想などではない。痛みを感じれば感じるほど、赦すことは困難であり、赦した後もずっとその傷――私の卑劣な行為――が記憶の中に生き続ける。要するに、赦しとは不自然な行為であり、妻はそのまぎれもない不公平さに抗議していたのである。

これと同じ感情を、とてもよく表している創世記の話がある。子どものころ、日曜学校でその話を聞いたとき、ヨセフが兄弟たちと和解するくだりに現れる目まぐるしい変化がどうしても理解できなかった。ヨセフは兄弟を投獄するという厳しい行為をとったかと思うと、次の瞬間には部屋を出て声をあげて泣き、悲しみに押しつぶされているようだった。彼は兄弟をぺてんにかけた。兄弟の穀物袋に銀を隠し、一人を人質にとり、また他の兄弟を、自分の銀の杯を盗んだと非難したのだ。何か月も、あるいは何年も、こうした密計がだらだら続いたが、ついに自分を制することができなくなると、ヨセフは説教をしてから、兄弟を劇的に赦したのだった。

この話には、赦しという不自然な行為が現実的に描かれている。ヨセフが懸命に赦そうとした兄弟たちは、ヨセフをいじめ、殺す計画を練り上げ、奴隷に売り飛ばした張本人たちだった。彼らのせいでヨセフは青春の黄金期をエジプトの地下牢で過ごす羽目になった。不運に打ち勝った今、兄弟たちを赦したい思いでいっぱいだったが、まだそこまですることができない。傷の痛みはなお激しかったのだ。

創世記四二章から四五章までは、ヨセフの言い方だと「あなたたちの卑劣な行為を私が赦すなんて、全く驚くべきことだと思うよ！」になるだろう。恵みがついにヨセフに届いたとき、宮殿中に彼の悲しみと愛の調べが響きわたる。「あの悲しげな叫び声は何だ。王の家臣が病気なのか。」いや、ヨセフの健康状態は良好だった。それは、赦す人から聞こえてくる調べだったのだ。

赦すという行為の背後には、いつも裏切り行為による傷があって、その痛みは簡単には消えさらない。レフ・トルストイが十代の婚約者にこの日記を読んでくれと言ったとき、結婚の出だしは好調かと思われた。しかし日記には、生々しい情事の様子が詳細に記されていた。彼はソーニャには何の隠し立てもしたくなかった。結婚を一点の曇りもない、赦された状態で始めたかったのだ。しかしその告白は、愛ではなく憎しみのつるで結び合わされる結婚の種を蒔いたのである。「彼にキスされるたびに、『私は彼の愛した最初の女じゃない』と思う。」ソーニャは日記にそう書いている。夫の若いころの放縦は赦せたが、トルストイの地所で働き続けていた農婦アクシーニャとの情事を赦すことはできなかった。

「もうすぐ私は嫉妬に殺されるだろう。」ソーニャは夫にそっくりの、あの農婦の三歳になる息子を見て、こう書いている。「夫〔トルストイ〕を殺し、今の夫と全く同じ新しい人物を創造できるなら、喜んでそうするだろう。」

また別の日記の見出しは一九〇九年一月十四日の日付になっている。「夫は、きわめて女っぽい肉体と日に焼けた脚をもったあの農婦がお気に入りで、あの女は昔と全く同じように今でも執拗に夫を誘惑している。……」ソーニャがそれを書いたとき、アクシーニャは八十歳の老女だった。半世紀の間、決して赦そうとしない心と嫉妬の思いがソーニャの目を見えなくし、その間に夫への愛をすべて壊していったのである。

こうした悪意に満ちた力に対して、クリスチャンにはどんな応じ方をする可能性があるのだろうか。不自然な行為としての赦し――ソーニャ・トルストイ、ヨセフ、そして私の妻は、この真理を本能によるかのように述べている。

子どもがみんな習うことは、
私も世間も知っている。
悪いことをされた人たちは
お返しに悪いことをする。

この詩を書いたW・H・オーデンは、自然の法則は赦しなど認めないということを理解していた。リスは自分を木の上で追いかけ回した猫を赦すだろうか。仲間を食った鮫をイルカが赦すだろうか。そこにあるのは情け容赦なく争う世界であり、赦し合う世界などではない。人類はといえば、おもだった機関も――金融、政治、そしてスポーツの世界でさえ――それと同じ原理で動いている。「君は実際はアウトだが、その立派な精神のゆえにセーフとしよう」などと審判が言うことはない。あるいは交戦中の近隣諸国に、「おっしゃるとおり、わが国は貴国の国境を侵害した。わが国を赦してもらえないだろうか」という声明を出す国があるだろうか。

赦しのかもし出す風味は、どこか間違っているように思える。私たちは間違いを犯したときでも、傷つけた相手の信頼を回復しようといろいろなことをしようとするものだ。私たちが好むのは、ひざをついて這うこと、転げ回ること、罪の償いをすること、羊を殺すことなのだ――そして宗教もしばしば私たちにそうしたことを強制する。一〇七七年、神聖ローマ帝国皇帝ハインリヒ四世は教皇グレゴリウス七世から赦しを得ようと、北イタリアのカノッサ城の前で三日間、雪の中をはだしで立ち続けた。おそらくハインリヒは赦しの聖痕として凍傷を負い、自己満足の感情を抱いて去ったことだろう。

「赦しに関する説教は百もあるのに、私たちは簡単には赦さないし、自分が簡単に赦されるとも思っていない。赦しは常に、説教で言われているより困難である」とエリザベス・オコナーは書いている。私たちは受けた傷を後生大事にし、自分たちの行為にこれでもかと長々しくもっともらしい理屈をつけ、家族の反目を長く引きずらせ、自分自身を罰し、他の人々を罰するのである――どれもこれも、この不自然な行為を避けるためである。

イングランドのバースを訪れたとき、不当な仕打ちを受けた場合に生じる、より自然な反応を見た。バースのローマ式浴場で、さまざまな「呪いの言葉」をラテン語で書き記したすずや青銅の板を考古学者たちが発見した。何世紀も前、浴場の利用者たちはこうした祈りを浴場の神々へのささげ物として投げ込んでいたのだ。現代人が幸運を祈って噴水にコインを投げるのにも似ている。硬貨を六枚盗んだ者に対して血の報復をする際に、神の助けがあるよう願っている呪いがあった。またある呪いは「ドキメデスが手袋二枚をなくした。盗んだ者は、彼女の指定する宮の中で頭がおかしくなり、目が見えなくなりますように」と書かれていた。

ラテン語で刻まれた文字を見、その翻訳を読んだとき、これらの祈りがよく筋の通ったものであることに衝撃を受けた。地上の人間の正義のために、神の力を用いて何が悪かろう。不正行為に神が報復してくださるよう嘆願している詩篇も多くあり、同じような感情を表明している。「主よ、あなたが私を細くできないのなら、友人を太って見えるようにしてください。」ユーモア作家アーマ・ボンベックはかつてこう祈った。これほど人間的なものがあるだろうか。

だが驚くことに、イエスは私たちに、「我らに罪を犯す者を我らが赦すごとく、我らの罪をも赦したまえ」（マタイ六・一二、文語訳参照）と教えられた。主の祈りはイエスが暗唱するようにと教えられたものだが、中心にあるのは、赦しという不自然な行為である。ローマ時代の入浴者は神々に、人間の正義に手を貸してくださいとしきりにこいねがった。しかしイエスは、神の赦しは不正な行いを進んで赦そうとする私たちの心にかかっている、とされたのである。

チャールズ・ウィリアムズは主の祈りを「英語の言葉の中で、あの節の『ごとく』という小さな言葉ほど大きな恐怖をもたらすものはない」と言った。この「ごとく」をそれほど恐ろしいものにしているのは何か。私たちが父なる神によって赦されていることを、私たちが仲間を赦す存在であることにイエスが明確に結びつけておられるという事実である。イエスの次の所見は至極明瞭だ。「人を赦さないなら、あなたがたの父もあなたがたの罪をお赦しになりません」（マタイ六・一五）。

配偶者や仕事仲間といっしょに「恵みでないもの」の循環にとらえられることと、全能なる神とそのような「恵みでないもの」との循環にとらえられることとは全く異なる。しかし、主の祈りはこの二つをたぐり寄せる。つまり、私たちが自分を解放し、「恵みでないもの」の循環を断ち、やり直すことができるように、神もご自分を解放し、「恵みでないもの」の循環を断ち、やり直すことがおできになるのだ。

ジョン・ドライデンは、この真理の強い影響力について書いている。彼は「おそらくほかのだれよりも私に対する非難が多く書かれている」と抗議し、敵対者たちに非難の言葉を浴びせようとしていた。ところが、「私たちの救い主の祈りをささげていると、次のように考えて、震えおののくことが多い。私たちは赦しを願っているけれども、その赦しを受けるためには、自分に不愉快な仕打ちをした人々を赦すことが条件である、と。それで私は幾度も、たとえ悪しざまに言われて気分を害したときでも、敵を非難するという間違いを犯さないようにしてきた。」

ドライデンが震えおののいたのは正しいことだった。「恵みでないもの」の法則によって営まれている世界で、イエスは赦しという応じ方を求められた――いや、強要なさった。赦しの必要は「宗教的」行為に先立つほど差し迫ったものなのである。「だから、祭壇の上に供え物をささげようとしているとき、もし兄弟に恨まれていることをそこで思い出したなら、供え物はそこに、祭壇の前に置いたままにして、出て行って、まずあなたの兄弟と仲直りをしなさい。それから、来て、その供え物をささげなさい」（マタイ五・二三）。

イエスは、赦そうとしないしもべのたとえ話をしめくくるのに、主人がそのしもべを懲らしめるため獄吏に引き渡す場面を用いておられる。「あなたがたもそれぞれ、心から兄弟を赦さないなら、天のわたしの父も、あなたがたに、このようになさるのです」（同一八・三五）。私はこの言葉が聖書になければいいと強く思う。しかし実際はキリストご自身の口から発せられ、聖書に書かれている。神は私たちに恐ろしい力を授けられた。つまり、私たちが他者を赦さないとき、それは事実上、その他者を神に赦される価値がない、と決定していることになる。だがそうすると、私たちも赦される価値がない、ということになるのだ。神秘的な形ではあるが、神の赦しは私たちにかかっているのである。

シェイクスピアは『ベニスの商人』の中でそれを簡潔にこう表現した。「何も明け渡していないのに、何も貢いでいないのに、何も提供していないのに、どうして慈悲を求めるのだ。」

トニー・カンポロは、無宗教の大学に通う学生たちに、イエスについてどんなことを知っているかを時おり尋ねている。学生たちはイエスの語ったことを何か思い出せるだろうか。おしなべて「なんじの敵を愛せよ」*と答える。キリストの他のどんな教えよりも、未信者にとっては際立って見える教えなのだ。敵を愛するなどという態度は全く不自然であり、おそらく完全な自殺行為である。ヨセフがしたように、性悪な兄弟を赦すだけでも十分困難なことであるが、それにしても、「なんじの敵」とはだれのことだろう。この街に住むギャングのことだろうか。合衆国を毒している麻薬密売人のことなのか。

たいていの倫理学者は、人は赦しを受けるにふさわしい時にのみ、赦されるべきだと論じたイマヌエル・カントに同意するだろう。しかしこの「赦す」(forgive)という言葉には「与える」(give)という言葉が含まれている(「赦免する」(pardon)という言葉に、donum あるいは贈り物という言葉が含まれているように)。恵みと同様、赦しには、ふさわしくない、不当な、不公平であるといった、人を怒らせる性質がある。

なぜ神は、人間の本能にことごとく逆らうような不自然な行為を要求なさるのか。赦しはなぜ私たちの信仰の中心になるほど重要なのか。赦されることが多く、ときたま赦すだけの私は、自らの経験から、いくつか理由を述べることができる。一つは神学上の理由である（もう一つはもっと実際的な理由なのだが、それについては次章で取り上げる）。

神学的な面を見てみると、神が赦しなさいと要求なさる理由について、福音書は率直な答えを提示している。すなわち、神はそのような方であられるから、というのだ。イエスは「なんじの敵を愛せよ」という命令を最初に与えたとき、次のような理屈を述べられた。「それでこそ、天におられるあなたがたの父の子どもになれるのです。天の父は、悪い人にも良い人にも太陽を上らせ、正しい人にも正しくない人にも雨を降らせてくださるからです」（マタイ五・四四―四七）。

だれでも友人や家族を愛することはできる、とイエスは言われる。「異邦人でも同じことをするではありませんか」と。父なる神の息子、娘は、赦しを行われる父なる神に似るために、より高い次元の律法へと導かれている。私たちは神のようになり、神の家族のようになるよう召されているのだ。

ディートリッヒ・ボンヘッファーはナチスのもとで迫害を受けながら「なんじの敵を愛せよ」の命令と格闘した挙げ句、こう結論した。クリスチャンを他の人々と区別しているのは、まさにこの「奇妙な……異常な、普通でない」特質である、と。彼は、ナチス体制に抵抗するときにも、「迫害する者のために祈りなさい」というイエスの命令に従った。ボンヘッファーは書いている。

「祈りという手段を通して、私たちは敵のところへ行き、そばに立ってその人のために神に抗弁する。イエスは、私たちが敵を祝福して彼らに良いことをすれば、彼らが悪意をもって私たちをあしらったり迫害したりすることはない、とは約束しておられない。彼らは必ず迫害してくる。しかしそれが私たちを傷つけたり打ち負かしたりできるとしても、私たちが彼らのために祈る限り……私たちは彼らが自分ではできないことを、代わりに行っているのである。」

なぜボンヘッファーは敵を愛し、迫害する者のために祈ることに力を注いだのだろうか。彼の答えはただ一つ。「神はご自分の敵を愛される――イエスに従う者はだれでも知っているように、それが神の愛の栄光なのである。」神が私たちの負債を赦されたのなら、私たちにも同じことができないはずがあろうか。

仲間を赦そうとしなかったしもべのたとえ話が再び思い出される。そのしもべは、仲間に貸していたお金のことで腹を立てても当然だった。ローマの正義によれば、その同僚を投獄する権利があった。しかし、イエスはそのしもべ個人の損失を論じず、そのしもべの数億円を赦していた主人〔神〕の損失と対照させた。赦された経験だけが、赦すことを可能にするのである。

長年ホイートン・カレッジのスタッフだった友人（すでに故人）は、在職中に礼拝メッセージを数千も聞いた。時間が経つにつれ、そのほとんどが記憶から消えたが、はっきり覚えているものも二、三あった。友人は特に、宣教師として中国で奉仕したことのあるプリンストン神学校の教授サム・モファットの話を何度も語った。モファットは、共産主義者の追っ手から逃亡するときの、手に汗握る話を学生たちに語ったという。共産主義者たちは家や財産すべてを奪い取り、宣教師宿舎を燃やし、モファットの最も親しかった友人たちを殺害した。彼は家族となんとか逃げることができた。中国を去るとき、モファットは毛沢東の信奉者らに対して深い憤りを覚えていた。そして、その憤りが彼の内側に転移していた。話の終わりにモファットはホイートンの学生たちに、自分は信仰の大変な危機に直面していた、と語った。「私は悟ったのです。共産主義者を赦さないなら、自分には何のメッセージもないことを。」

恵みの福音は、赦しに始まり、赦しに終わる。そして人々が「アメイジング・グレイス」（驚くばかりの恵み）のような歌を作る理由はただ一つである。恵みだけが宇宙の中で唯一、幾世代にもわたる呪いの鎖を断ち切る力をもっているからだ。恵みだけが、「恵みでないもの」を溶かすのである。

ある週末、著述家であり精神科医であるM・スコット・ペックが指導する集団心理療法に参加した。グループには、十人のユダヤ教徒、十人のクリスチャン、十人のイスラム教徒がいた。ペックは、その週末が何らかのコミュニティーの誕生、あるいは少なくとも小さな和解の始まりになればと願っていた。ところが、彼の願いどおりにはならなかった。高い教養のあるこの人たちの間でも、殴り合いが起こりかねなかった。ユダヤ人はクリスチャンから受けた忌まわしい仕打ちを語り、イスラム教徒はユダヤ人からこうむった身の毛もよだつような行為を語った。私たちクリスチャンも自分たちの問題について語ろうとしたが、それらはホロコーストやパレスチナ難民の苦境と比べると色あせて見えた。それで、おおむね隅に座って、二つのグループが歴史の不正をあげつらうのを聞いていた。

ある時点で、以前からアラブ人との和解の試みに積極的だったユダヤ人女性が、クリスチャンのほうを向いて言った。「私たちユダヤ人は、あなたたちクリスチャンから赦しについて学ぶことがたくさんあるように思います。この行き詰まり状態を打開する方法はほかにないような気がします。それでも、不正を赦すのは公平性を欠きます。私はまさに、赦しと正義の間にはさまれています。」

ナチズムの恐怖をくぐり抜けてきたドイツ人、ヘルムート・ティーリケの次の言葉を読むと、その週末が思い起こされる。

「この赦しという作業は決して単純なものではない……。私たちは言う。『いいだろう、もしも相手が申しわけなく思って赦しを請うならば、私は赦そう。そして譲歩しよう。』私たちは赦しを相互的なものだと思っている。だが、これでは決してうまくいかない。というのも、そうすると双方で、『まず相手が動かなければ』と言っていることになるからだ。それから、相手が私に目くばせをするか、手紙の行間に、なにかしら謝罪のようなものを感じられるかどうか、私は鷹のような目で見るのである。私はいつも赦そうとしている。……だが決して赦しはしない。私のほうがずっと正しいからだ。」

ティーリケは、唯一の解決法は、神が自分のもろもろの罪を赦し、一つのチャンスを与えてくださったと認識することである、と結論した。仲間を赦そうとしなかったしもべのたとえ話に示された教訓である。「恵みでないもの」の循環を断ち切るとは、自ら率先することである。隣人が動きだすのを待つのでなく、報復と公平という自然法則を否定して、自分がまず行動を起こすのである。ティーリケは、説教しておきながら実践していなかった福音の核心に、神が率先されたという事実があることに気づいたとき、やっとそれを実行したのだった。

イエスの語る恵みのたとえ話の中心には、私たちに先んじて動く神がおられる。それは走って放蕩息子を迎える愛に痛む父親であり、だれも返済できないほどの多額の借金を帳消しにする主人であり、十一時間働いた人たちに一時間働いた人と同じ額を支払う雇い主であり、本来とてもふさわしいとは思えない客人をあちこち探しに出かける大宴会の主催者である。

神はこの世に入り込み、私たちが負わなければならなかった十字架刑という最悪のものを引き受けて、罪と報復の冷酷な法則を粉砕してくださった。そしてその残酷な行為が、人間の置かれている状態を改善したのである。カルバリは、正義と赦しの間に横たわる行き詰まりを打破した。罪のない身に、正義の厳しい要求をすべて引き受けることによって、イエスは「恵みでないもの」の鎖を永久に破壊されたのである。

ヘルムート・ティーリケのように、私も赦しの扉を閉め、売り言葉に買い言葉の世界に舞い戻ってしまうことがあまりに多い。「なんでこちらが最初に行動を起こさなければならないんだ。こっちのほうが不当な仕打ちを受けたのに」と。それで私はどんな行動も起こさない。そして関係に裂け目が生じ、広がっていく。そのうち、とても渡ることのできない亀裂が口をあける。私は悲しく思いながらも、めったに落度を認めない。その代わり、自分を正当化し、自分が和解に向けて見せたわずかなそぶりに目を向けさせる。この仲違いのことで万一自分が非難される場合に備えて、自己弁護のためにそうした試みを心の中で数え続ける。私は恵みの危険から「恵みでないもの」の安全へと逃亡する。

赦しとは「愛に乏しい人々の間で実践される愛である」と定義しているヘンリ・ナウエンは、この過程が進む様を次のように描写している。

「わたしはよく、『あなたを赦します』と言ってきたが、そう言いながらも、心には怒りと恨みが残っていた。わたしは結局のところ、『あなたは正しい』と言って欲しかったのだ。じつのところは、謝罪と釈明を聞きたかったのだ。わたしの本音は、お返しに誉めてもらい満足したかったのだ。――赦す気でいることへの称賛だけでも！

しかし、神の赦しは無条件である。すなわち、そこから何も求めない、利己主義のひとかけらもない心からくる。この神からくる赦しこそ、日々の生活でわたしが実践しなければならないものだ。それは、『赦すなんてことは、浅はかで、不健康で、非現実的なことだ』と、心の中に生まれてくる反論を、絶えず踏み越えていくことへの招きである。それは、感謝され、誉められたいという自分のすべての必要を踏み越えよ、というチャレンジだ。最終的に、心の痛み、不当に扱われたと感じた傷、赦しを求めてきた相手より有利に立ちたいという思い、いくつかの条件を加えたいという思いを踏み越えることが求められる。」

ある日私はローマ人への手紙一二章の中に、多くの訓戒にはさまれている使徒パウロのある戒めを発見した。悪を憎みなさい、喜んでいなさい、調和の中に生きなさい、思い上がってはいけない――リストは次々と続く。そして、この節が現れる。「愛する人たち。自分で復讐してはいけません。神の怒りに任せなさい。それは、こう書いてあるからです。『復讐はわたしのすることである。わたしが報いをする、と主は言われる』」（ローマ一二・一九）。

ついに私は理解した。赦しとは信仰による行為なのだ。他人を赦すことによって、私よりもすぐれた正義をつくりだす神に信頼しているのだ。赦すことによって、対等であるという権利を放棄し、公平についての問題をすべて神にゆだねるのだ。神の御手に、正義とあわれみのバランスをとる秤を預けるのである。

ヨセフがついに兄弟たちを赦せるようになったときでも、彼の傷は消えていなかった。しかしさばく者としての重荷はなくなっていた。私が人を赦すときも、不当な仕打ちは消えないが、私の手から離れ、すべてをご存じの神に引き継がれる。そのように決心することにはもちろん危険が伴う。神がその相手を私が望むようには取り扱われないかもしれない、という危険性だ（たとえば預言者ヨナは、神がニネベの人々に必要以上のあわれみをかけた、と憤慨した)。

私は赦しが簡単だとは決して思わないし、赦しが完全に満足を与えるものだと思うこともまれだった。苦痛をもたらす不正は残るし、その傷は痛みを引き起こす。私は何度でも神に近づかなければならない。自分がずっと昔に犯した罪を思い出すたびに、それを神に明け渡しながら近づくのである。そのようにするのは、福音書が二つのつながりを明らかにしているからだ。私が債務者を赦すように、神は私の負債を赦してくださる、ということだ。反対もまた真である。神の恵みの流れの中に生きることによってのみ、私は他の人たちに恵みをもって応じられるのである。

人間同士の休戦は、神との休戦にかかっている。

＊L・グレゴリー・ジョーンズはこう述べている。「敵を愛せよというような呼びかけが仰天ものであるのは、それが、忠実なクリスチャンにも敵がいることを率直に認めているからだ。キリストは十字架にかかり、復活したことで、罪と悪を決定的に打ち負かしたが、罪と悪の影響は完全には終息しなかった。したがって、少なくともある意味では、私たちはなお、イースターが完全に達成される手前側で生きているのである。」

心が砂漠のようになったとき、癒やしの噴水をあげさせよう。
獄につながれている自由人には、賛美の仕方を教えよう。

W・H・オーデン

8 なぜ、赦すのか

私が赦しをテーマとする活発な議論に参加していたまさにその週に、ジェフリー・ダーマーが刑務所の中で死亡した。ダーマーは十七人の若者を虐待死させ、その肉を食べ、遺体の一部を冷蔵庫内に保管していた。彼の逮捕でミルウォーキー警察署は人事の刷新をはかることとなった。ダーマーのアパートから血を流し、裸のまま走って逃げようとしたヴェトナム人少年が必死に助けを求めたのに、警察官たちは無視したのだ。その少年もダーマーの犠牲となった。ダーマーのアパートで見つかった十一遺体の一つとなったのである。

一九九四年十一月、ダーマー自身が獄中で殺された。獄にいた他の囚人がほうきの柄で殴り殺したのである。その日のテレビニュースは、深い悲しみにくれる犠牲者の親族へのインタビューも流していた。親族のほとんどが、ダーマーが殺されたことを悔しがっていた。彼のいのちがあまりにも早く絶たれてしまったからである。もっと長く生きて、犯した凶行について考え、苦しむべきだった、と。

あるテレビ局が、彼の死の数週間前に収録した番組を放映した。インタビュアーは彼に、いったいどうして有罪宣告を受けるような犯罪を犯したのかと尋ねた。ダーマーは、その時は神を信じていなかったので、自分の行動を釈明する責任などだれに対しても感じなかったからだ、と答えた。小さな犯罪に手を染めてから、いくらか残酷と思えることを試し、それを次から次へと続けただけだった。彼を制止するものはなかった。

そしてダーマーは、つい最近クリスチャンになったと語った。刑務所内のジェットバスで洗礼を受け、時間があれば、地元のチャーチ・オブ・クライスト教会の牧師にもらった信仰書を読んでいた。カメラは教誨師へのインタビューに切り替わったが、教誨師は、ダーマーは本当に悔い改めて、今では最も信仰深い礼拝者の一人である、と言い切っていた。

私が参加したグループでは、ダーマーの死を伝えるニュース番組だけを見た人と、生前の彼へのインタビューも見た人とにだいたい分かれて、議論が展開した。前者はダーマーを化け物のようにみなし、回心したことに全く関心を払わなかった。犠牲者たちの遺族の、苦悩にうちひしがれた顔が印象深かったのだ。「あれほどの悪質な犯罪は絶対に赦されない。彼が心からあんなふうに思っているはずはない」と率直に言う人もあった。

ダーマーとのインタビューを見た人々にはそこまで言えるほどの確信はなかった。彼らは、ダーマーの犯した罪がとてつもなく極悪であるということには異論がなかった。しかしダーマーは罪を悔い、謙虚であるようにも見えたのである。話し合いはやがて、「赦されようのない人などいるのだろうか」という問いに転じた。その夜、この問いに対して出されたさまざまな答えに心から満足してその場をあとにした人は一人もいなかった。

だれかが「ごめんなさい」と言った、それだけの理由で道徳的停戦に合意しようとする人はみな、赦しがかもしだす問題に直面することになる。不当な仕打ちを受けていると思えば、私は相手を赦さない理由を百も考えだすことができる。「彼は反省しなければいけない。」「ぼくは無責任な行動をとらせたくないんだ。」「彼女にはしばらく思い悩んでもらうことにしよう。それが本人のためだ。」「行動には結果が伴うことを彼女は知る必要がある。」「こちらがひどい仕打ちを受けたんだ――だから、最初に動くのはこっちではない。」「彼自身が悪いと思っていないなら、どうしてぼくに彼が赦せるだろう。」疲れ果てるまで、私はこうした議論を延々と述べ立てる。ついに態度を軟化して赦そうかと思うとき、まるで白旗を出したように、確かな論理から感傷的なものへと飛躍したような気がする。

なぜ私はそんな飛躍をするのか。クリスチャンとしての私をそのように動かす一つの要因については、すでに述べたとおりである。つまり、赦してくださる父なる神の子どもとして、そうするよう命じられているからだ。しかし、赦しはクリスチャンの専売特許ではない。では、クリスチャンも未信者もみな同様に、この不自然な行為を選択する理由は何だろう。少なくとも三つの実際的理由を確認できると思う。その三つの理由を考えれば考えるほど、そこに「確か」であるばかりでなく根本的とも思われる論理があることがわかる。

まず第一に、赦しだけが「恵みでないもの」の鎖を断ち切り、非難と痛みの循環に終止符を打つことができるからである。新約聖書で赦しを表す最も一般的な言葉には、解放すること、放り出すこと、自らを自由にすること、という意味もある。

赦しが不公平であることは即座に認める。カルマの教義をもつヒンドゥー教は、公平という点ではるかに満足感を提供している。ヒンドゥー教の学者たちは数学的正確さをもって、一人の人間の正義が達成されるのに必要な時間を計算したことがある。この世と来世で犯す、すべての誤った行為の帳尻りを合わせるためには、懲罰として六百八十万回生まれ変わる必要があるという。

結婚は、このカルマのプロセスを垣間見せてくれる。二人の頑固な人間がいっしょに暮らし、お互いの神経にさわるようなことを行い、感情的な綱引きをして延々と権力闘争を続ける。「自分の母親の誕生日を忘れるなんて信じられないわ。」一人が言う。

「ちょっと待てよ、予定表は君が責任をもつことになってたじゃないか。」

「こちらに非難の矛先を向けないでちょうだい――あなたのお母さんのことじゃないの。」

「そうさ、だがぼくが忘れてたら必ず言ってくれと頼んだのは、つい先週のことだぞ。なぜ言ってくれなかったんだ。」

「あなた、おかしいんじゃない――自分の母親でしょう。母親の誕生日も覚えていられないの?」

「なんでぼくが覚えていなくちゃならないんだ。それを教えるのが君の仕事じゃないか。」

この端から見るとばからしい問答は、ついには一方が「もうやめよう！　こんな話は」と言うまで延々と、そう六百八十万回続くのだ。そしてこの鎖を断ち切る方法はただ一つ。赦すことだ。「ごめんなさい。赦してくれる？」

「恨み」（resentment）という言葉には、その循環が断たれずに継続するときに生まれるものが表現されている。文字どおりには「再び感じること」という意味だ。恨みは過去にまといつき、繰り返しよみがえり、できたばかりのかさぶたをはがし、傷は癒えることがない。このパターンが、地上の最初の夫婦から始まったことは間違いない。「九百年に及ぶ結婚生活でアダムとエバがしたであろうつまらない言い争いを考えてみてほしい」とマルティン・ルターは書いている。「エバは『あなたがリンゴを食べたのよ』と言っただろうし、アダムは怒って『君がぼくにくれたんだ』と言い返したことだろう。」

ノーベル賞作家が書いた二つの小説が、現代的な状況設定のもとでこのパターンを描き出している。『コレラの時代の愛』で、ガブリエル・ガルシア＝マルケスは石鹸一個が原因で崩壊する結婚を描いている。バスルームにタオルやトイレットペーパー、石鹸を備えておくことも含めて、家を整えておくことが妻の仕事だった。ある日、彼女は石鹸を取り替えるのを忘れてしまう。うっかりしただけなのだが、それを夫が大げさに指摘し（「一週間近くも石鹸なしで風呂に入ってるんだ」と）、彼女は強固に否定する。自分が忘れていたことを知っても、プライドが邪魔をして引き下がらなかった。その後七か月間、二人は別々の部屋で眠り、黙ったまま食事をする。

マルケスは書いている。「年をとって穏やかになってからも、二人はその一件をむし返さないように細心の注意を払った。かろうじて癒やされた傷が、昨日できたばかりの傷のように再び血を流し始めかねないからだった。」石鹼一個でどうして結婚がこんなふうに破壊するのだろう。それは、二人のどちらも「もうやめよう。このままではだめだ。悪かった。赦してくれ」と言おうとしなかったからだ。

フランソワ・モーリヤックの『蝮のからみ合い』でも同じように、結婚生活最後の数十年を——数十年も！——妻とは別の部屋で寝ていた老人の話を語っている。不和は三十年前、五歳の娘が病気になったとき、夫がちゃんと心配したかどうかをめぐって始まった。今、夫も妻も自分から歩み寄ろうとはしない。夫は毎晩、妻が自分のところへ来るのを待っているが、妻が現れることはない。妻は毎晩、夫が自分のところへ来るのを待って、横になっても眠らずにいるのだが、夫が姿を見せることはない。どちらも、何十年も前に始まったこの循環を破壊しようとしない。どちらも赦そうとしない。

メアリー・カーは『うそつきクラブ』という本の中で、完全に機能を失った家庭の話を描いている。テキサスに住むおじは、おばが砂糖にいくら使ったかということでけんかをし、以来、夫婦であり続けながら四十年も口をきかなかった。ある日、このおじがのこぎりを取り出し、家を真っ二つに切る。むきだしになった切り口に厚い板を釘で打ちつけ、家の半分を同じ地所にある小さな松林の向こうへ移動させた。そしておじとおばは、半分に切った別々の家で残りの日々を暮らしたのである。

赦しは打開策を提供する。赦しは責任と公平さという問題のすべてを解決することはない——

そうした問題を意図的に回避することはよくある――けれども、関係のやり直しを図り、再出発を可能にする。そこが、私たちが他の動物と異なっているところだ、とソルジェニーツィンは言う。思考力ではなく、悔い改める力と、赦す力が私たちを他と区別している。人間だけに、この最も不自然な行為をすることができる。そしてこの行為は、自然の情け容赦ない法則を超越している。

自然を超えなければ、人は自分が赦すことのできない人々に縛られ、彼らのものすごい力に抑えつけられたままになる。この原理は、一方が全く無実で、他方に全面的な非がある場合でも適用される。なぜなら、無実な側の人はその傷を、そこから解き放たれる方法を見つけるまで負い続けるからだ――そして、赦しが、解き放たれるためのただ一つの方法なのである。オスカー・イフェロスは、息苦しいような苦悩を味わっている男を描いた『ミスター・アイブスのクリスマス』という感動的な小説を書いている。そこには、息子を殺害したラテンアメリカ系の犯人をとにかく赦そうとしている自分に気づくまでの姿が克明に描かれている。主人公のアイブズは自身何も悪いことをしていなかったのに、息子が殺害されたために何十年も感情の囚人になっていたのである。

赦しのない世界を想像することがある。すべての子どもが親に恨みを抱いていたら、どうだろうか。そしてすべての家族が確執を未来の世代に伝えていったら、どうなるだろうか。私は、ある家族――デイジー、マーガレット、マイケル――と、彼ら全員をさいなむ「恵みでないもの」のウイルスについて語った。その家族一人一人のことを私はよく知っている。どの人も個人としては尊敬しているし、好きである。だが彼らは、ほとんど同じ遺伝情報を共有しているにもかかわらず、今日同じ部屋で腰を下ろすことができない。彼らはみな、自分の無実を主張した——しかし無実な人たちもまた、「恵みでないもの」の結果をこうむるのである。「あんたの顔なんて二度と見たくない！」マーガレットが息子に叫んだ。その願いはかなえられた。けれども、そのために彼女は今毎日苦しみの中にある。私が「マイケル」という名前を出すたびに、目を細め、あごに緊張を走らせることからも、痛みがわかる。

世界に目を転じてみても、旧植民地の港が旧宗主国の権力に恨みをもち、ある人種がある人種を憎み、ある部族がある部族と戦争をしている。歴史の不平不満のもとが、国家、人種、部族同士のぶつかり合いの背後に堆積しているかのようである。そういう場面を思い浮かべると、今現在あるものと歴史とがごく密接であるかに思えて、憂鬱になる。ユダヤ人政治哲学者ハンナ・アーレントが言うように、歴史の必然を唯一治療する方法は赦しなのである。そうでなければ、私たちは「不可逆性という窮地」の中に閉じ込められたままになってしまう。

赦さなければ、自分を過去に封じ込め、変化の可能性をすべて締め出してしまうことになる。そうして私は他の人、敵に支配され、不当な仕打ちの結果に苦しむことになる。移民のラビが驚くべきことを言うのを聞いたことがある。「私はアメリカに来る前に、アドルフ・ヒトラーを赦さなければなりませんでした。心の中にいるヒトラーを、新しい国に連れて来たくなかったのです。」

私たちはただ、高次の道徳律法を成し遂げるために赦すのではない。自分自身のために赦すのである。ルイス・スミーズが言うように、「赦しによってまず癒やされるのは、そして唯一癒やされるのは、赦すその人である……。本心から赦すとき、私たちはいわば囚人を解放するのだが、その解放した囚人とは実は自分だったことを発見するのである」。

聖書のヨセフにとって兄弟を恨むのは当然のことであったが、赦しは涙とうめき声という形となってあふれ出た。涙とうめき声は出産にも似て解放の前兆であり、それによってヨセフはついに自由を得ることができた。彼が息子の一人につけた「マナセ」という名前の意味は、「忘れさせる人」を意味していた。

赦し以上に困難なものはただ一つ、赦そうとしないことである。

赦しのもつ二つめの偉大な力は、加害者の罪意識の支配をゆるめることができる、ということだ。

罪の意識は、意識の上では抑圧されていても、むしばむ力を働かせている。一九九三年にKKKのヘンリー・アレクサンダーという男が妻に、あることを告白した。一九五七年、彼は他の団員たちと、アフリカ系アメリカ人のトラック運転手を車から引っぱり出し、さびしげな場所にかかっている橋まで歩かせた。橋のはるか下を、激しい勢いで川が流れている。アレクサンダーたちは、その運転手を橋から突き落とした。運転手は叫び声をあげて落ちていき、息絶えた。一九七六年、アレクサンダーは犯行の罪に問われた——裁判にかかるまで二十年近くを要したわけだ——が、無罪を主張、白人の陪審員から無罪を宣せられる。三十六年の間、無罪を主張し続けたアレクサンダーは、一九九三年のその日、ついに妻に真実を告白したのである。「神がぼくのためにどんな計画をもっておられるのかもわからない。ぼくは自分のためにどう祈ったらいいかすらわからないんだ。」　そう言った数日後に息を引き取った。

　妻は被害者の未亡人に謝罪の手紙を書き、後にそれが『ニューヨーク・タイムズ』に掲載された。「ヘンリーは偽りの人生を送りました。そして私にもそうした人生を送らせたのです。」彼女はそう書いた。アレクサンダー夫人は夫の無実の主張を信じ続けていた。いよいよ人生の終わりに近づいて、彼は良心の呵責を感じ始めるが、前言を撤回して公に償うにはあまりにも遅すぎた。しかし恐ろしい罪の秘密を告白せずには死ぬことができなかった。三十六年間、否定してきたけれども、彼はなお、赦しによる解放を必要としていたのである。

　ＫＫＫのもう一人の団員、ネブラスカ州リンカーンの「巨竜」ことラリー・トラップが一九九二年、新聞に大きく取り上げられた。これまで抱いていた憎しみを捨て、ナチスの旗を裂き、特定の人種に対する憎悪をつづった文書の入った箱を叩き壊したからだった。キャスリン・ワターソンが『剣によらず』という本で詳述しているように、トラップはユダヤ教の主唱者とその家族の、人を赦す愛に負けたのである。トラップが、鼻の大きいユダヤ人をあざけり、ホロコーストなどなかったと主張するパンフレットを送りつけ、脅迫電話をかけ、一家の通うシナゴーグを爆弾の標的としていたにもかかわらず、彼らは一貫して思いやりの心で応じた。子どものころから糖尿病を患っていたトラップは車椅子から離れられず、視力も急速に失われていく。そんなトラップをユダヤ人一家は自宅に招いて世話をした。「こちらも愛し返さずにいられないほどの愛をの何か月かを過ごした。

彼らは示してくれた」とトラップは後に語っている。彼はユダヤ人グループ、NAACP（全米有色人種地位向上協会）や、その他かつて憎んでいた人たちからの赦しを求めながら、人生最後の何か月かを過ごした。

近年、世界中の人々がミュージカル版の『レ・ミゼラブル』を観るようになったが、そこで演じられているのは、赦しのドラマである。ヴィクトル・ユーゴーの原作をもとに、追跡されるフランスの囚人ジャン・ヴァルジャンが最後に赦しによって変えられる話が描かれている。

パンを盗んだ罪で十九年の過酷な労働を科せられたジャン・ヴァルジャンは、非情かつ凶暴な囚人へと鍛えられていく。殴り合いではだれにも負けなかった。彼の意志をくじくことのできる者もいなかった。やがてジャンは釈放される。しかし、当時の前科者は身分証明書の携帯を義務づけられていた。そして危険なかつての重罪人を泊めてくれる宿屋の主人などいなかった。悪天候から身を守ってくれる所を探して四日間さまよい歩いた末、ようやく心優しい司教からあわれみをかけられる。

その夜ジャンは、このうえなく快適なベッドに静かに身を横たえる。だが、司教とその妹が眠りにつくや、ベッドから起き上がり、一家の所有する食器棚をあさり、暗闇の中へと姿をくらました。

翌朝、ジャンを捕まえた三人の警官が司教の家の扉を叩く。銀器を盗んだ前科者を終生鎖に繋ごうとしていた。

ところが、司教はだれも——特にジャンが——予想しなかったことを言う。

「『おお、君か！』司教がジャンに向かって叫ぶ。『会えて嬉しいよ。君に燭台もあげたのを忘れたのかね。燭台も銀で、二百フランの価値はあるんだよ。燭台を持っていくのは忘れたのかね。』

ジャンが大きく目を見開いた。彼はどんな言葉でも表せない表情でこの老人を見つめた。」

司教は警察官たちに、ジャンは断じて泥棒ではないと言う。「この銀器は私が彼に贈った物です。」

警察官が引き上げると、司教は、言葉を失って震えているジャンにその燭台を与えて言う。

「忘れないでくれ、決して忘れないでくれ。君はその金を君自身が正直な男になるために使うと私に約束したんだよ。」

復讐を願う人間の本能を退けた司教の行為は、ジャン・ヴァルジャンの人生を永遠に変えた。赦しとの真実の出会いが――とりわけジャンは一度も悔い改めたことがなかったので――花崗岩のように固い魂の防壁を溶かしたのである。ジャン・ヴァルジャンはその燭台を、恵みを思い出させる貴重な品物として保管し、それ以後は、身をなげうって困っている人々を助けるのである。

ユーゴーの小説は、赦しのもつ二つの面を語っている。正義の法しか知らない捜査官ジャヴェールは、その後二十年間ジャン・ヴァルジャンを容赦なく追跡する。ジャンは赦しによって変えられたが、ジャヴェールの頭には懲罰を与えることしかない。ジャン自身がジャヴェールのいのちを救うとき――追われる者が追う者に恵みを施す――捜査官は自らの黒と白の世界が崩れ始めることに気づく。あらゆる本能に抵抗する恵みに応じることができず、自分の中にそれに対応する赦しを見つけられなかったジャヴェールは、セーヌ川にかかるノートルダム橋から身を投げるのである。

ジャンが司教から差し出されたような寛大な赦しは、罪のある側を変えることができる。ルイス・スミーズがこの「魂の手術」のプロセスを詳細に述べている。

「だれかを赦すとき、あなたは不当なことを行った人からその行為を削り取っている。その人からそのひどい行為を引き離している。その人を創り直している。ある時はその人を、自分に不当な仕打ちをした人間だと根深く思っている。しかし次の瞬間には、その人はあなたにとって別の人間になっている。あなたの思いの中で創り直されている。

今やその人のことを、あなたを傷つけた人ではなく、あなたを必要としている人だと考えている。今やその人のことを、自分を疎外した人ではなく、仲間だと思っている。その人に、きわめて邪悪な人間という烙印を押したことがあったが、今では、困っている弱い人間と見ている。あなたは、不当な行為であなたの過去を痛ましいものにした人間を創り直すことで、あなたの過去を創り直したのである。」

スミーズは多くの注意を付け加えている。赦しは大目に見ることではないとして、こう助言している。自分に不当な仕打ちをした人を赦しながら、なおその行為に対しては正当な懲罰を要求しているかもしれない。しかし、赦せるようになれば、自分の中に、そして不当な仕打ちをした人の中に、赦しによる癒やしの力が流れ込むのである。

スラム地区で働くある友人は、悔い改めていない人を赦すことに意味があるかどうか疑問に思っている。児童虐待やドラッグ、暴力、売春などのもたらす悪の結果を日々目のあたりにしているのだ。「悪いことだと知っていながら、何もしないでそれを『赦す』としたら、自分は何をしていることになるのだろうか。救いではなく、むしろ権限を与えているのではないか。」

友人は自分が助けている人たちの話をしているのだが、確かにその幾人かは赦しの範囲を超えているようにも思える。けれども、自らの悪行を認めなかったジャン・ヴァルジャンを司教が赦した、あの感動的な場面が私には忘れられない。赦しには、法律や正義を超えたところに及んでゆく尋常でない力がある。『レ・ミゼラブル』を読む前に、ユーゴーの同郷人アレクサンドル・デュマの小説『モンテ・クリスト伯』を読んだが、これは四人の男たちから受けた不当な仕打ちの復讐を果たす男の物語である。デュマの小説は正義感に訴えるが、ユーゴーは私の中に恵みの感覚を目覚めさせてくれる。

正義には、善であり公正で、道理があるという力がある。恵みの力は違う。それはこの世のものではなく、変化をもたらす超自然的なものである。ロサンゼルス南部で起きた暴動のさなかに襲撃されたトラック運転手のレジャナルド・デニーは、この恵みの力を証明した。二人の男がトラックの窓をブロックでたたき割り、デニーを運転台から引きずり出し、割れたビンで殴る蹴るを繰り返したあげく、頭部側面を陥没させる。ヘリコプターのカメラがその様子を映し出し、合衆国中がその映像を見た。彼に暴行を加えた連中は法廷でもけんか腰で、悔い改める様子など全く見せなかった。世界中のメディアが注目するなか、まだ腫れの引かない顔のレジャナルド・デニーは弁護士たちの制止を払いのけ、二人の被告の母親たちのところへ行って彼女らを抱きしめ、「彼らを赦します」と言う。母親たちもデニーを抱きしめ、その一人は「あなたを愛している」と言う。

手錠をかけられて、そばに座っていたあの被告たちに、この光景がどんな影響を与えたかはわからない。しかし赦しが、そして赦しだけが、罪ある側の中に雪解けをもたらすことを私は知っている。また、同僚や妻がやって来て、高すぎるプライドと頑なさから告白できないでいる、私の間違った行為を赦してくれるとき、私にどんな影響を及ぼすかを知っている。

赦し——全く不相応と思える——は束縛を断ち、罪の重荷を取り除く。新約聖書に描かれているのは、赦しの三つの儀式を通して、ペテロを優しく導いておられる復活のイエスである。ペテロは、神の御子を裏切った男として、おどおどしながら生涯を過ごす必要はなかった。そう、全く必要なかったのである。そして、そのように変えられた罪人たちを基として、キリストは教会を建てようとされたのである。

赦しは非難の循環を断ち、罪意識の締めつけを和らげる。赦す者を不当なことをした者と同じ側に立たせるという驚くべき方法を通して、それを成し遂げるのである。そうすることで私たちは、予想に反して、悪いことをした者と自分がそれほど変わらないことを認識する。「わたしもまた、自分でそうだと想像しているものとはちがったものである。このことを知るのが、赦しである」とシモーヌ・ヴェイユは言っている。

この章の冒頭で、ジェフリー・ダーマーの事件をめぐって、ある小グループが赦しについての議論を展開したことに触れた。この手の議論によくあるように、この時も知らず知らずに個人的な話から抽象的で理論的な話に移り、私たちは他の恐ろしい犯罪や、ボスニア、ホロコーストなどについても議論をした。たまたま「離婚」という言葉が出たとき、レベッカがためらいもなく語りだして周囲を驚かせた。

レベッカはもの静かな女性で、いっしょに過ごした数週間、めったに口を開かなかった。しかし離婚の話が出ると、進んで自分のことを話し始めた。彼女はかつて、リトリートの指導者として著名な牧師の妻であった。ところが、夫には暗い側面があった。夫はポルノに手を出し、他の町へ行くときには売春婦を呼んだ。レベッカに赦しを請うこともあったし、そうしないこともあった。やがて彼は妻を捨て、ジュリアンという別の女性のもとに走る。

レベッカは、このことが牧師の妻である自分にとってどれほど苦しいものであったかを語った。牧師を尊敬する教会員の中には、夫の性的逸脱行為の原因が彼女にあったとでもいうかのような行動をとる人もいた。レベッカの心はぼろぼろになり、いつしか他人を信用できなくなり、人づきあいを避けるようになっていた。だが、夫のことを考えないでいることはできなかった。二人

郵便はがき

恐縮ですが
切手を
おはりください

164-0001

東京都中野区中野 2-1-5

いのちのことば社

出版部行

ホームページアドレス　https://www.wlpm.or.jp/

お名前	フリガナ	性別	年齢	ご職業
		男・女		
ご住所	〒	Tel.　（　　　）		

所属（教団）教会名	牧師　伝道師　役員 神学生　CS教師　信徒　求道中 その他 該当の欄を○で囲んで下さい。

WEBで簡単「愛読者フォーム」はこちらから!

https://www.wlpm.or.jp/pub/rd

簡単な入力で書籍へのご感想を投稿いただけます。

新刊・イベント情報を受け取れる、メールマガジンのご登録もしていただけます!

ご記入いただきました情報は、貴重なご意見として、主に今後の出版計画の参考にさせていただきます。その他、「いのちのことば社個人情報保護方針（https://www.wlpm.or.jp/about/privacy_p/）」に基づく範囲内で、各案内の発送などに利用させていただくことがあります。

いのちのことば社＊愛読者カード

本書をお買い上げいただき、ありがとうございました。
今後の出版企画の参考にさせていただきますので、
お手数ですが、ご記入の上、ご投函をお願いいたします。

書名	

お買い上げの書店名

町
市　　　　　　　　　　　　書店

この本を何でお知りになりましたか。

1. 広告　いのちのことば、百万人の福音、クリスチャン新聞、成長、マナ、信徒の友、キリスト新聞、その他（　　　　　　）
2. 書店で見て　3. 小社ホームページを見て　4. SNS（　　　　　）
5. 図書目録、パンフレットを見て　6. 人にすすめられて
7. 書評を見て（　　　　　　）　8. プレゼントされた
9. その他（　　　　　　）

この本についてのご感想。今後の小社出版物についてのご希望。

◆小社ホームページ、各種広告媒体などでご意見を匿名にて掲載させていただく場合がございます。

◆愛読者カードをお送り下さったことは（　ある　初めて　）
ご協力を感謝いたします。

出版情報誌　月刊「いのちのことば」年間購読　1,380円（送料込）

キリスト教会のホットな話題を提供!（特集）
いち早く書籍の情報をお届けします！（新刊案内・書評など）

□見本誌希望　　□購読希望

には子どもがいて、夫がその子たちに会う日を決めるために、連絡をとらなければならなかったのだ。

前夫を赦さなければ、子どもたちに復讐心が受け継がれていくことを、レベッカは感じていた。何か月も祈った。祈りは最初、いくつかの詩篇に見られるように復讐心に満ちたものであった。彼女は、神が前夫に「ふさわしいもの」を与えてくださるようにと祈った。でも最後は、自分ではなく神が「ふさわしいもの」を決めてくださるようにと祈れるようになった。

ある夜、レベッカは前夫に電話をかけ、震える声でこう言った。「あなたのしたことを赦します。それからジュリアンのことも赦します。」前夫は自分の過ちを認めようとせず、彼女の言葉を笑い飛ばした。拒絶されたにもかかわらず、その電話によって、レベッカの苦々しい感情は過去のものになっていった。

数年後、レベッカのもとに、夫を「奪った」女性、ジュリアンからヒステリックな電話がかかってきた。ジュリアンは彼といっしょに、ミネアポリスでもたれた教職者会議に出席していた。彼が散歩をするといってホテルの部屋を出たが、数時間後、警察から連絡が入る。夫が売春婦を呼んで逮捕されたというのだ。

話をしながら、ジュリアンは泣きじゃくっていた。「私はあなたの言うことを信じていなかった。たとえあなたの言うことが正しかったとしても、彼はもう変わったんだと自分に言い聞かせてきた。でも結局、この始末。とっても恥ずかしいし、心もボロボロ。罪の意識にもさいなまれている。この世に私のことがわかる人なんていないと思った。でも、あなたが、私たちを赦すと言った夜のことを思い出して。あなたなら、今の私のことがわかるんじゃないかと思った。こんなことをお願いするのは本当に非常識だとわかっているんだけど、話をしに行ってもいい？」

レベッカは勇気を奮い起こして、その夜、ジュリアンを家に迎える。二人は居間に座って共に泣き、裏切られた経験を分かち合い、最後は共に祈った。

レベッカがこのように話している間、グループは静まり返っていた。彼女は、通常ではとうてい理解できない人間の絆を述べることによって、赦しを抽象的にではなく、きわめて具体的に語った。夫を奪った女と夫に捨てられた妻が、居間でひざまずき、いっしょに祈ったというのだ。

レベッカは言った。「長い間、夫を赦したのは愚かだったのではないかと思っていました。でもあの夜、赦しの実がわかりました。ジュリアンの言ったとおりです。私は彼女の経験していることが理解できました。同じ経験をしていたので、敵になるのでなく、彼女の側に立つことができました。二人とも、同じ男に裏切られたのです。彼女が抱える憎しみや復讐の思い、罪をどう乗り越えるか、それを教えるのは私でした。」

ルイス・スミーズは『赦しの技法』で、特筆すべき所見を述べている。神は赦しを与えるとき、私たち人間と同じような段階を踏まれる、と聖書が語っているというのだ。まず、罪が作り出した障壁を取り除くことで、不当な仕打ちを働いた人の人間性を再発見なさる。次に、神は人間を罰する権利を放棄し、ご自身の身で代価を払われる。そして最後に、私に対するご自分の思いを新たにし、私たちを「義と認める」方法を見いだされる。その結果、私たちをご覧になるとき、そこにいるのは、神のかたちを回復した、神の子どもたちなのである。

スミーズのこの所見を考えていたとき、神がキリストとなって地上に来られた、そのときに生まれたつながりのゆえに、神の赦しという奇跡が可能となったことに思い至った。どういうわけか神は、とにかく愛したいこれらの被造物と和解しなければならなかった——どのようにしてだろうか。神は、罪に誘惑されたり、試みにあったりすることがどういうことかを、経験としてはご存じなかった。この地球で私たちの中に生き、それがどんなものであるかを学ばれた。ご自身を私たちの側に置かれたのである。

ヘブル人への手紙はこの受肉の神秘を次のように述べている。「私たちの大祭司は、私たちの弱さに同情できない方ではありません。罪は犯されませんでしたが、すべての点で、私たちと同じように、試みにあわれたのです」（四・一五）。コリント人への手紙第二はさらに論を進めている。「神は、罪を知らない方を、私たちの代わりに罪とされました」（五・二一）。これ以上の明瞭さがあるだろうか。神は深い淵に橋をかけてくださった。そして私たちの側に立たれたのだ。神がそうされたので、イエスは私たちの立場を父なる神に弁明することがおできになる、とヘブル人への手紙は確言している。イエスはここにおられたことがある。だからイエスは理解することがおできになる、と。

福音書の記事からすると、赦しは神にとっても簡単でなかったようだ。「できますならば、この杯をわたしから過ぎ去らせてください」（マタイ二六・三九）とイエスは祈られた。贖いの代価について深く思い巡らし、汗が血のしずくのようにしたたり落ちた。ほかに道はなかった。亡くなる間際にイエスはこう言われた。「彼らをお赦しください」――彼らすべてを、ローマの兵士たち、宗教指導者たち、暗闇の中に逃げた弟子たち、あなた、私を――「彼らをお赦しください。彼らは、何をしているのか自分でわからないのです」（ルカ二三・三四）。人間になることによってのみ、神の御子は言うことができた。「彼らは、何をしているのか自分でわからないのです」と。イエスは私たちの中に生きたので、私たちを理解してくださったのである。

暗い悪夢の中でヨーロッパの犬はみな吠え、現存する国々は、それぞれ憎しみの中に引きこもって待つ。

W・H・オーデン

9 対等

ユーゴスラヴィアで戦争の嵐が吹き荒れたころ、数年前に読んだジーモン・ヴィーゼンタールの『ひまわり』を取り出した。この本は、今世紀大きな成果を収めた「民族浄化」運動の間に起きた小事件について語っている。ヴィーゼンタールがナチ戦犯追及の第一線に立ち、人種差別による犯罪に一歩もひかない声を発したのは、この事件に大きく駆り立てられたからである。『ひまわり』の中心は赦しなので、私は赦しが世界的に——つまり、かつてユーゴスラヴィアが陥っていた道徳的窮地において——どんな役割を演じるかを見たくて、この本を開いたのだ。

一九四四年、ヴィーゼンタールは、ナチスに捕らえられたポーランドの若き囚人であった。祖母が自宅の階段でナチスの兵士に殺されたときも、母親が年配のユダヤ人女性でいっぱいの貨車に押し込まれたときも、なすすべもなく見ているだけだった。彼のユダヤ人の親戚は、八十九人がナチの手によって命を奪われた。ヴィーゼンタール自身、初めて捕らえられたときに自殺を図っている。

収容所でヴィーゼンタールの班がドイツ人負傷兵用の病院から出たごみを片づけていたとき、一人の看護師が近づいてきた。「あなたはユダヤ人ですか。」　彼女はためらうように尋ねると、いっしょに来るように合図する。不安を感じながら、あとについて階段を上って廊下を通り、暗くカビ臭い部屋に行き着くと、そこには包帯でグルグル巻きにされた兵士が横たわっていた。顔は白いガーゼで覆われ、口と鼻と耳のところに穴が開けられている。

看護師は後ろ手にドアを閉めると、この若い囚人をひとりその場に残して消える。この負傷兵は親衛隊の将校で、最期の告白をするためにヴィーゼンタールを呼び出したのだった。「私の名はカール。」　ゼーゼーという声が包帯の中のどこからか聞こえた。「これから君に恐ろしい出来事のことについて話さなければならない。——君がユダヤ人だからだ。」

カールは、カトリックの教育を受けて育ったこと、子ども時代は信仰をもっていたが、ヒトラー・ユーゲントにいるあいだに失ってしまったことを回想しながら話しだす。ナチス親衛隊SSに志願して、めざましい活躍を遂げたが、ロシア戦線で重傷を負って戻ってきたところだという。

話の途中で、ヴィーゼンタールは三回ほどその場を離れようとしたが、将校はその都度手を伸ばし、血の気の失せた白い手で彼の腕をつかんだ。そしてウクライナでの経験を聞いてくれと懇願するのだった。

ロシア人が退却し、見捨てられたドニエプロペトロフスクという町で、カールの部隊は地雷を踏んで兵士三十人を失う。SSは報復行為として三百人のユダヤ人を捕らえ、三階建ての家の中に入れると、家にガソリンをかけ、手榴弾を投げた。カールと部下たちはその家を包囲すると、銃口をそろえ、逃げ出る者を片っ端から撃っていった。

「家の中から聞こえてくる叫び声は、とても恐ろしかった。」その時のことを思い起こしながら彼が言う。「小さな子どもを抱きかかえた男を見た。服には火がついていた。そばに女が立っていた。まぎれもなくその子の母親だった。男は空いた手で子どもの目を覆うと、通りに身を投げた。何秒かして、母親が続いた。そしてほかの窓からも燃える身体が落ちていった。私たちは撃った……。ああ、神さま！」

ジーモン・ヴィーゼンタールは、このドイツ人兵士が語るまま、ただ沈黙していた。カールは他の残虐行為についても語った。髪も目も黒い幼い子どもがＳＳの射撃の的にされて、建物から落ちていく場面に何度も何度も返ってくるのだった。「私は自分の罪とともにここで死んでいくんだ。」最後に彼は次のように言った。


「人生最期の時に、君がかたわらにいる。君がだれなのかは知らない、ユダヤ人だとわかっているだけだ。でも、それだけでいい。

実に恐ろしい話を君にした。死を待つ長い夜、その話をユダヤ人にしたい、そして赦しを請いたいと何度も願ってきた。ユダヤ人がまだいるのかどうかわからなかったが……。私の願いが君に苛酷すぎることはよくわかっている。だが、君の答えをもらわなければ、平安を得て死ぬことができないんだ。」

二十代の初めに建築家だったヴィーゼンタールが、今は黄色いダビデの星のついた見すぼらしい制服を着せられた囚人になっていた。ユダヤ民族というとてつもない重荷を背負わされていることを感じていた。窓外の、日に照らされた明るい中庭を見つめた。そしてベッドに横たわる目のない包帯の固まりを見る。アオバエがこの瀕死の男の肉体の臭いに吸い寄せられて、飛び回っていた。

ヴィーゼンタールは書いている。「ついに私は心を決め、何も言わずにその部屋をあとにした。」

『ひまわり』は赦しを理論的なものから取り出し、生きた歴史のただ中に提示している。私がこの本を読み直したのは、ヴィーゼンタールの直面したジレンマには、ユーゴスラヴィア、ルワンダ、中東のような場所で今なお世界を引き裂いている道徳上のジレンマと類似するものが少なくないと思ったからだ。

ヴィーゼンタールの本の前半には、私が今要約した話が語られている。後半は、エイブラハム・ヘシェル、マーティン・マーティー、シンシア・オジック、ガブリエル・マルセル、ジャック・マリタン、ヘルベルト・マルクーゼ、プリーモ・レーヴィといった著名人たちの『ひまわり』に示した反応が記されている。ヴィーゼンタールは最後に、自分の行為が正しかったかどうか、彼らに助言を求めている。

SSの将校カールはユダヤ人に赦されることなく息絶えたが、ヴィーゼンタールはアメリカ軍によって強制収容所から解放されて生き延びる。けれど、あの病室の場面は亡霊のようにとりついた。戦後、ヴィーゼンタールはあの日の記憶をなんとか振り払いたいと思い、死んだ将校の母親をシュトゥットガルトに訪ねる。だが、そうすことで将校は、より人間的な存在になるばかりだった。母親が、信仰深かった若いころの息子の話を穏やかに語ったからである。その母親に息子の迎えた最期を語ることなど、できなかった。

何年にもわたって、ヴィーゼンタールは多くのラビや牧師に、自分が何をすべきだったのかと尋ねた。戦争が終わって二十年以上も経ってから、ついにその話を書き上げ、彼の知る最も俊英な倫理的精神をもつ人々に送ったのである。ユダヤ人、ユダヤ人でない人、カトリック、プロテスタント、無宗教の人。そして、尋ねた。「あなたが私の立場だったら、どうしましたか。」

答えをよこした三十二人の中で六人だけが、ヴィーゼンタールがそのドイツ人を赦さなかったのは間違っていた、と言った。二人のクリスチャンは、ヴィーゼンタールの引きずっている思いは、赦しによってのみ解決する良心の呵責だと述べた。その一人で、フランスのレジスタンスに参加したことのあるアフリカ系の男性は言った。「あなたが赦しを拒んだのはよくわかる。それは聖書の精神、旧約の律法の精神に全く一致する。しかし福音書には、新しい律法、すなわちキリストの律法がある。私はクリスチャンとして、あなたは赦すべきだったと思っている。」

軽口をたたいた人も二、三人いたが、回答した人のほとんどが、ヴィーゼンタールの行為は正しかったと言った。彼らは、他の人たちになされた罪を赦す道徳的あるいは法的権威がはたして彼にあったのか、と問うた。ある作家は、詩人ドライデンの、「赦し、それは傷ついた人のものだ」という言葉を引用した。

ナチスの犯罪の凶悪性はいかなる赦しの可能性をも超えていると言ったユダヤ人たちもいた。アメリカ人の著述家であり教授でもあるハーバート・ゴールドは、こう断言した。「この戦慄すべき行為に対する罪責は、その時代のドイツ人たちにとても重くのしかかっているので、それに対して個人的に応えるのは道理に合わない。」またある人はこう言った。「私が赦すとすれば、拷問を受けて殺された何百万もの無実の人々が生き返ってくることが条件だ。」小説家シンシア・オジックの言葉はさらに苛烈だ。「そのSSの男は罪を赦されずに死んでしまえ。地獄へ直行させるんだ。」あるクリスチャン作家は語った。「私なら彼をベッドの上で絞め殺すと思う。」

赦しの概念自体を問題にした人々もいた。ある大学教授は、赦しは、愛する者たちが些細なけんかをしたあとにベッドに入る前に行う、官能的な喜びの行為なのだと言い捨てた。そのうえで、大量虐殺やホロコーストには赦しの余地は全くない、と言った。赦してみなさい、そうすれば同じことが簡単に繰り返されるから、と。

十年前に初めて『ひまわり』を読んだとき、それに対する反応がほとんど変わらないことに私は驚いた。もっと多くの神学者が、あわれみについて語るものと期待していたからである。しかし今回、ヴィーゼンタールの質問に対する明快な答えを読み返して、決して赦さないという恐ろしいほど単刀直入な論理にぶつかった。言語を絶する暴挙が行われる世界であれば、赦しは確かに不当で、不公平、非合理に見える。個人的にも、また家族間でも確かに、赦せるようにならなければならない。だが、そうした高潔な原理はナチスのような場合、どのように適用されるのか。

哲学者ヘルベルト・マルクーゼが言うように、「喜んで人を殺し、拷問して回り、その時が来れば安易に赦しを請い、赦されるなどということはありえないし、あるべきでもない」。福音の高度に倫理的な理想――その核心に赦しがある――を、政治と国際外交の世界に移調できるのではないかと期待するのは全く無理な話なのだろうか。そんな野蛮な世界にあって、この世のものとは思えない赦しに、どんな可能性があるというのか。こうした問いかけが、旧ユーゴスラヴィアから絶えず報じられる嫌なニュースを聴きながらヴィーゼンタールの本を読み返していた私の耳に鳴り響いていた。

ユダヤ人の友人は、キリスト教が赦しを強調していることを賞賛した。私は赦しを、「恵みでないもの」という対抗勢力の武装解除をする最強の武器として提示してきた。けれども偉大なるユダヤ人学者ヨーゼフ・クラウスナーが今世紀初頭に指摘したように、クリスチャンがそうした理想を主張するまさにそのことが、大きな批判に自らをさらすことになるのだ。クラウスナーは書いている。「宗教は、倫理的にも理想的にも最高のものに賛同してきた。だが、政治的、社会的生活は野蛮さと異教思想という、もう一方の極にとどまり続けてきた」と。

クラウスナーは、イエスは現実の世界ではうまくいかない非現実的な倫理を教えたとし、キリスト教史に見られる数々の失敗が、そのことを証明していると主張する。そして、スペインの宗教裁判に言及し、これが「キリスト教と矛盾するとは思えない」と述べている。現代の批評家なら、クラウスナーのリストにユーゴスラヴィア、ルワンダ、そしてナチス・ドイツまで加えるかもしれない。これら三つの抗争すべてがいわゆるキリスト教国家で起きているからである。

キリスト教は愛や恵み、赦しを強調しているが、それは口げんかをしている家族や教会のエンカウンター・グループ以外にも関係のあるものなのだろうか。力が何よりものを言う世界にあって、赦しのように高邁な理想は、蒸気のように実体のないものに見えるだろう。教会の道徳的権威を一笑に付したスターリンは、そのことを熟知していた。「教皇は師団をいくつ従えているのか」と尋ねたのだ。

正直な話、私がヴィーゼンタールの立場だったら、どう反応していたかわからない。私たちは、自分が犠牲者にならなかった犯罪を赦せるのだろうか。また赦すべきなのだろうか。SSのカールは自分の立場を明らかにして悔い改めたが、ニュルンベルクやシュトゥットガルトの裁判で、石のように硬く無表情な顔に作り笑いを浮かべた面々はどうなのだろう。ヴィーゼンタールの本に回答を寄せたクリスチャンのマーティン・マーティーの書いた次のような文言に、私は賛同したくなる。「私にできることといえば、沈黙をもって答えるだけです。ユダヤ人でない人、そして特にクリスチャンは、今後二千年間はホロコーストの経験について子どもたちに意見を言うべきではありません。だから私たちには何も言えないのです。」

それでも、私は赦さないことをよしとする声高な意見を読んだときに、赦すことと、赦さないことのどちらがより高い代価を払うことになるのだろうかと思わざるをえなかった。ハーバート・ゴールドは、「それ〔ドイツ人の罪意識〕に個人的に応えることは道理に合わない」と判断した。本当にそうだろうか。生き残ったすべてのドイツ人を報復として処刑するのはどうなのか――それは道理に合うのだろうか。

恵みを最も強力に支持する理由が、その代替物の「恵みでないもの」の世界である。赦しを最も強力に支持する理由が、その代替物、赦すことを恒久的に拒否する状態である。ホロコーストが特別な状況であることは私も認める。しかし他の、もっと現代的な事例はどうか。これを書いている今、二百万人近くのフツ族難民が、いくら故郷へ帰るよう要請されても、それを拒み、ルワンダ国境の難民キャンプに座り込んでいる。フツ族の指導者は、ツチ族の「みんな赦されている」という約束など信用してはならないと拡声器で警告している。ツチ族はあなたたちを殺すだろう、とフツ族の指導者は言う。ツチ族を五十万人殺したわれわれに、彼らは必ず報復するだろう、と。

また私がこれを書いているときにも、アメリカ兵たちが、戦争で引き裂かれてユーゴスラヴィアの断層沿いに形成された四つの国を一つにしようとしている。たいていのアメリカ人と同様、バルカン地方は私にとって何もかもが不可解で、言葉も難しく、複雑な所である。しかし私は『ひまわり』を読んだ後、バルカン諸国はただ、歴史の中に繰り返し現れるモチーフに最近の舞台設定を提供しているだけだと思うようになった。エッセイストのランス・モローが指摘したように、決して赦そうとしない態度が幅をきかせている所では、ニュートンの法則が働くようになる。つまり、どの残虐行為に対しても、大きさが等しい、逆方向の残虐行為がなされるのだ。

確かにセルビア人は、ユーゴスラヴィアに起きた問題では、皆の代わりにひとり罰を受けている（『タイム』誌の情報欄は彼らを次のように描写している。「ボスニアで起きたことは、本当に汚れに満ちた、野蛮なことである――ペテン師と皮肉屋たちの卑劣な行動が部族の偏見を操り、残虐行為の宣伝と『いにしえからの血の復讐』を巧みに利用して、『民族浄化』という不潔極まりない政治的成果をあげようとしている」)。セルビア人の残虐行為に対する正当な――そして全く適切な――嫌悪感にとらえられるあまり、世界は一つの事実を見落としてしまっている。セルビア人は、決して赦さないという恐ろしい論理に従っているだけなのだということを。

ナチス・ドイツは、ヴィーゼンタールの親族八十九人を殺害し、シンシア・オジックやヘルベルト・マルクーゼといった高い教養をもつ人々にあのような激しい言葉を語らせた体制だ。しかし第二次大戦中のナチス・ドイツの「民族浄化」運動には、セルビア人も含まれていた。一九九〇年代、セルビア人が何万もの人を殺害したことは間違いない――しかし一九四〇年代にナチスがバルカン半島を占領していた間、ドイツ人とクロアチア人は何十万人ものセルビア人、ロマニー、ユダヤ人を殺したのである。歴史の記憶は生き残る。近年の戦争ではドイツのネオ・ナチがクロアチア人の側に立って戦うと名のりを上げ、クロアチア軍の部隊は厚かましくも鉤十字の旗と古いクロアチアのファシストの象徴を掲げている。

「二度と、このような歴史が繰り返されないために」というホロコーストの生存者のスローガンも、セルビア人を、国連や実質的には全世界に公然と反抗させてしまったのである。クロアチア人には二度とセルビア人の居住地を支配させないし、イスラム教徒にも二度と支配させない、と。彼らがイスラム教徒と戦った戦争は、五世紀に及ぶトルコ人の支配を招いた（歴史的に見ると、アメリカ合衆国の歩みの二倍以上もの期間である）。

決して赦さないという論理によると、敵に打撃を与えなければ、先祖と先祖のささげた犠牲を裏切ることになる。しかし、復讐の法則にはある重大な欠陥がある。決して問題を解決しないのである。トルコ人は一三八九年にコソボの戦いで報復をし、クロアチア人は一九四〇年代に復讐した。今度は自分たちの番だ、とセルビア人は言う。しかし、セルビア人は確かに知っているのだ。今レイプされたりからだを傷つけられたりした人たちの子孫が、ある日、先祖を辱めた者たちに復讐しようと立ち上がるだろうことを。はね戸が開けられ、コウモリがバタバタと飛び回っている。

ルイス・スミーズの言葉によると、次のようになる。

「復讐とは対等になろうとする情熱である。それはだれかが自分に与えたと同じ苦しみを返してやろうとする熱い思いである……。復讐に伴う問題は、それが欲しているものを決して手に入れることがないことである。争いを決して解決しない。公正は決してやってこない。報復行為が繰り返されるこの連鎖反応は、妨げられることなく自然な過程となる。傷を受けた人と傷つけた人の両者とを、痛みのエスカレーターに乗せる。両者とも同等を要求している限り、このエスカレーターから離れられない。このエスカレーターは決して止まることがないし、だれをも下ろさない。」

赦しは不公平かもしれない——定義によれば、不公平なのだ——しかし少なくとも、報復という巨大な破壊力を止める方法を提供する。今これを書いているときに、中国と台湾、インドとパキスタン、ロシアとチェチェン、イギリスとアイルランド、そして特に中東でユダヤ人とアラブ人との間に紛争が発生しているか、表面下でくすぶっている。それらはどれも何十年前、何世紀前、あるいはユダヤ人とアラブ人の場合には何千年も前にその起源がさかのぼる。いずれの国も民族も、過去からの不正を克服しようと、誤りと思われるものを正そうと、懸命である。

神学者ロマーノ・グァルディーニは、復讐を求めることには決定的な欠陥があると断言している。「不正行為と復讐、攻撃と反撃、攻撃と防御にとらわれている限り、絶えず新たな不正行為に引きずりこまれる。……赦しだけが私たちを他者の不正から解放する。」ガンジーは言った。皆が「目には目を」という正義の原理に従うなら、ついには全世界の目が見えなくなる、と。

決して赦そうとしない法則を鮮やかに示している実証には事欠かない。シェイクスピアやソフォクレスの悲劇では、舞台に死体が散乱する。マクベス、リチャード三世、タイトス・アンドロニカス、エレクトラは殺しに殺しを重ね、ついには復讐を果たす。そして、生き残った敵のだれかが報復への報復を目論んでいるのではないかと、おののきながら生きるのだ。

フランシス・コッポラの『ゴッドファーザー』三部作や、クリント・イーストウッドの『許されざる者』は、この同じ法則を描いている。一六四九年に犯された残虐行為――一六四一年の大虐殺に報復するよう、オリバー・クロムウェルが命じたものだ――を一つの理由としてＩＲＡのテロリストがロンドンの下町の買い物客を吹き飛ばすという行為の中にも、この法則が働いていることがわかる。スリランカやアルジェリア、スーダンや旧ソ連邦の反目する諸共和国にも見られることである。

「私たちに対するあなたがたの犯罪を率直に認めよ。そうすれば、飛行機を爆破したり、外交官を暗殺したりするのをやめよう」とアルメニア人はトルコ人に言う。トルコはこれを強固に拒絶する。一九七九年、在イラン米大使館人質事件が起きたとき、ある時点で、イラン政府は、合衆国大統領がシャーの圧制を支持したことを謝罪するなら、人質全員を釈放しようと表明した。赦しを理解し、ピースメーカーとして名声を馳せていた「ボーンアゲイン」クリスチャンのジミー・カーター大統領はこれを拒否した。謝罪はしないと言ったのだ。国の名誉がかかっていたからである。


ジョン・デリンジャーは、「ひとことの親切な言葉も、一丁の銃がそこにあれば、その言葉以上の効果を上げることに気がついた」と言った。これは、今日の貧しい国々が歳入の半分を武器に費やしている理由を説明している。堕ちた世界では、力がものを言うのである。

ヘルムート・ティーリケが、牧師になって最初に行った聖書研究を回想している。「わたしには天においても、地においても、いっさいの権威が与えられています」というイエスのことばに信頼しようと心に決め、当時権力を手中に収めていたアドルフ・ヒトラーも、すべてを支配される神の御手の糸にぶらさがる人形にすぎないのだと、自ら言い聞かせた。このグループに集っていたのは、二人の年配の女性と、彼女らよりさらに年上の身体に少し麻痺のあるオルガニストであった。一方、外ではヒトラー・ユーゲントのぴかぴかの大隊が行進をしていた。ティーリケは、

「天の御国は、からし種のようなもの」であることを思い出さなければならなかった。

そのときのイメージは――外で権力をもつ軍隊が足を高く上げて行進しているときに、中で一握りの聖徒たちが祈っている――私がたびたび感じていることを映し出している。信仰という武器は、「恵みでないもの」の圧倒的な武力の前に、ほとんど無力に見える。パチンコで核弾頭と戦えるだろうか。

しかし歴史は、恵みそのものに力があることを示している。偉大な指導者たちは――リンカーン、ガンジー、キング、ラビン、サダトはみな「恵みでないもの」の法則を退けるために究極的な代価を支払った――国を和解へと導いた。サダムでなくサダトがイラクを治めていたら、現代史はどれほど変わっていただろう。あるいは、リンカーンがユーゴスラヴィアの廃墟に現れたとしたら、どうだろう。

政治は、国境、財産、犯罪といった外面的な事柄を扱う。真の赦しは、政治では癒やせない人間の心の中の悪を扱う。伝染力の強い悪（人種差別、民族間の憎悪）が、まさに伝染病のように社会に広がっている。咳一つで、一台のバス全体が感染する。治療はワクチンのように、一人ずつ行われなければならない。恵みの時が訪れると、世界は停止して沈黙し、赦しが癒やしを与えることを認めないわけにいかなくなる。

一九八七年、ベルファスト西部の小さな町で、復員軍人の日に戦没者を記念するために集まっていたプロテスタントグループの真ん中でIRAの爆弾が炸裂した。十一人が死亡し、六十三人が負傷した。ところが、負傷者の一人、ゴードン・ウィルソンの言葉が、このテロを数多くの他のテロ行為と全く別のものにした。ウィルソンは敬虔なメソジストで、アイルランド共和国から北部アイルランドに移住し、生地屋として働いていた。この爆弾テロによってウィルソンと二十歳になる娘は一・五メートルもあるコンクリートと煉瓦の下敷きになった。「パパ、愛しているわ。」これが、マリーが救出を待ちながら父親の手を握りしめて語った最後の言葉だった。彼女は脊椎と脳を損傷し、収容先の病院で数時間後に息を引き取る。

新聞は後にこう報じた。「そのときの政治家たちの言葉は、だれも覚えていない。しかし、ゴードン・ウィルソンの話を聞いた人は決してそれを忘れないだろう……。彼の恵みは、爆弾テロリストたちの哀れな言いわけの上に高くそびえ立っていた」と。ウィルソンは病院のベッドで語った。「私は娘を失いました。でも、不平は言いません。辛辣な言葉を語っても、マリーは戻ってきません。私は祈ります、今夜、そして毎晩。神が彼らをお赦しになるように、と。」

娘の最後の言葉は愛だった。そしてゴードン・ウィルソンは、その愛の飛行機に乗って人生を生き抜く決意をする。ウィルソンがその週ＢＢＣ放送のラジオで同様のインタビューを受けたとき、「世界中が泣いた」と報道された。

ウィルソンは退院すると、プロテスタントとカトリックの和解をめざす改革運動を導く。プロテスタント過激派は報復爆撃を計画していたが、ウィルソンに対する世間の注目度があまりに高いため、報復行為は政治的に意味がないという結論を下す。ウィルソンは自分の娘のことを本に書き、暴力反対の声をあげ、いつも「愛こそ決め手」という言葉を繰り返した。ＩＲＡと会い、個人として彼らの行為を赦し、武器を捨てるように頼んだ。「あなたたちも私と同じように、愛する人を失ったことを知っています。」彼は語りかけた。「確かにそうです。でも、もうたくさんです。血はもう十分に流されました。」

アイルランド共和国は最終的にウィルソンを上院議員にする。彼が一九九五年に亡くなったとき、北部アイルランド、そしてグレート・ブリテン全体が、この一人のクリスチャン市民をたたえた。彼が名誉を得たのは、類まれなる恵みと赦しの精神ゆえだった。しかし彼の精神は、その一方で、報復のための暴力行為をあばきだした。そして、その平和をつくりだす人生は、決して大きく取り上げられることもない人々が抱く平和への願いを象徴するようになった。

「私たちの魂を虐げ、私たちをボロボロにし、いろいろな形で私たちに危害を加えた人々を祝福することほど異常な行動はない」とエリザベス・オコナーは書いている。

十年前、もう一つ個人的な赦しのドラマがあり、めまぐるしく変化する世界の注目を集めた。教皇ヨハネ・パウロ二世がローマのレビビア刑務所の中に入り、教皇を殺害しようとした殺し屋のメーメト・アリアグハを訪問した。そしてヨハネ・パウロ二世は「あなたを赦します」と言ったのである。

これに感銘した『タイム』誌が特集記事でそれを取り上げたが、ランス・モローはそこでこう書いている。「ヨハネ・パウロ二世はとりわけ、人間の私的かつ公的な活動が道徳的な行為とどう融合するかを証明しようとした。……教皇は、重大な問題は、人間の心にある基本的な衝動――つまり憎しみか、愛――によって決定されるし、少なくとも伝えられる、と言いたかったたのだ。」モローはさらに、ミラノの新聞を引用する。「私たちの心が変わらなければ、戦争や飢餓、悲惨、人種差別、人権の否定から、そしてミサイルからも逃れられない。」

そして、こう加えている。

「レビアの現場には象徴的な輝きがあった。それは世界が最近のニュースで見てきたものとは綺麗に対照をなしていた。ここしばらく、歴史の軌跡は下降しているとか、世界は無秩序からより大きな無秩序へ、暗闇に向かっている――あるいは終末世界の放つ輝きへ向かっているのではないかという疑念が、確かなものとなっていた。レビアから届いた光景が象徴的に表現しているのは、人間は贖われうる、そして光に向かって上昇できるという、まさにキリスト教のメッセージである。」

ヨハネ・パウロの行為はそれが薄暗い状況の中であっただけに、なおいっそう輝かしいものとなった。むきだしのコンクリートの独房は、決して相手を赦そうとしない陰気な法則には完璧な背景であった。暗殺者は牢につながれたり処刑されたりするのであって、赦されることはない。だが、束の間、赦しのメッセージが刑務所の壁を貫き、報復ではなく変革の道を世界に示したのである。

教皇はもちろん、生命をねらわれ、その策謀によって死を迎えたお方の模範に倣っていた。ユダヤのいかさま裁判は、人類史上唯一の完全な人間に極刑を科す方法を見つけだした。そして、イエスは十字架の上から、決して赦そうとしない法則に永遠の打撃を与え、これと全く反対の宣告をなされた。イエスが悔い改めていない人たちを赦されたのは、たいへん注目すべきことである。「彼らは、何をしているのか自分でわからないのです」（ルカ二三・三四）。

ローマの兵士、ピラト、ヘロデそしてサンヘドリンの議員は、「自分たちの仕事をしていただけ」なのだ――後にアウシュヴィッツ、ミーライ、グーラグでも使われた軟弱な弁解の言葉だ――が、イエスはその上っ面のメッキを引きはがし、人間の心にお語りになった。彼らが何より必要としていたのは、赦しだった。贖いを信じる私たちは、イエスが最後の言葉を語ったとき、ご自分を処刑する人々のことをより考えておられたことを知っている。そして、イエスは私たちのことを考えておられたのだ。十字架において、そう、この十字架において、イエスは永久に続く因果関係の法則を終わりにされたのである。

ユーゴスラヴィアのように数多くの非情な悪行がなされてきた場所でも、赦しが問題になるだろうか。問題にならなければならない。そうでなければ、そこにいる人々には共生の望みがなくなってしまうからだ。虐待を受けた多くの子どもたちも学ぶように、赦しがなければ、私たちは自らを過去の呪縛から解放することができない。同じ原理は国家にも適用される。

激動の結婚生活をくぐり抜けてきた友人がいる。ある晩、ジョージの堪忍袋の緒が切れた。彼はテーブルや床をドンと叩いて、妻に向かって叫んだ。「おまえなんか大嫌いだ！　もういやだ！　もうたくさんだ！　もう終わりだ！　もうだめだ！　だめだ！　だめだ！　だめだ！」

数か月後、この友人が真夜中に目を覚ますと、二歳の息子が寝ている部屋で奇妙な音がするのを聞こえた。廊下をそうっと歩き、息子の部屋のドアの外に立ったとき、身体に震えが走った。息が吸えなかった。穏やかな声で、二歳の子が両親のけんかを正確な抑揚で一語一語繰り返していたのだ。「おまえなんか大嫌いだ……もういやだ……だめだ！　だめだ！　だめだ！」ジョージは、自分の痛みと怒りと、相手を赦そうとしない心を、恐ろしい仕方で次世代に継承していたことに気がついた。それが今この時、ユーゴスラヴィア全土で起きていることではないだろうか。

赦しがなければ、怪物のような過去がいつ何どき冬眠から目を覚まし、現在を貪り食うかもしれない。そして未来をも。

ほんの小さな亀裂……だが、洞窟は亀裂によって崩壊するのである。
アレクサンドル・ソルジェニーツィン

10　恵みという兵器庫

ウォルター・ウィンクが、第二次大戦が終結して十年後にポーランドのクリスチャン・グループを訪ねた二人のピースメーカーについて語っている。ピースメーカーたちが尋ねた。「西ドイツのクリスチャンと会う気持ちはおありですか。戦時中ドイツがポーランドに犯した行為について赦しを請い、新しい関係を築きたいと彼らは願っているのですが。」

ポーランド人たちは最初、黙っていた。やがて一人がきっぱりと述べた。「あなたがたは無理を言っています。ワルシャワの石はみなポーランド人の血に染まっています。赦すことなどできません！」

けれども、ピースメーカーたちがこのグループのもとを去るときに、いっしょに主の祈りをささげることになった。「我らに罪を犯す者を、我らが赦すごとく、我らの罪をも赦したまえ」のくだりにさしかかると、みな祈りをやめた。部屋の中に緊張が走った。先ほど語気荒く語ったポーランド人が言った。「あなたがたに『わかりました』と言わなければなりませんね。赦さないなら、もう『我らの父』に祈ることができないし、自分をクリスチャンだと言えません。人間的には赦せませんが、神はその力を私たちに下さるでしょう!」十八か月後、ポーランドとドイツのクリスチャンはウィーンで会見し、友情を確立した。そしてそれは今日まで続いている。

最近刊行された『罪の代償』という本は、ドイツと日本の戦争責任に対する取り組み方の違いを探っている。ドイツの戦争経験者は、ポーランド人に謝罪した先の人々のように、戦争犯罪の責任を認める傾向にある。たとえば、ベルリンのブラント市長は一九七〇年にワルシャワを訪れたとき、ワルシャワのゲットーで犠牲となった人々の記念碑の前にひざまずいた。彼は記している。「この行動は……決して計画していたものではない。ドイツの近年の歴史を思い出して重苦しい気持ちになり、何も言えなくなってしまった。そんなときに人間のすることと言えば、ひざまずくことではないか。」

対照的に、日本は、戦争に対する自分たちのどんな罪もいさぎよく認めることがなかった。昭和天皇は日本の敗戦を認める詔勅でも、「戦況必ずしも好転せず。世界の態勢またわれに利あらず」と、昔ながらの控えめな表現をした。戦後の発言もまさに計算ずくのものだった。日本政府は真珠湾攻撃の五十周年記念式典への出席を辞退したが、それは合衆国が、日本の謝罪を条件にしたからであった。「この戦争は全世界に責任がある」と主張した閣僚もいた。実際、日本が自らの行為について「謝罪」という言葉を使ったのは一九九五年になってからである。

今日、ドイツの子どもたちはホロコーストなどのナチスの犯罪を詳しく学んでいる。日本の子どもたちは自分たちの上に落とされた原爆については教えられても、南京大虐殺、捕虜に対する野蛮な扱い、アメリカ人捕虜への生体実験、外国人「従軍慰安婦」についてはほとんど学んでいない。そのため、中国、韓国、フィリピンなどでは、いまだに怨恨の情がくすぶっている。

日本もドイツも世界中の国から承認されていて、侵略に対する国際的な「赦し」を得ているのだから、この対比が強調されすぎてはならないだろう。だが、新しい歩みを始めたヨーロッパで、ドイツがかつての犠牲者たちからパートナーとして完全に受け入れられてきたのに対して、日本は、注意を怠らない敵たちと今なお決着がついていない。日本の謝罪の遅れが全面的な承認を遅らせてきたのである。

一九九〇年、世界は、世界政治の舞台で赦しのドラマが上演されるのを見た。東ドイツで初の自由選挙が行われ、選ばれた議員が政権運営のために召集された。共産圏は日々変化しており、西ドイツは再統一という革新的な一歩を提案している。新議会には検討しなければならない国家の重大問題が山積していた。ところが議員たちが最初の公務として行ったことは、次のような意外とも思える声明を採択するかどうかを決めることだった。それは政治学用語ではなく神学用語で書かれている。

「ドイツ民主共和国初の自由選挙で選ばれたわれわれは……この国の市民を代表して、ユダヤ人の男性、女性、子どもたちに屈辱を与え、追放し、殺害した責任を認める。我々は悲しみを覚え、慚愧の念を抱き、このドイツの歴史の責任を認識する。……国家社会主義の時代に、計り知れない苦しみが世界の人々に加えられた。……われわれは世界中の全ユダヤ人に赦しを請う。われわれはイスラエル人民に赦しを願う。東ドイツの公の政策がイスラエルに対して欺瞞と敵愾心をもってなされたことを。そして一九四五年以降も、わが国のユダヤ人市民を迫害し、侮辱を与えてしまったことを。」

東ドイツ議会はこの議案を全会一致で可決した。議員たちは立ち上がって、しばらくの間拍手をした。それからホロコーストで命を落としたユダヤ人たちに思いをいたし、黙禱の時をもった。何が議会にそうした行為をとらせたのか。もちろん、それで殺害されたユダヤ人が生き返るわけでもないし、ナチズムの犯した非道な行為が帳消しになるわけでもない。だが、このことは半世紀近くも——政府が頑なに赦しの必要を否定していた五十年間——東ドイツ国民に息苦しい思いをさせてきた罪意識の締めつけをゆるめる一助にはなった。

西ドイツは、戦時中の忌まわしい行為に対し、すでに公式に悔い改めを行っていた。さらに、ユダヤ人たちに三兆円の補償を行っている。ドイツとイスラエルとの間にとにかく関係が成り立っている事実は、国境を越えた赦しを実証するものである。恵みは国際政治においてさえ、その力を発揮するのだ。

かつては共産主義者が支配した国でも、近年、赦しのドラマが目撃されている。鉄のカーテンが上がる前の一九八三年、戒厳令下のポーランドを教皇ヨハネ・パウロ二世が訪れ、大規模な青空ミサを執り行った。教区ごとにきれいにグループ分けされた群衆がポニアトースキー橋の上を行進し、スタジアムへ進んで行く。橋のすぐ手前の道は、共産党中央委員会ビルの前にあった。人々はビルを通り過ぎるとき、声を合わせて何時間も歌い続けた。「あなたがたを赦します、あなたがたを赦します！」と。誠心誠意、そのように歌った人もいたが、軽蔑の思いを込めて叫んでいるような人もいた。「おまえたちなど目ではない――われわれはおまえたちを憎んでもいないさ」とでも言うように。

その数年後、説教でポーランドを興奮させた三十五歳の司祭イェジ・ポピェウシュコが、目をくり抜かれ、指の爪をはがされて、ヴィスツラ川に遺体で浮かんでいるのを発見された。カトリックの信者たちは再び通りに繰り出し、「あなたがたを赦します」と書いた旗をかざして行進した。「真理を守れ。善をもって悪を克服せよ」――ポピェウシュコ神父はこれと同じメッセージを、毎日曜日に教会の広場を埋めつくした群衆に向かって説いていた。人々は彼の死後も、なおも彼に従ったのである。そしてついに、この広がりゆく恵みの精神が、ポーランドの体制を崩壊させたのだった。

東ヨーロッパ中で赦しの闘いが今も行われつつある。ロシアの牧師は、自分を投獄し、その教会を破壊したKGBのメンバーを赦すべきだろうか。ルーマニア人たちは、病気の孤児をベッドに縛りつけた医師や看護師を赦すべきだろうか。東ドイツ市民は、密告者たちを――神学校の教授や牧師、不実な伴侶も含めて――赦すべきだろうか。人権活動家ヴェラ・ウォレンバーガーは逮捕されて国外追放となったが、自分を裏切って秘密警察に密告したのが夫だとわかったとき、バスルームへと走って吐いた。「私の通ってきた地獄は、だれにも経験してほしくありません」

と彼女は言う。

パウル・ティリッヒはかつて、赦しとは過去を忘れるために過去を覚えることである、と定義した――これは個人同様、国家にも適用される原理である。赦しは決してたやすいことではないし、何世代もかかるかもしれないが、ほかの何に、人間を歴史的な過去の奴隷にする鎖が壊せるだろうか。

一九九一年十月にソヴィエト連邦で目撃した光景を、私は決して忘れない。訪ソ直後に出版した小さな本にそのことを書いたが、繰り返しに堪える話だと思う。当時、ソヴィエト帝国は崩壊寸前で、ミハイル・ゴルバチョフはかろうじてその役職にしがみついており、ボリス・エリツィンが権力を固めつつあった。自分たちの国に「道徳を再建する」手助けをしてほしいというロシアの指導者たちの申し出に応えて、私は彼らと会談するクリスチャンの代表団に同伴した。

私たちはゴルバチョフと政府高官たちに温かく迎えられたが、代表団のベテランのメンバーからは、KGB本部を訪れる晩には違う扱いを受けるはずだぞ、と警告されていた。KGBの創設者フェリクス・ゼルジンスキーの像が建物の外で群衆によって台座から落とされても、彼の名声は内部で生き続けていた。この悪名高い男の大きな写真はその時も、私たちが集まった部屋の壁にかかっていた。KGB副議長のニコライ・ストリャロフ将軍が私たち代表団に自己紹介をするときには、映画に出てくるような無表情で無感動な顔の工作員たちが、ウッドパネルを張った講堂の出入口の脇に直立の姿勢で立っていた。私たちは気持ちを引き締めた。

「今夜ここで皆さんとお会いするなど、どんな無謀な作家も思いつかなかったことですね」とストリャロフ将軍は口を開いた。彼の言うとおりだった。それから、「ここソ連邦にいる私たちは、キリスト教信仰者を受け入れるのにあまりにも怠慢だったと認識しています」と言って、私たちを驚かせた。「しかし政治問題は、人々が心から悔い改め、信仰に戻るまでは解決されません。それが私の負わなければならない十字架です。科学的無神論は、宗教は人民を分裂させると考えていました。今、私たちはその正反対のことを見ています。神への愛だけが人を結びつけることができるのです。」

私たちはめまいがした。将軍はどこで「十字架を負う」などという言葉を学んだのか。それにもう一つ――「悔い改め」だって？ 通訳は正しく理解したのだろうか。私はペテロとアニータ・デイネカ夫妻のほうを見た。ロシアでキリスト教の働きをしたために十三年間入国を禁止されていた二人が、今はＫＧＢ本部の中でクッキーをほおばっている。

ジョエル・ネーダーフッドはキリスト改革派教会のラジオとテレビのブロードキャスターで、教養ある立派な男性だが、ストリャロフへの質問を手にしっかり握りしめていた。「将軍、私たちの多くはソルジェニーツィンのグーラグの報告書を読んでいます。私たちの中にはそこで家族を失った者もいます。」彼の大胆な発言が同僚たちの不意をつき、部屋にピンとした緊張が走った。「あなたがたの機関には、この建物の地下にあるものも含めて、刑務所や収容所を管理する責任があります。そうした過去にどう対応するのですか。」

ストリャロフは控えめな口調で答えた。「私は悔い改めについて語りました。これは絶対に必要なステップです。『懺悔』というタイトルのアブラーゼの映画をご存じでしょう。悔い改めなくしてペレストロイカなどあり得ません。その過去を悔い改める時が来ています。私たちは十戒を破ってきました。そしてその代償を、今日払います。」

『懺悔』は私も観たことがあるが、ストリャロフがその映画に触れたのは驚くべきことだった。この映画は、間違った告発や投獄、教会を燃やす様など――特に宗教に対する残虐行為でKGBは名声を博するようになったが、その数々の様子――を詳細に描いている。スターリン時代、およそ四万二千人の司祭が生命を落とし、司祭の数は三十八万人から百七十二人にまで減った。百あった正教会のうち九十八の教会が閉鎖された。

『懺悔』はこうした残虐行為を、ある地方都市の視点から描き出している。この映画の最も強烈な場面は、村の女たちが材木置場の泥をかきわけながら、川から流れてきた丸太を調べているところだ。収容所でこの丸太を切った夫からのメッセージを探しているのである。ある女は樹皮に彫られたイニシャルを見つけて、泣きながらその丸太を優しくなでる。それは、彼女が触れることのできない夫との唯一の絆なのだ。映画は、一人の農婦が教会への道を尋ねるところで終わっている。この道ではないと言われて、彼女は答える。「教会に行き着かない道にどんな意味があるのでしょう。」

私たちは圧政の国家本部に座り、ソルジェニーツィンが尋問を受けた留置場の真上に造られた部屋で、KGB副議長からこれとよく似た話を聞かされていた。悔い改めや十戒や教会に行き着かない道に、何の意味があるだろう。

話し合いは、アレックス・レオノヴィッチが立ち上がって口を開くと、いきなり個人的な事柄になった。アレックスはメインテーブルに座ってストリャロフに通訳をしていた。彼はベラルーシ生まれで、スターリンの恐怖政治の時に亡命し、合衆国へ移住した。しばしば電波妨害があったが、キリスト教番組を故郷に四十六年間送り続けた。彼は、信仰のゆえに拷問を受けたり迫害されたりした数多くのクリスチャンを個人的に知っていた。彼にとってKGB高官のそのような和解のメッセージを通訳するなど、予想外のことで、理解しがたいことであった。

アレックスは、かっぷくのいい優しいおじいさん、といったイメージの男性だが、ソ連の変化――私たちが今まさに目撃していること――を、半世紀以上も祈ってきた祈りの戦士である。

彼はストリャロフ将軍にゆっくりと、そして穏やかに話しかけた。

「将軍、私の家族の多くがこの組織に苦しめられました。私自身、愛する土地を去らなければなりませんでした。おじは私にとってとても大切な人でしたが、シベリアの強制収容所へ行ったきり二度と戻って来ませんでした。将軍、あなたは悔い改めるとおっしゃいました。キリストは私たちにどのように応じるべきかを教えてくださいました。私は家族を代表して、グーラグで死んだおじに代わって、あなたがたを赦します。」

そして、KGB副議長だったニコライ・ストリャロフ将軍に手を差し出すと、ロシア式に力強く抱擁した。抱き合いながら、ストリャロフが何事かをアレックスにささやいた。彼が何と言ったか、後になって知った。「私は生涯に二度泣きました。一度は母が亡くなった時。そして二度目が今夜です。」

「モーセになったような気分ですよ。」アレックスはその夜、帰りのバスの中で言った。「約束の地を見ました。私は栄光への準備ができました。」

だが、随行したロシア人カメラマンはあまり楽観的な見方をしなかった。「あれは全部お芝居ですよ。彼らは皆さんのために仮面をつけていたんです。私にはとても信じられません。」しかし、彼の心も揺れていた。あとになってこう謝ってきた。「私は間違っていたのかもしれません。何を信じればよいのかわからなくなりました。」

これからの何十年――そしておそらく何世紀も――旧ソ連は赦しの問題と向き合うことだろう。アフガニスタン、チェチェン、アルメニア、ウクライナ、ラトビア、リトアニア、エストニア――これらの国はみな、自分たちを支配していた帝国に対して憤懣をかかえている。KGB本部に随行したカメラマンのように、真意を問題にしようとするだろう。ロシア人たちが互いを信頼せず、自国の政府を信用しないのも、もっともなことである。過去は克服される前に記憶されなければならないのだ。

それでも、歴史の克服は可能である。ゆっくりと、不完全にではあっても。「恵みでないもの」の鎖は実際ぷつりと切れることがある。合衆国の人々は、国家規模の和解の経験をいくらかしている。第二次大戦での最大の敵、ドイツと日本の二国は今では最も信頼のおける盟友となっている。さらにもっと意義深いことに――そして旧ソ連やユーゴスラヴィアのような所と直接関連性があるのだが――私たちのこの国は、家族と家族を、国家と国家を敵対させた流血の「南北戦争」を経験したのである。

私はジョージア州アトランタで育ったが、南北戦争でアトランタを焼き尽くしたシャーマン将軍に対する人々の態度は、ボスニアのイスラム教徒が隣人のセルビア人に対して抱いている感情を表している。バルカン諸国では近代戦争の「焦土」戦術が遂行されたが、この戦術を導入したのがシャーマンだった。だがどういうわけか、アメリカは一つのまとまりとして生き残った。南部人は今なお米国南部連邦の旗と「ディキシー」の歌のメリットを議論しているが、最近は南部十一州の分離独立の話はめったに聞かないし、この国を民族ごとに分けるといった話も耳にしない。最近の大統領のうち二人はアーカンソーとジョージアの出身である。

南北戦争の後、政治家や大統領顧問らが、あれほどの流血を引き起こした南軍を厳罰に処するようにとエイブラハム・リンカーンに提言した。「彼らを友人にすれば、敵を撃破することになるんじゃないかね。」大統領はそう答え、厳罰を与えるのでなく、南部諸州の再編入という度量の大きい計画を唱道した。リンカーンの精神は彼の死後もこの国を導く。おそらくそれが、「合衆国をもちこたえさせた中心的な理由なのだろう。

心をより動かされるのは、白人とアフリカ系アメリカ人の人種間の和解に向けての歩みである。それまでは、二つの人種の一方が他方を「所有」していた。人種差別の影響が延々と続いているという事実は、不正をなくすには長い年月と多くの困難を要することを示している。それでも、アフリカ系アメリカ人が市民として参加するひとつひとつのことが、赦しへと向かう動きにつながっていく。すべてのアフリカ系アメリカ人が赦すわけでも、すべての白人が悔い改めるわけでもない。人種差別はこの国をはっきりと分断している。しかし、アメリカの状況を、たとえば旧ユーゴスラヴィアで起きたことと比較してみるのだ。アトランタへの道を塞ごうとする機関銃や、バーミンガムにふりそそぐ砲弾など、一度も見たことがない。

私は人種差別主義者として成長した。まだ五十歳を迎えていないが、南部が合法的な形でアパルトヘイトを実践していたのをよく覚えている。アトランタ市街の店には、白人男性用、白人女性用、有色人種用と、三つのトイレがあった。ガソリンスタンドには噴水式の水飲み器が二台あって、一つは白人用、もう一つは有色人種用だった。モーテルやレストランは、白人の常連客だけが利用することができた。そして公民権法がそうした差別を不法とすると、多くの店主が店をたたんだ。*

後にジョージア州知事になったレスター・マドックスは、公民権法に抗議するレストラン店主の一人だった。フライドチキンの店を閉じた後、自由の死を記念して記念館を開いた。呼び物は、黒い布に覆われた棺に安置された権利宣言のコピーだった。彼は生活のために、こん棒と斧を、それもそれぞれパパ、ママ、子ども用と三つのサイズに分けて販売した。こん棒は、公民権デモに参加したアフリカ系アメリカ人を叩くために使われたもののレプリカだった。私は新聞配達で得たお金で斧を一本買った。レスター・マドックスはときたま私の教会に来ていた（彼の姉妹が教会員だったのだ）。人種差別主義者となるための歪曲した神学的基礎を、私はその教会で学んだのである。

一九六〇年代、教会の役員会は警防団を組織して、アフリカ系アメリカ人の「トラブルメーカー」が教会に一人も入り込まないよう、日曜日に交代で入口付近をパトロールした。公民権デモの参加者が現れたら、その人に必ず渡すようにと、教会の役員たちが印刷したカードを私は今でも持っている。

「あなたがたのグループの動機には裏があり、神の言葉の教えとは異質のものだと考えますので、あなたがたを歓迎できません。この土地建物から静かに退出されるよう丁重にお願いします。聖書は、『人類すべて兄弟』と教えてはおらず、『だれに対しても慈悲深い父なる神』を教えてもいません。神はすべての創造主ですが、回心した人だけの父です。

どなたかイエス・キリストを救い主かつ主として知りたいという真摯な望みをもっている方がいらしゃったら、喜んで、神の言葉に基づいて個人的にお話しします」（牧師と役員会の一致した声明、一九六〇年八月）。

議会が公民権法を可決したとき、私たちの教会は白人の安息所としての私立学校を創設し、アフリカ系アメリカ人学生を意図的に排除した。教会の幼稚園がアフリカ系アメリカ人の聖書学教授の娘の入園を拒否したとき、幾人かの「リベラルな」教会員がこれに抗議して教会を去ったが、私たちのほとんどはその決定に賛成した。一年後、この教会の役員会は、カーヴァー聖書学校の学生を教会員として受け入れなかった（その学生はトニー・エバンズといい、後に優秀な牧師、説教者になった）。

私たちはマーティン・ルーサー・キングを「マーティン・ルシファー・クーン」（訳注＝マー

ティン・サタン・黒人、の意）と呼んでいた。キングはバリバリの共産主義者で、牧師をきどっているだけのマルクス主義の工作員なのだと言い合っていた。ずっと後になって、やっと私はこの男性の強靭な精神力を理解する。彼はおそらく他のだれよりも、南部を露骨な人種戦争から守ったのだ。

学校や教会内の白人仲間は、南部の保安官や警察犬や消火用ホースと、キングとが衝突する様をテレビで見て、喝采を送った。だが、そうすることでキングの戦略にはまっていたとは、つゆも知らなかった。彼は保安官ブル・コナーのような人物を慎重に探し出して、殴られたり投獄されたり、さまざまな野蛮な行為を受けている対立の場面を陰で演出していた。それは、人種差別という悪が最も醜い姿で現れるのを見てはじめて、無頓着な国民は彼の主張に耳を傾けないと思っていたからだ。キングはよくこう言っていた。「キリスト教が常に主張してきたのは、私たちは冠をかぶる前に十字架を背負うということだ。」

キング牧師は『バーミンガム市刑務所からの手紙』の中に、自らの赦しとの格闘を記録している。刑務所の外で南部の牧師たちは公然と彼を共産主義者であると糾弾し、暴徒たちは「やつらを吊るせ！」と叫び、警官たちが彼の非武装の支持者に警棒を振り回している。キングは、敵を赦すために必要な霊の訓練をするために、数日間断食をしなければならなかった、と書いている。

キングは悪を暴露することによって、道徳的暴挙という国家問題に迫ろうとしていた。私も友人もそれを全く理解できていなかった。多くの歴史家が、一つの出来事を指して、これこそが公民権運動に大量の支持を与えた決定的な瞬間だと言っている。それはアラバマ州セルマ郊外の橋の上で起きた。保安官ジム・クラークが警官たちに命じて、丸腰のアフリカ系アメリカ人のデモに向かって発砲させた事件である。

騎馬警官たちが馬を駆り立て、行進する群衆に突っ込んだ。警棒を振り回し、群衆の頭を砕き、身体を捕らえて地面の上を引きずり回す。傍観している白人たちが歓声をあげて喝采していると ころで、混乱する行進者に向かって催涙ガスが発射された。ABCニュースが日曜日の映画『ニュルンベルク裁判』を中断したとき、多くのアメリカ人が初めてその光景を目にしたのだった。視聴者がアラバマからの生中継で見たものは、ナチス・ドイツの映画で観ていたものに酷似していた。八日後、大統領リンドン・ジョンソンは合衆国議会に一九六五年の投票権法案を提出する。キングが展開したのは、火薬でなく恵みをもって戦うという高度な戦略だった。彼は敵対者との話し合いを決して拒まなかった。政策に反対しても、人格に反対することはなかった。最も重要なのは、彼が非暴力をもって暴力に、愛をもって憎しみに反撃したことである。「苦々しさと憎しみの杯から飲んで、自由への渇きを満たそうとしないようにしよう。」彼は支持者を一生懸命に諭した。「私たちの創造的な抗議が物理的な暴力に堕すのを許してはならない。何回も何回も、物理的力な霊の力で立ち向かい、威厳ある高みに上らなければならない。」

キング牧師の友人アンドリュー・ヤングは激動の日々を、「アフリカ系アメリカ人のからだと白人の魂」を救おうとした時代として記憶している。アフリカ系アメリカ人の真のゴールは白人を打ち負かすことではなく、「抑圧者の中に恥の感覚を目覚めさせ、その間違った優越意識に挑むことである。……目的は和解である。贖罪である。目的は愛される社会の創造なのだ」。キング牧師はこう言った。そしてそれが、キング牧師が私のようなどうしようもない人種差別主義者の中にもついには起こしたことなのだ。恵みの力は私自身の頑固な悪の武装をも解除したのである。

今、子ども時代を振り返るときに感じるのは、恥と深い後悔と悔い改めである。私の恥知らずな人種差別主義という鎧《よろい》――人種差別主義をより微妙な形で発散している人もいるのではないかと思う――を突き破るのに、神は何年も費やされた。そして私は今、この罪を最も邪悪なものの一つであり、おそらく社会に最も大きな衝撃を与えるものと理解している。このところ下層階級やアメリカの都会の危機について多くのことを聞く。専門家たちはドラッグや価値観の低下、貧困、核家族の崩壊などを非難している。これらすべての問題は、非常に深いところにあるものが原因で、そこから生まれてきているのではないかと思う。つまり、私たちが何世紀にもわたって抱き続けている人種差別主義という罪である。

人種差別は道徳的、社会的に思いがけない副産物を生んだが、とにもかくにもこの国は一つにまとまり、結果的に南部ですらあらゆる人種の人々が民主化のプロセスに参加した。この数年、アトランタはアフリカ系アメリカ人を市長に選出している。そして一九七六年、アメリカは、ジョージ・ウォーレスがアラバマのアフリカ系アメリカ人指導者たちの前で、アフリカ系アメリカ人に対する自身の過去の振舞いを謝罪する、という信じ難い光景を目撃した。全州に向けて放映されたテレビで、彼は何度も謝罪した。

ウォーレスの登場――厳しい知事選でアフリカ系アメリカ人の票を必要としていた――よりも、

彼の登場に対する反応のほうが理解しにくかった。アフリカ系アメリカ人の指導者たちは彼の謝罪を受け入れ、市民は彼を赦し、大挙して彼に票を投じたのである。ウォーレスは続いて、キング牧師が公民権運動を開始したモントゴメリー・バプテスト教会に謝罪をしに訪れる。そのとき、彼に赦しの言葉を告げようとやって来た指導者の中には、コレッタ・スコット・キング、ジェシー・ジャクソン、そして殺害されたメドガー・エバーズの兄弟もいた。

私が子ども時代に通っていた教会までが、悔い改めるようになった。環境が変わり、教会の出席率が下降し始めた。数年前に礼拝に出席したとき、広大な礼拝堂にわずか二、三百人ほどの礼拝者が散らばって座っている様に、衝撃を受けた。子どもの頃には千五百人もの礼拝者であふれていたのである。この教会は呪われ、枯れているようにも見えた。教会は牧師を替え、プログラムも新しくしたものの、事態はいっこうに改善しなかった。指導者たちがアフリカ系アメリカ人の参加を求めても、それに応える人は近辺にほとんどいなかった。

ついに、牧師——私の子ども時代のクラスメイトであった——は、悔い改めの礼拝を行うという異例の措置をとった。その礼拝に先立って、牧師はトニー・エバンズと聖書学の教授に手紙を書き、赦しを求めた。それから、アフリカ系アメリカ人の面前で、過去にこの教会が行った人種差別の罪を数え上げた。彼は罪を告白し、彼らの赦しを受けた。

礼拝後、会衆は重荷を下ろしたように見えたが、この教会を救うには至らなかった。数年後、白人の会衆は郊外へ移っていった、そして今日、元気いっぱいのアフリカ系アメリカ人の会衆、「信仰の翼」が、この会堂を満たし、その窓をもう一度震わせている。

エルトン・トゥルーブラッドは、イエスが教会の姿を描くのによくお用いになったイメージ――「ハデスの門もそれには打ち勝てません」――が、防御ではなく攻撃の比喩《メタファー》であることに注目している。クリスチャンはその門を攻撃している。そして勝利を得るだろう。歴史のどの時点であっても、悪の力を守る門は恵みの猛攻に耐えられないのである。

新聞は暴力的な抗争に好んで注目する。イスラエルやロンドンの爆撃、ラテンアメリカの暗殺団、インド、スリランカ、アルジェリアのテロ。これらは、流血した顔や切断された手足という身の毛のよだつようなイメージを生み出しているが、歴史上最も暴力的な世紀において私たちはそれを当たり前のことと思うようになってしまった。しかし、だれも恵みの力を否定することはできない。

だれがフィリピンのあの光景を忘れることができようか。普通の人々が五十トンの戦車の前にひざまずいたとき、戦車は目に見えない祈りの盾に衝突したかのように、ガクンと止まった。フィリピンはアジアで唯一、クリスチャンが多数を占める国である。この国で恵みという武器が暴政の武器に打ち勝った。暗殺される直前のベニグノ・アキノがマニラで飛行機から降りたとき、その手には、ガンジーの言葉を引用した演説原稿があった。「罪なき人の自発的な犠牲こそが、傲慢な暴政に対する、神あるいは人が考え出した最も力強い答えである。」演説をするチャンスはなかったが、アキノの人生――そして彼の妻の人生――はそれらの言葉が預言的なものであったことを証明した。マルコス体制は致命的な打撃をこうむったのだ。

冷戦は「核の焦熱地獄の中で終結したのではなく、東欧諸教会のろうそくの炎の中で終結した」と元上院議員のサム・ナンは言っている。東ドイツのろうそくをともした行列は夕方のニュースであまり報じられなかったが、世界を変える力になった。まず最初に二、三百の、それから一千の、それから三万、五万、最後は五十万の人々――ライプチヒの全人口ぐらい――がろうそくをともし、夜を徹して祈るために町に姿を現した。聖ニコライ教会で祈禱会が行われた後、穏やかな抗議者たちは賛美歌を歌いながら暗い通りを行進した。武装警察や兵士たちは、そのような力には無力に見えた。そして東ベルリンでも百万人の抗議者が同様の行進に加わった。その晩、憎悪の的だったベルリンの壁は一発の弾も発砲されることなく、崩れ落ちた。ライプチヒの通りに巨大な横断幕が現れた。「教会よ、我らなんじに感謝す。」

強風が新鮮な空気を運んでどんよりとした雲を吹き払うように、穏やかな革命が世界中に広がった。一九八九年だけでも五億もの人々を擁する十か国――ポーランド、東ドイツ、ハンガリー、チェコ、ブルガリア、ルーマニア、アルバニア、ユーゴスラヴィア、モンゴル、ソ連――が非暴力革命を経験した。これらの国の多くで、少数のクリスチャンたちが決定的な役割を果たした。スターリンのあざけりの質問、「教皇は師団をいくつ従えているのか」は、その返事をもらったのである。

そして一九九四年、最も驚くべき革命が起こる。驚くべきというのは、ほとんどの人が流血を予測していたからだ。しかし、南アフリカは平和的抗議の母体でもあった。トルストイと山上の説教を研究したマハトマ・ガンジーは、南アフリカで非暴力戦略を展開した（それを後にキング牧師が採用した）のであった。このガンジーの戦略を実行に移す大きな機会が訪れると、南アフリカの人々は恵みの武器を存分に用いた。ウォルター・ウィンクが、あるアフリカ人女性が子どもたちを連れて通りを歩いていたときに、白人の男に唾を吐きかけられた話をしている。彼女は立ち止まると言った。「ありがとう、それでは子どもたちにもどうぞ。」男は面食らい、答えに窮《きゅう》した。

ある無断居住者の村で、南アフリカの有色人種の女性たちが、いつのまにかブルドーザーに乗った兵士に囲まれていた。兵士たちは、二分後にこの村を破壊する、と告げる。女性たちに武器はなく、男たちも仕事に出ている。地方のオランダ改革派アフリカーナ（南アフリカ系白人）のピューリタン的傾向を知っていた彼女たちは、ブルドーザーの前で全裸になった。警官たちは逃げ出した。かくして村は今日この日まで変わらずそこにある。

南アフリカの平和革命にキリスト教信仰が重要な役割を果たしたことを、ニュースはほとんど報じない。ヘンリー・キッシンジャーに率いられた調停チームは、インカタ自由党を選挙に参加させようと説得したが、同党は応じず、すべての望みを断念せざるをえなかった。その後、ケニアから来たクリスチャン外交官がすべての首領と個人的に会い、彼らと共に祈ることで、彼らの思いを変えるのに一役買ったのである（不思議なことに、この重大な話し合いは、飛行機のコンパスの不具合で一便遅れたおかげで実現した）。

二十六年の投獄生活を終えて出てきたネルソン・マンデラが携えていたのは、復讐ではなく赦しと和解のメッセージであった。マンデラは、こうして「恵みでないもの」の鎖を断ち切った。

南アフリカの教会の中で最も小さく、最も厳格なカルヴァン主義の地盤から選出されたF・W・デ・クラークが感じたのは、後に「召命という強い感覚」と述べたものだった。彼は教会員に、「神は南アフリカのすべての人を救うために私を召しておられます。たとえそのことを白人たちが否定したとしても、です」と語った。

有色人種の指導者たちから、アパルトヘイトについて謝罪を求められたとき、デ・クラークはたじろいだ。アパルトヘイトを始めた人の中に自身の父親もいたからである。しかし主教デズモンド・ツツは、南アフリカにおける和解のプロセスは赦しによって始まると信じ、その信念を貫いた。ツツによれば、「私たちが世界に教えることのできる教訓、ボスニア、ルワンダ、ブルンジの人々に教えることのできる教訓があるとしたら、それは、私たちがいつでも赦す、ということです」。そしてデ・クラークは謝罪をした。

多数派の有色人種が政治権力をもつ今、彼らは正式に赦しの問題を考えている。法務大臣が政策を述べるときには、本当に神学的な響きがある。大臣は、被害者の代わりに赦すことはできない、と言う。被害者は自分自身のために赦さなければならないのだ。そしてだれも全容を解明しないで赦すことはできない。何が起きたのか、そしてだれが何をしたのかがまず明らかにされなければならない。また、その残虐行為を行った人々は、その行為が赦される前に赦しを求めなければならない、と。南アフリカの人々は自分たちの過去を忘れるために、着実に過去を思い出している。

南アフリカの人々が気づいているように、赦しは簡単でもなければ歯切れのよいものでもない。

教皇は自分を暗殺しようとした者を赦しても、刑務所から釈放されることは求めないだろう。人はドイツ人を赦しても、その軍隊に規制を設けるだろう。幼児虐待者を赦しても、被害者たちから遠ざけるだろう。南部の人種差別を赦しても、法律を施行して人種差別が二度と起こらないようにするだろう。

しかし、赦しがどれだけ複雑なものであろうが、ともかくこれを追い求める国は、少なくともその代替物――赦そうとしないこと――のもたらす恐ろしい結果を避けようとするだろう。大量虐殺と内乱の場面の代わりに世界が見たのは、南アフリカの現地の人々が長く、時には二キロ以上も続く列をなし、生まれて初めて投票する機会を得たことを喜び、「踊っている」光景だった。

赦しは人間の本質に反しているので、教えられ、実践されなければならない。何か難しいことを行うときのようにだ。「赦しは単にその時だけの行為ではない。恒久的な姿勢である」とは、キング牧師の言葉である。クリスチャンがこの世界にもたらし得る贈り物の中で、恵みと赦しを掲げる文化の形成にまさるものがあるだろうか。

たとえばベネディクト会の修道士は、感動的な赦しと和解の礼拝をささげている。御言葉を教えた後、指導者たちが出席者一人一人に、赦さなければならない問題を特定するように、と言う。すると礼拝者たちは、水の入った大きなガラスのボウルに手を入れ、お碗型にした手の中に怒りを「かかえる」。そして、赦すための恵みを祈り求めながら、少しずつ手を開き、怒りを象徴的に「解き放つ」。「身をもってこのような儀式を行うことには、単に『私は赦す』という言葉を発する以上に、人を変える力があるのです」と、参加者のブルース・デマレストは言う。もしも南アフリカの――あるいはアメリカ合衆国の――現地の人と白人とが繰り返しその手を同じ赦しのボウルに入れたなら、どれほどの効果があることだろう。

ローレンス・ヴァン・デル・ポストは著書『囚人と爆弾』の中で、日本統治下のジャワの捕虜収容所における戦争体験の悲惨さを詳しく語っている。そして、思いも寄らぬ場所でこんな結論を出した。

「未来に対する唯一の希望は、私たちの敵であった人々の、すべてを包み込む赦しの姿勢にあった。捕虜経験が教えてくれたように、赦しは単なる宗教的感傷ではなかった。重力の法則と同じように人間の魂の本質的な法則だった。重力の法則を破ったら、人間は首を折ってしまう。赦しの法則を破ると、人間の魂は道徳的な傷を負い、もう一度、単なる原因と結果という一本の鎖につながれた囚人の一人となる。生命は長い間、そこから抜け出ようと苦労し続けてきたのに。」

＊ワシントンD・Cのホロコースト記念館を訪れたとき、私はそこに描かれていた、ユダヤ人に対するナチスの暴虐行為に感情を揺さぶられた。しかし、最も衝撃的だったのは、展示の最初のところに置かれていたものだった。それは、ユダヤ人に対する初期の法律――「ユダヤ人に限る」店、公園のベンチ、トイレ、水飲み場――がいかに合衆国の人種隔離法の模倣であったか

を示していたのである。

第三部　つまずき（スキャンダル）の臭い

11　ろくでなしのための家――物語

ウィル・キャンベルが育ったのは、汗水たらしても儲けのでないミシシッピ州の農場だった。読書が好きで田舎の暮らしになじめなかった彼は、勉学に励んでイェール神学校に進む。卒業後は南部に戻って伝道し、ミシシッピ大学で宗教指導主事に任命される。時は一九六〇年代初頭、普通のミシシッピ人なら公民権活動家の攻撃を阻止することに余念がなかった。キャンベルの人種差別廃止に関するキャンベルのリベラルな見解が学生や学校本部に知られると、彼の任期は突然打ち切られる。

気がつくと、キャンベルは戦いの真っただ中にいて有権者登録運動を率い、公民権運動に参加しようと北部から南部に移ってきた理想主義的な若者たちの指揮をとっていた。そうした若者たちの中に、セルマへ押しかけよう、というキング牧師の呼びかけに応えたハーバード神学校の学生、ジョナサン・ダニエルズがいた。ワシントン大行進が終わると、同志のほとんどが帰郷したが、ジョナサン・ダニエルズはワシントンにとどまり、ウィル・キャンベルの友となる。

当時キャンベルの神学は試練を受けていた。彼の働きに反対する人々の多くが「善良なクリスチャン」だった。彼らは人種の異なる人を自分たちの教会に入らせないようにし、白人優遇の法律を勝手に変えようとする者にはだれでも腹を立てた。キャンベルには、不可知論者、社会主義者、数少ない北部出身者たちのほうが仲間になりやすかった。

「キリスト教のメッセージを十語以内で言うと、どうなるんだい。」一人の不可知論者から、あるときこう問いかけられた。クリスチャンに敵対意識をもち、ウィルの堅固なキリスト教信仰に無理解な、反宗教的な新聞の編集長P・D・イーストだった。

「『教えてくれ。十語でだ。』彼がそう言ったとき、二人でどこかへ行くところか、帰って来るところだったと思う。私は、『ぼくらは・みんな・親なしのろくでなしだ・だけれども・とにかく・神は・ぼくらを・愛している』と答えた。それをどう思うか、彼は口にしなかったが、指を折って語数を数えてから、こう言った。『十語以内と言ったよね。あと二語残っているよ。もう一度やってみるかい?』もう一度やりはしなかったが、その日に言ったことを彼にはよく思い出させられた。」

キャンベルの口にした定義はP・D・イーストの心にズキリと突き刺った。キャンベルは知らなかったが、イーストは実際、非嫡出子で、ずっと「親なしのろくでなし!」と呼ばれてきたのだった。だが、キャンベルが選んだ言葉はショック効果があっただけでなく、神学的にも正しかった。私たちは実の父親がいても霊的には親なし子であり、神の家族に入るよう招かれているからだ。キャンベルは、とっさに考えたその福音の定義を考えれば考えるほど、気に入った。

しかし、P・D・イーストは、キャンベルの生涯で最も暗い日に、その定義の無慈悲とも言えるテストを行ったのである。それは、アラバマ州の保安官代理トマス・コールマンが、キャンベルの二十六歳になる友人を射殺した日だった。その友人ジョナサン・ダニエルズは、数日前、白人の店にピケを張って逮捕されていた。釈放の日、電話をかけて車を呼ぼうと食料品店に行ったところで、ショットガンを手にしたコールマンが現れ、ジョナサンの腹部に向けて発砲した。散弾は別の人間にも当たり、ダニエルズの後ろにいた十代のアフリカ系アメリカ人も弾を受けて重傷を負った。

キャンベルの著書『トンボの兄弟』は、その晩のP・D・イーストとの会話を記しているが、「自分の生涯で経験した最も意味のある神学のレッスンだった」と振り返っている。P・D・イーストはこの悲しみの時でさえ、攻撃的な姿勢を崩さなかった。

「『そうだね、兄弟。君の信仰の定義がこのテストに耐えられるかどうか、見ることにしようや。』私は、司法省、米国自由人権協会、ナッシュビルにいる弁護士の友人に連絡をとっていた。友人の死は偽りの正義、法と秩序の完全な崩壊、連邦国家の法律そして州法の侵害だと語った。私は、白人や南部の人たちを侮蔑するような言葉をたくさん使っていた。社会学、心理学、社会倫理学を研究していたので、それらの概念を使って話したり考えたりしていた。また、新約聖書神学の研究もしていた。

P・Dは虎のように私に忍び寄って来た。『なあ、兄弟。君のあの定義について話そうよ。』その時、ジョー〔ウィルの兄弟〕がイーストに向かって言った。『おい、P・D、もうやめろよ。人の気持ちがわからないのか。』ところがP・Dはジョーを手で追い払った。私のことをあまりに愛しているため、放っておけないのだ。」

「ジョナサンはろくでなしか。」P・Dはまず尋ねた。ジョナサンは、自分の知る最も穏和な青年だったが、それでもだれもが罪人だというのは真実だ、とキャンベルは答えた。そういう意味では、ジョナサンも確かに「ろくでなし」だった。

「そうか。じゃあ、トマス・コールマンはろくでなしか。」その質問のほうがずっと答えやすいとキャンベルは思った。もちろん殺人者はろくでなしだからだ。

それからP・Dは椅子を近くに引き寄せると、骨ばった手をキャンベルのひざの上に置き、彼の充血した眼をまっすぐに見た。「神はこの二人のろくでなしのどっちをより愛しているんだ?」その質問は急所を突いた。心臓に弓矢が突き刺さったような気がした。

「突然すべてが明らかになった。何もかもが。それはまさに一つの啓示であった。その時まで私たちのお腹に入ってきていた麦芽が輝きを放ち、その明るさをますます強めていくように思えた。私は部屋の窓のほうへ行き、ブラインドを開けて街灯の明かりを見つめた。そして、すすり泣きを始めた。しかしその泣き声には笑い声も混じっていた。奇妙な経験だった。悲しみと喜びとを分けようとしたのを覚えている。泣いている理由と笑っている理由とを。そして次のことも明らかになった。

　私は自分を嘲笑していた。この二十年間、気づかないうちに洗練されたリベラルな教養に堕していた伝道を嘲笑していた。……

　武器を持たない人たちがソーダ水を飲んだりパイを食べたりしている店に男が入って来て、客の一人に向けてショットガンの引き金を引き、肺と心臓と腸をそのからだから引きはがす。別の客にも鉛の弾丸が突き刺さり、その身体を貫通する。しかも神がそんな男をお赦しになる——こんなことはとうてい受け入れられない。ところが、これが真実でなければ、福音も良き知らせもないのだ。これが真理でなければ、私たちにはただ悪い知らせがあるだけで、律法に戻るしかないのである。」


　ウィル・キャンベルがその夜学んだのは、恵みに対する新たな洞察だった。ただで与えられる恵みは、それにふさわしくない者たちに与えられるだけでなく、その「反対のもの」がふさわしい者にも及んでいるのだ。公民権運動の活動家だけでなくKKKの団員にも、ウィル・キャンベルだけでなくP・D・イーストにも、ジョナサン・ダニエルズだけでなくトマス・コールマンにも、恵みは差し出されているのである。

　このメッセージはウィル・キャンベルの心に深く突き刺さり、彼は恵みの地震のようなものに見舞われた。キャンベルは全米キリスト教会協議会の職を辞し、自称「レッドネック（訳注＝無学な白人労働者を意味する言葉）への使徒」となる。テネシーに農場を購入し、今日、そこで人種的少数派や白人のリベラルな人たちだけでなくＫＫＫの団員や人種差別主義者たちともいっしょに時を過ごしている。少数派の人に進んで援助の手を差し伸べる人は多いが、トマス・コールマンのような人に伝道している人はいないから、というのが彼の結論だった。

私はウィル・キャンベルの話が大好きだが、それは私自身が人種差別主義を名誉とするアトランタ人の中で育ったからである。つまり、私がキャンベルの話が大好きなのは、自分がジョナサン・ダニエルズよりもトマス・コールマンに似ていた時期があったからなのだ。私はだれも殺したことがないけれども、人を憎んだことは確かにある。近所に引っ越して来た最初のアフリカ系アメリカ人一家の前庭でＫＫＫが十字架を燃やしたという話を聞いたときに喜んだ。ジョナサン・ダニエルズのような北部の人が殺されたとき、友人たちといっしょに肩をすくめて言った。「しようがないさ、ここまでやって来てトラブルを巻き起こそうとしたんだからね。」

恥ずべき人種差別主義者、福音に反した生活を送りながら福音の中に自らを隠していた偽善者、そうした自分自身の本当の姿がわかったとき、私は、「反対のもの」こそがふさわしい私のような人々に差し出されている恵みの約束に、おぼれる者が藁をもつかむように、しがみついた。

「恵みでないもの」はときどき揺り戻しをかけてくる。今では見識のある私に対して、まだそうした見識のないレッドネックや人種差別主義者よりも自分が道徳的にすぐれていると信じるように、と誘惑してくるのである。しかし私は真実を知っている。「私たちがまだ罪人であったとき、キリストは私たちのために死なれました」（ローマ五・八、傍点筆者）。私は、自分の最高の状態の時ではなく、最悪の時に神の愛と出会ったことを知っている。そして、その驚くべき恵みが私のようなあわれな者を救ったことを。

そしてこの塵と泥の中、おお、ここに神の愛の百合が姿を現すのだ。

ジョージ・ハーバート

12 認められない変わり種

一度だけ、子どもたちに説教をしたことがある。その日曜日の朝、私が持参したのは何やらうごめいて、臭う怪しげなショッピングバッグだった。朝拝の途中で子どもたち全員を講壇の上に呼ぶと、袋の中身を少しずつ明らかにしていった。

まず最初に、ポークラインズ（豚肉の皮を油で揚げたスナック菓子で、当時のジョージ・ブッシュ大統領が大好物だった）の入った袋をいくつか引っぱりだして、皆でぱくついた。次に、おもちゃの蛇とゴム製の巨大なハエを取り出すと、小さな観衆はキャーッと悲鳴をあげた。それから帆立貝を味見した。最後に慎重に袋の中に手を入れて、生きたロブスターを取り出すと、子どもたちは大喜びした。皆でこのロブスターをラリーと名づけると、ラリーは周囲を威嚇するようにはさみを揺らした。

その日、教会の管理人は超過勤務となったが、私も同じだった。時間になって子どもたちがぞろぞろと階下へ行ったあと、神がかつてこれらの食べ物をなぜ不可としたのかを親たちに説明することになったからだ。旧約聖書のレビ記の律法は、今しがた私たちが口にした食べ物をどれも明確に禁止していた。だから、正統的なユダヤ教徒なら、ショッピングバッグに入っていた物には決して手を触れないだろう。「神はなぜロブスターを嫌われたのか」、私は説教にこんなタイトルをつけた。

皆で新約聖書の魅力的な箇所、使徒ペテロが屋上の間で見た幻の記事を読んだ。ペテロはひとりで祈るために屋上の間にいたとき、非常に空腹を覚え、食事をしたくなる。そして、うっとりと夢見心地になった。その後、目の前でぞっとするような場面が演じられる。「きよくない」四つ足の動物やはうものや空の鳥の入った大きなシーツが天から下りてきたのだ。使徒の働き一〇章はそれ以上特定していないが、そこに見られる種類については、レビ記一一章に有力な手掛りがある。豚、ラクダ、ウサギ、ハゲワシ、大がらす、みみずく、大このはずく、こうのとり、こうもり、蟻、かぶと虫、熊、とかげ、スキンク（とかげの一種）、いたち、ねずみ、蛇。

「シモン、それは汚れた物よ！　触ってはだめ。今すぐ手を洗いに行きなさい！」母親がそう叫ぶのをペテロは絶対に聞いたはずだ。なぜ？　「私たちは違うの、だからなのよ。私たちは豚は食べないの。豚は汚れて、不潔です。神さまは豚に触れるなとおっしゃった。」パレスチナのユダヤ人だけでなく、ペテロにとってもそうした食物は単に好きでないということ以上にタブーであり、忌まわしいものであった。「これらはさらにあなたがたには忌むべきものとなるから」と神は言われた（レビ一一・一一）。

昆虫の死骸に触れるようなことがあったら、ペテロは身体と衣服を洗い、夕方まで汚れたままであり、宮を訪れることができない。またたとえば、ヤモリやクモが天井から鍋に落ちてくるようなことがあったら、中身を捨てて鍋を砕いてしまわなければならない。

今やこれら禁断の物がシーツに包まれて下りてきた。そして天から「ペテロ。さあ、ほふって食べなさい」と命じる声が聞こえてきた。

ペテロは神ご自身がお決めになった規則に言及し、抗議をした。「主よ。それはできません。私はまだ一度も、きよくない物や汚れた物を食べたことがありません。」

天からの声は答える。「神がきよめた物を、きよくないと言ってはならない。」この場面は、さらに二度、計三回繰り返される。そしてペテロは身体を震わせながら階段を下りて来て、その日の次なる衝撃的な出来事に直面する。つまり、イエスに従うグループに加わりたがっている「きよくない」異邦人たちに出会うのである。

ポークチョップや帆立貝、牡蠣やロブスターを喜んで食べる今日のクリスチャンは、はるか以前に屋上の間で起きたこの場面の迫力をあっさり見過ごしてしまっているのかもしれない。これと同じようなショック効果があるものとして考えられるのは、テキサス・スタジアムで南部バプテストの年会が行われている最中に、お酒をいっぱいに取り揃えたバーが超自然的に競技場に下ろされ、絶対禁酒主義者たちに「さあ、酒を飲め!」と天から声がとどろくという光景だ。

それに対して起こる反応は、想像がつく。「そのようなことはできません、主よ! 私たちはバプテストです。そんな代ろ物には触れたこともありません。」ペテロがきよくない食べ物に対して持っていた罪の意識とは、そういうものだったのだ。

使徒の働き一〇章の事件は、誕生したての教会で食べられるものの範囲を広げたかもしれないが、「神はなぜロブスターを嫌われたのか」という私の問いにいまだ解答を与えていない。その答えはレビ記を調べてみなければならない。レビ記で神は禁止する理由を説明しておられる。「わたしはあなたがたの神、主であるからだ。あなたがたは自分の身を聖別し、聖なる者となりなさい。わたしが聖であるから」(一一・四四)。神の短い説明は解釈に多くの余地を残しており、学者たちはここに述べられている理由の背後にあるものを長らく論じてきた。

ある人は、レビ記の律法が健康上有益であるから、と述べる。豚肉の禁止は繊毛虫病の予防になったし、貝の禁止はイスラエル人たちを牡蠣やむらさき貝に時折発見される細菌から守った、と。またある人は、禁止された動物の多くが腐肉を餌とする腐食性動物であることに注目する。さらにまたある人は、ある律法は、イスラエル人の隣に住む異教徒たちの慣習に反対しているようだと述べている。たとえば、子やぎをその母親の乳で調理することを禁止している律法があるが、それは、イスラエル人がカナン人のまじないに倣うことがないようにするためだった、というのである。

これらの説明はすべて意味が通るし、確かに神が示された興味深いリストの背後にあるものに論理的な光を投げかけているだろう。だが、どうしても説明のつかないものもある。なぜロブスターなのか。なぜウサギなのか。ウサギは人間の健康に危険なものは何一つ運ばないし、腐肉ではなく草を食べる。それになぜラクダやロバがリストに載っているのか。ラクダもロバも中東に遍在する労役を担う動物だ。明らかにこの律法には恣意的なところがある。*

神はロブスターの何を嫌われたのか。ユダヤ人作家ハーマン・ウークは、「フィット（fit）」という英語が、ユダヤの慣習を今日まで導いているヘブライ語の「コシェール」という言葉に最もよく当てはまると言う。レビ記はある動物を「ふさわしい」、あるいは妥当だと判断し、あるものはふさわしくないとする。人類学者メアリー・ダグラスはさらに話を先に進め、どの場合にも神が変則性を見せる動物を禁止しておられることに注目している。魚にはひれとうろこがあるので、貝やウナギはそれに該当しない。鳥は飛ぶものであるからで、エミューやダチョウはふさわしくない。陸の動物は四つ足で歩くものであって、蛇のように地面をはいつくばるべきではない。牛や羊、やぎは反芻し、分かれたひづめをもっている。だから食用の哺乳類はみなそのようであるべきだ。ラビ・ジェイコブ・ノイスナーも同じように論じている。「何を不潔とするのかを端的に言わなければならないなら、それは何らかの理由でアブノーマルなものということである。」

さまざまな理論を研究した挙げ句、汚れについて旧約聖書が表現しているすべてのものを包括する原理に、私なりにたどり着いた。変わり種は認められない原理である。イスラエル人の食事は、アブノーマルなもの、「変わり種」の動物をことごとく几帳面に排除した。また、それと同じ原理が、礼拝で用いられる「きよい」動物にも適用されたのである。礼拝者は欠陥があったりする子羊を宮に持って来ることができなかった。神は、傷のない羊をお求めになった。カイン以後、人間は神の厳密な指示に従わなければならなかった。そうしなければ、ささげ物が拒否される恐れがあったのだ。神は完璧を要求なさった。神には最高のものがふさわしい。変わり種は認められないのだ。

旧約聖書は、さらにずっと面倒な、同じようなランキングを人間に適用している。シカゴの教会の礼拝に出席したときのことを思い出すが、あるとき、そこの牧師のビル・レスリーが会堂をエルサレムの神殿に似せて分割した。異邦人は、「異邦人の庭」と表示されたバルコニーに集まることができたが、主要な聖域からは排除された。ユダヤ人女性は主要階に行くことができたが、それも女性用の区域に限られた。ユダヤ人の男性信徒には正面近くに広々とした場所があったが、彼らは講壇に近づくことはできなかった。講壇に上ることができるのは祭司たちだけであった。

祭壇のある講壇の後方を、ビルは至聖所と名づけた。「三十センチの厚さの幕がこの場所を仕切っていると考えてください。」彼は言う。「祭司一人が一年に一日だけ――ヨム・キップールの聖なる日に――中に入りましたが、くるぶしにロープを巻いていなければなりませんでした。彼が何か間違ったことをして至聖所の中で死んだら、他の祭司がそのロープで引っぱり出すのです。彼らは神の住まわれる至聖所にあえて入ろうとはしませんでした。」

だれも、たとえ最も敬虔な人間であっても、至聖所に踏み入ろうとはしなかった。その罰が死と決まっていたからだ。建築そのものが、神は区別されている方、すなわち「きよい」方であることを思い起こさせた。

その現代版として、合衆国大統領にメッセージを送ろうとしている人のことを想定してみよう。市民はだれでも大統領に、手紙を書いたり電報を打ったり電子メールでメッセージを送ることができる。しかしたとえその人がワシントンD・Cまで行って、ホワイトハウスの旅行客たちといっしょに列を作って並んでも、大統領と個人的に面会する約束をとれるなどとは思っていないだろう。秘書と話したり、議員の助けを借りて閣僚と会ったりすることはできるかもしれないが、一般市民が大統領執務室に押しかけて嘆願書を手渡すことができるなどとは期待していない。政府はヒエラルキーによって動いており、厳格なきまりが最高幹部を区別している。同様に、旧約聖書でも厳格なヒエラルキーのはしごが人々と神とを区別していたが、これは威信ではなく「清潔さ」あるいは「きよさ」をベースとしていた。

汚れのレッテルを動物に貼ることと、人間に貼ることとは全く別のことだが、旧約聖書の律法はその措置を躊躇することがなかった。

あなたの世々の子孫のうち、だれでも身に欠陥のある者は、神のパンをささげるために近づいてはならない。だれでも、身に欠陥のある者は近づいてはならない。目の見えない者、足のなえた者、あるいは手足が短すぎたり、長すぎたりしている者、あるいは足や手の折れた者、くる病、肺病でやせた者、目に星のある者、湿疹のある者、かさぶたのある者や、こうがんのつぶれた者などである（レビ二一・一七―二〇）。

要するに、身体に欠陥がある者や、欠陥をもった者の家系には資格がないというのだ。つまり、変わり種は認められないということだ。生理中の女性や最近夢精をした男性、出産した女性、皮膚病があったり傷口が膿んでいたりする人、死体に触れた人——こうした人々はみな汚れていると宣告された。

政治的な正しさを言うこの時代にあっては、そのように性や人種、身体の健康にまで基づいて個々人を歴然とランクづけすることはほとんど考えられないことである。しかも、これがユダヤ教をユダヤ教たらしめているのだ。ユダヤ人男性は毎日、朝の祈りの冒頭で「私を異邦人に造られなかった……奴隷にされなかった……女性に造られなかった」神に感謝をささげていた。

使徒の働き一〇章は明らかに、そのような姿勢がもたらした結果を示している。すなわち、クロアチアの神学者ミロスラフ・ヴォルフが述べた「純粋さを綱領とする致命的な論理」である。無理やりではあったが、ペテロがついにローマの百人隊長の家を訪問することに同意したとき、彼は次のような言葉で自己紹介をした。「ご承知のとおり、ユダヤ人が外国人の仲間に入ったり、訪問したりするのは、律法にかなわないことです」(二八節)。こうした譲歩は、屋上の間で神との議論に負けたために生まれたものだった。

ペテロは続けて言った。「ところが、神は私に、どんな人のことでも、きよくないとか、汚れているとか言ってはならないことを示してくださいました。」恵みの革命が進行していた。それはペテロには理解しがたいものだった。

『私の知らなかったイエス』を書く前に、私は数か月を費やしてイエスの生涯の背景を調査した。そして、一世紀のユダヤ教の秩序立った世界の意味が理解できるようになった。ユダヤ教の人間に対するランキングは、アメリカ人である私には不快なものであるが——それは「恵みでないもの」の原型、宗教のカースト制度のように思えた——、少なくともユダヤ人にとっては、女性、外国人、奴隷、貧しい人々といったグループに場を与えるものだった。

イエスは、パレスチナがちょうど宗教的リバイバルを経験していたときに、地上に姿を現された。たとえばパリサイ人は、きよいままでいるための事細かな規則を詳しく説いた。異邦人の家に入ってはならない、罪人といっしょに食事をしてはならない、安息日に仕事をしてはならない、食べる前には七回手を洗え、などだ。こうして、イエスが待望のメシヤかもしれないといううわさが広まったとき、敬虔なユダヤ人は驚愕する以上に憤慨した。イエスはツァラアトに冒された人々に触らなかったか。評判の悪い女が髪で彼の足を洗うのを許さなかったか。収税人たち——その一人はイエスの側近である十二弟子に加わりさえしている——と食事をし、儀式の時の清潔さに関しての規則や、安息日の順守についてはかなりいいかげんなことで有名だった。

そして、イエスは故意に異邦人の領域に踏み込まれた。ローマの百人隊長をイスラエルのだれよりも強い信仰をもっていると誉め、そのしもべを癒やすために進んでその家に入って行かれた。ツァラアトに冒されているサマリヤ人を癒やし、サマリヤ人の女性と長々と会話をされた。「ユダヤ人はサマリヤ人とつきあいをしない」ことを知っていた弟子たちは、これを見て仰天した。生まれた民族のゆえにユダヤ人から拒絶され、何度も再婚を繰り返したために隣人に受け入れてもらえなかったこの女性は、イエスに任命された最初の「宣教師」であり、イエスが自分はメシヤであると打ち明けた唯一の人物であった。そしてイエスは弟子たちに「大宣教命令」を与えて、地上での活動を終えられる。福音を「ユダヤとサマリヤの全土、および地の果てにまで」（使徒一・八）いるきよくない異邦人たちのところへ届けるようにという命令である。

イエスが「汚れた」人々に接近したことで、同郷人は目の前が真っ暗になるような思いをし、最終的にはイエスを十字架にかける手助けをした。要するにイエスは、旧約聖書が大事にしてきた変わり種は認められないという原理を、「私たちはみな変わり種だが、神はともかく私たちを愛しておられる」という新しい恵みのルールに置き換えて、いわばご破算になさったのである。

福音書は、イエスがただ一度、暴力を振るわれた時のことを記している。宮きよめである。イエスは鞭を振り回してテーブルやベンチを引っ繰り返し、店を置いていた商人を追い散らされた。先に述べたように、宮の建築はまさにユダヤのヒエラルキーを表現するものだった。異邦人に入ることができたのは、外庭だけだった。しかし、そこは動物たちの鳴き声や商人らが値段交渉であげる大声のために騒がしく、礼拝を行う雰囲気は失われていた。イエスは、商売人たちが異邦人の庭を、そのような東洋的市場に変えてしまったことに憤慨なさったのだ。マルコは、この宮きよめの後で祭司長と律法学者たちが「どのようにしてイエスを殺そうかと相談した」と記している（一一・一八）。イエスは実際、異邦人が神に近づく権利を怒りをもって主張したことで、ご自分の運命を決定なさったのである。

イエスは、神へ近づく道を特徴づけていたヒエラルキーのはしごを一段一段下りて行かれた。心身に欠陥のある人や罪人、外国人、異教徒——汚れた人々！——を神の宴会のテーブルに招かれた。
イザヤはあらゆる国民が招かれる大宴会を預言していなかっただろうか。何世紀にもわたり、イザヤの崇高な幻は曇っていたため、ある人たちは招待リストを、肉体的に欠陥のないユダヤ人に限定していた。これとは正反対に、イエスの催される祝宴では、主《あるじ》が「貧しい者、からだの不自由な者、足の不自由な者、目の見えない者たち」(ルカ一四・一三参照)を招くために街路や裏通りに使者を派遣している。**

イエスのなさった最も忘れられない物語、放蕩息子の話も同様に宴会の場面で終わっているが、主人公の息子は一家の評判に泥を塗ったろくでなしとして描かれている。イエスのお話のポイントは、つまり、他のだれもが好ましくないと判断する人が、実は神にとってはとても好ましい人であり、その人が神に立ち返るとき、突如、宴会が開かれるということである。私たちはみな変わり種である。だが、神はともかく私たちを愛しておられるのだ。

もう一つの有名なたとえ話である「よきサマリヤ人」が当時の聴衆を当惑させたのは、強盗に襲われた人を敬遠した二人のプロの宗教家を紹介したからである。宗教家たちは、怪我人に触れようと思わなかった。汚される危険があったからである。イエスはこの話の主人公を、ひどく嫌われていたサマリヤ人になさった。それは、現代のラビがPLOの戦士の栄光をたたえる話をするようなもので、聴いている者にとっては驚くべき設定であった。

イエスは社会との接触においても、ユダヤ人の「きよさ」と「汚れ」のカテゴリーを引っ繰り返された。たとえば、ルカの福音書八章には、やつぎばやに三つの事件が記されている。それらは、パリサイ人たちがイエスに抱いていた懸念を確かなものにしたに違いない。イエスはまず異邦人が住んでいた地方に行き、悪霊につかれた裸の男を癒やし、その人を故郷で宣教する者に任命される。次に、十二年間出血していた女性に触られる。長血を患う者は、礼拝する資格がないとされていたので、この女性が大きな不名誉を負っていたことは間違いない（パリサイ人は、こうした病はその人の罪のせいで生じたと教えていたが、イエスはそれとは正反対の主張をなされた）。イエスはその場から、娘を亡くしたばかりの会堂管理者の家へ行かれる。すでに異教徒の悪霊つきと長血を患う女に触れて「汚れた」イエスが、奥の部屋に入って、死体にお触りになる。

レビ記の律法は、接触感染をしないよう注意を促していた。病人、異邦人、死体、ある種の動物、あるいはカビに触れても、その人は汚れた。イエスはこのプロセスを逆転なさった。汚されるのでなく、他の人を完全なものになさったのである。悪霊につかれた裸の男は、イエスを汚しはしなかった。それどころか、男は癒やされた。長血を患うあわれな女性はイエスをはずかしめたり、汚れたものにしたりはしなかった。それどころか、彼女はすっかり元気になって去って行った。十二歳の死んだ少女はイエスを汚しはしなかった。それどころか、よみがえった。

私が感じるのは、イエスのこうした行動によって旧約聖書の律法が廃棄されたのではなく、成就されたということである。神はそれまで、神聖なものを世俗なものから、きよいものを汚れたものから分離することで、被造物を「神聖化」していた。イエスはその神聖化する原理をなくするのではなく、その根本を変えられたのだ。神は今や私たちの中に住んでおられるのだから、私たち自身が神のきよさの担い手となることができる。汚れた世界のただ中で、私たちはきよさの源となる道を求めながら、イエスがなさったように大胆に歩んで行くことができる。病んでいる人や障がいをもっている人によって私たちが汚されるのではなく、私たちを通してそうした人たちが神のあわれみを受けるのである。私たちに求められているのは、神のあわれみを広げていくこと、恵みを運ぶ者となることであって、感染を避ける者になることではない。私たちもイエスのように、「汚れたもの」をきよいものとする、その力になることができるのだ。

教会がこの劇的な変化に適応するのには時間を要した――そうでなければペテロに屋上の間の幻は必要なかったであろう。同じように、教会が異邦人に福音を伝えていくようになるためには、超自然的な導きが必要であった。聖霊は、ピリポをまずサマリヤへ送り、それから荒野の道に導かれた。そこでピリポは、肌の色が違う外国人で、旧約聖書では汚れているとされていた男（去勢された男子だった）に出会う。その少し後、彼は、アフリカへ向かう最初の宣教師に洗礼を授ける。

使徒パウロ――最初はどんな変化にも強く抵抗した「パリサイ人の中のパリサイ人」だった――は、「ユダヤ人もギリシヤ人もなく、奴隷も自由人もなく、男子も女子もありません。なぜなら、あなたがたはみな、キリスト・イエスにあって、一つだからです」（ガラテヤ三・二八）という革命的な言葉を書くまでになった。イエスの死は、宮の障壁、いろいろな範疇の人々を分断していた敵意の壁を粉砕した。恵みは道を見いだしたのである。

今日、部族主義がアフリカに大量虐殺を誘発し、国が民族的背景をもとに国境線を引き直し、合衆国の人種差別がこの国の偉大な理想をあざけり、少数派や分裂派が自らの権利を求めるロビー活動を行っているが、私は、イエスに死をもたらしたメッセージほど力強い福音のメッセージを知らない。私たちを隔てている壁、また神から隔てている障壁は粉砕された。みんな変わり種だが、神はとにかく私たちを愛しておられるというメッセージである。

神が屋上の間で使徒ペテロに啓示をお与えになってから、二千年が過ぎた。その間に多くの状況が変化した（もはや教会の非ユダヤ化を心配する者はいない）。しかしイエスがもたらした変化は、どのクリスチャンにも重大な影響を与えている。イエスの恵みの革命は少なくとも二つのことについて私に大きな影響を及ぼしている。

第一に、それは私が神に近づく仕方に影響を与えている。ビル・レスリーが教会の礼拝で会堂をユダヤの神殿とほぼ同じ割合に分割したあの日、会衆は寸劇を演じた。何人かの人たちが祭司に嘆願メッセージを持って講壇に近づく――女性の場合は当然、男性の代理者が頼りだった。ある人は神へのいけにえを祭司のところに持ってくる。またある人は特別な要求を携えてくる。「私の問題について神さまにお話ししてくださいませんか」と。いずれの場合も、その「祭司」は講壇に上り、定められた儀式を行い、至聖所の中の神に請願書を出す。

突然、その儀式の真っ最中に、一人の若い女性が女性用にしつらえてある境界線を無視し、聖書のヘブル人への手紙を開けたまま通路を走って来る。「ねえ、私たちはだれでも神に直接お話しできるのよ！」彼女が叫ぶ。「このみことばを聞いて。」

「さて、私たちのためには、もろもろの天を通られた偉大な大祭司である神の子イエスがおられるのですから、私たちの信仰の告白を堅く保とうではありませんか。……ですから、私たちは……大胆に恵みの御座に近づこうではありませんか」（四・一四、一六）。

「それにほら、ここにもこう書いてあるわ。」

「……私たちは、イエスの血によって、大胆にまことの聖所に入ることができるのです。イエスはご自分の肉体という垂れ幕を通して、私たちのためにこの新しい生ける道を設けてくださったのです。また、私たちには、神の家をつかさどる、この偉大な祭司があります。そのようなわけで……神に近づこうではありませんか」（一〇・一九－二二）。

「私たちはだれでも至聖所に入ることができるのよ！　みんな直接神のところに行けるの！」

その女性はそう言って、講壇の向こう側へ走って行った。

牧師は説教の中で、「神が近づいてくださる」という驚くべき変化について語った。この地殻変動とも言うべきものを感じ取るためには、レビ記に次いで使徒の働きを読めばよいだろう。旧約の礼拝者たちは神殿に入る前に身体をきよめ、祭司を通して神にささげ物をしたが、使徒の働きでは、神に従う者たち（そのほとんどは善良なユダヤ人だった）は個人の家に集まり、形式ばらない「アバ」という言葉でもって神を呼んでいる。それは「ダディ（お父ちゃん）」といった、家族の愛情を表す親しみのある言葉で、イエス以前には、宇宙を統べ治める主なるヤハウェに対してだれも用いようとしなかったものである。この言葉は、イエス以降、初代教会のクリスチャンが祈りの中で神を呼ぶときに使われる普通の言葉になった。

先に、ホワイトハウスの訪問者の話をした。そして、訪問者が約束なしに大統領執務室に押しかけても、大統領に会えないのが普通である、と述べた。だが例外はある。ジョン・F・ケネディが政権の座にあったとき、カメラマンたちはしばしばほほえましいシーンを撮影した。ダークのスーツに身を包んだ閣僚たちが、大統領のデスクを囲んで座り、キューバのミサイル危機等の重大問題を議論している。その間、ホワイトハウスのきまりや国家の重大問題などお構いなしに、二歳のジョン・ジョンがよちよちと歩いて来て、大統領の巨大なデスクによじ登った。ダディに会いに一心のジョン・ジョンは、ときどきノックもしないで大統領執務室へ入って来ては、父親を喜ばせるのだった。

この話は、イエスの「アバ」という言葉が教える、驚くべき近づきやすさを物語っている。神は宇宙を統べ治める主であられるが、御子を通して、子煩悩な父親のように親しみやすいご自分を示された。ローマ人への手紙八章で、パウロはさらに身近なイメージを提示している。神の霊は私たちの内に住んでおられる、と言うのだ。そしてどのように祈ったらよいかわからないとき、「御霊ご自身が、言いようもない深いうめきによって、私たちのためにとりなしてくださいます」（二六節）と。

私たちはきよさの問題を心配しながらヒエラルキーのはしごを上って、神に近づく必要はない。

もしも神の国に「変わり種は認められない」という看板が掲げてあったら、だれひとりそこへ入ることはできないだろう。イエスは、完全で聖なる神は、銅貨を二枚投げ入れた貧しい女性や、ローマの百人隊長、あわれな収税人、十字架上の強盗たちの助けを求める声に喜んで耳を傾けてくださる、と説かれた。ただ「アバ」と呼ぶだけでいいのだ。それができなければ、ただうめくだけでよい。神はそれほど近くに来ておられるのだ。

イエスの恵みの革命が私に影響を与えた二番目のことは、「異なる」人をどのように見るべきかということである。イエスの模範は今の私に有罪宣告を下す。模範の逆方向へわずかながらも進んでいる自覚があるからだ。社会が崩壊し、不道徳が力を増すとき、あわれみの心を抑え、もっと道徳を主張すべきだというクリスチャンの声を聞くが、それは旧約聖書のスタイルに戻れということである。

ペテロとパウロとが使っている言葉で、私が大好きなイメージのものがある。この二人の使徒は、私たちには神の恵みを与えたり、「分配」したりする義務がある、と言う。そのイメージは、スプレー技術が開発される以前に女性たちが使っていた旧式の「噴霧器」を思い起こさせる。ゴム球をぎゅっと握ると、反対側の小さな穴から香水が吹き出す。一人分にはほんの数滴で十分であり、二、三回も噴射すると部屋の雰囲気が一変する。これは恵みの働き方を示しているように思う。世界や社会全体を変えたりはしないが、その場の雰囲気を豊かなものにするからだ。

私は今、クリスチャンの一般的なイメージが香水噴霧器から、害虫駆除業者用の殺虫スプレーに変わってしまったのではないかと心配している。「ゴキブリだ！」ギュッ、シューッ、ギュッ、シューッ。「害虫がいるぞ！」ギュッ、シューッ、ギュッ、シューッ。私の知るクリスチャンの中には、悪の横行する地域社会のために「道徳的な悪駆除業者」の仕事を引き受けている人たちがいる。

私はこの社会に深い関心をもっているが、イエスがお示しになったようなあわれみの力に心を打たれる。イエスが来られたのは、健康な人のためではなく病人のため、正しい人のためではなく罪人のためであった。イエスは決して悪を大目に見ることがなかったが、いつでも赦そうとしておられた。どういうわけかこのイエスは罪人の友という名声を得たが、この名声こそ、イエスに従う者たちが今日失う危機に瀕しているものである。ドロシー・デイが言うように、「自分が最も愛せない人を愛するほどしか、私は神を愛していないのです」。

この問題は本当に難しいと実感している。そのため、次章ではこのことだけを扱おうと思う。

＊もちろん、どの社会の食習慣も恣意的であり、どの文化も「きよい」動物と「汚れた」動物を的確に区別している。フランス人は馬を食べ、中国人は犬や猿を、イタリア人は鳴き鳥を、オーストラリア人はカンガルーを、アフリカ人は昆虫を、そして食人種は人間を食べる。アメリカ人がこれらの慣習のほとんどを不快に感じるのは、アメリカ人社会にはアメリカ人社会に深く染み込んだ食べ物のリストがあるからだ。

＊＊旧約聖書には、神が、ご自分の「家族」の枠を、ユダヤ民族を越えて、あらゆる部族や国の

人々まで広げていくことを最初から意図しておられたことを示すしるしが多数ある。ペテロがヨッパに入って、汚れた動物の幻を見たのは、実に興味深い皮肉《アイロニー》な話である。ヨッパは、ヨナが異教を奉ずるニネベに神のメッセージを伝えよという神の命令を受けながら、そこから逃れようとしたまさにその港町の名である。

「私たちはだれのことも愛さなければならない、と聖書は言ってませんか。」

「おお、聖書！　もちろん、聖書は非常に多くのことを言ってますよ。でもね、それを実行しようなんてだれも思っちゃいませんよ。」

ハリエット・ビーチャー・ストウ『アンクル・トムの小屋』

13　恵みに癒やされた目

私は退屈すると、いつも友人のメル・ホワイトに電話をかけていた。彼ほど生き生きと自由奔放に生きている人間を知らなかった。世界中を旅し、いろいろな話をして楽しませてくれた。カリブ海でカマスといっしょにスキューバ・ダイビングをしたことや、一千年分も積もったハトの糞の中に足を踏み入れて、モロッコのモスクの尖塔から日の出を撮影したこと、有名なテレビ・プロデューサーのゲストとしてクイーン・エリザベス二世号に乗って大西洋を横断したことや、ジム・ジョーンズによるガイアナでの大虐殺のあと、生き残った人たちにインタビューしたことなどだ。

とびきり気前が良いメルは、露天商たちの格好の標的となった。いっしょに野外のカフェに座っているときに、花売りが通りかかったりすると、私の妻の輝く目を見たいばかりに花束を買う。

カメラマンが「写真を撮りましょう」ととんでもない値段をふっかけてきても、すぐ頼んでしまう。「これも一つの思い出さ。」彼は私たちの反対を制して言ったものだ。「思い出に値札をつけることなんてできないよ。」そして彼のジョークやウィットに富んだ言葉を聞くと、店のウェイターから給仕長、レジ係までが爆笑した。

私たちがシカゴのダウンタウンに住んでいたとき、ミシガンでキリスト教映画のコンサルタントをしていたメルはミシガンへ行く途中、よくわが家に泊まった。いっしょに外食をし、画廊を訪れ、通りをぶらつき、映画を観、真夜中近くまで湖岸を歩いた。それからメルは朝の四時に起きて着替えると、一心不乱に四時間タイプを打ち、ミシガンの顧客にその日の午後届ける三十ページの文書を作成した。メルをタクシーに乗せて空港まで送るとき、妻と私は疲れてはいても、幸せな気分だった。メルはだれよりも、生きている実感を味わわせてくれたからだ。

私たちの住んでいた地域には同性愛者がたくさん住んでいて、とりわけディバシー通り（地元の人には「邪悪な〔パーバシー〕通り」として知られていた）沿いに多かった。私はメルにゲイのことで冗談を言ったことがあった。「ゲイとナチスの違いがわかるかい。」ディバシー通りを歩きながら言った。「六十度さ。」私は、ナチスの強張った敬礼の手を下げると、なよなよと腰を曲げて同性愛者のまねをした。

妻が付け加えた。「このあたりの同性愛者はすぐにわかるのよ。あの人たちはどこかが違うの。いつだってわかるわ。」

オヘア空港近くのマリオット・ホテルで会えないかとメルから電話をもらったのは、私たちが親しくなって五年ほどたった時のことだった。私は約束の時間に到着してから、一時間半もひとりでレストランに座っていた。新聞、メニュー、シュガー袋の裏など、見つけられるものは全部読んだ。だが、メルは来なかった。彼の無礼に腹を立て、そこを出ようと腰を上げたまさにその時、メルが駆け込んで来た。申しわけなさそうで、震えてもいた。彼は別のマリオット・ホテルへ行ってしまい、その後シカゴの大変な交通渋滞に巻き込まれたのだった。メルの飛行機が出るまで、一時間しかなかった。「心が落ち着くまで、ちょっといっしょにいてくれるかい?」「もちろんだよ。」

この朝の事件に動揺し、メルは取り乱し、今にも泣きだしそうだった。目を閉じ、数回深呼吸をし、口を開いた。その言葉を私は一生忘れないだろう。「フィリップ、君は、ぼくがゲイであることをもう知っているんだろう。」

そんなことは一度も考えたことがなかった。メルには、愛情深い献身的な妻と二人の子どもがいた。フラー神学校で教えていたし、福音カベナント教会の牧師として奉仕し、映画を作り、クリスチャンのための自著はベストセラーになっていた。そのメルがゲイだって? ローマ教皇はイスラム教徒なのか?

当時の私はゲイの多い地域に住んでいたにもかかわらず、ゲイの知り合いはいなかった。私はその人たちの文化（サブカルチャー）について何も知らなかった。ゲイについてジョークを言い、郊外に住む友人たちに「ゲイ・プライド・パレード」（このパレードは私の住む通りを行進した）の話をしてはいたが、同性愛者の知人はいなかったし、まして友人など一人もいなかった。そんな考えなど浮かびもしなかった。

私は親友の一人から、今、彼の秘密を聞かされ、自分が何一つ知らなかったことを知った。椅子に座り直し、何度か深呼吸をした。そしてメルに話を聞かせてくれと言った。

この話をすることで、私はメルの信用を台無しにしているわけではない。なぜならメルはすでに『門のところの見知らぬ人——アメリカでゲイでありクリスチャンであること』という著書で個人的な事情を明らかにしているからだ。この本には、彼と私の友情のことが書かれているし、以前彼がゴースト・ライターとしていっしょに仕事をした保守的なクリスチャンたちの話も載っている。フランシス・シェーファー、パット・ロバートソン、オリバー・ノース、ビリー・グラハム、W・A・クリスウェル、ジム＆タミー・フェイ・バッカー、ジェリー・ファルウェルらである。これらの人はだれも、メルといっしょに働いていたときには彼の密かな生活のことを知らなかった。そして当然のことながら、今その何人かは動揺を覚えている。

同性愛を取り巻く神学的また道徳的問題は確かに重要であるかもしれないが、私にはそれを深く探ろうという気がないことを明言しておく。私がメルのことを書く理由はただ一つである。「異なる」人々——たとえその違いがただならぬもので、解決できないようなものであっても——に対する私の態度に、恵みがどれほどの影響を与えるのだろうかということに、メルとの友情が深く絡んでいるからなのだ。

私はメルに、同性愛が、私が思っていたようなのんきなライフスタイルではないことを教えられた。メルは自著に詳しく書いているように、思春期から同性愛への憧憬を感じるようになり、それを懸命に抑えようとした。成人すると、「治療法」をあちらこちらに探し歩いた。断食し、祈り、癒やしを求めて油を注いでもらったりもした。プロテスタントでもカトリックでも悪魔払いをしてもらった。「嫌悪療法」の手続きをしたが、それは男性の写真に興奮を覚えるたびに身体に電気ショックを受けるというものだった。しばらくの間、メルは化学療法の影響で眠気を催し、言葉も不明瞭になった。とにかくゲイで「いたくない」という思いだった。

ある夜遅く、私は電話で起こされた。名のりもせず、メルが元気のない声で話してきた。「今、太平洋を見下ろす五階のバルコニーに立っているんだ。十分間あげるから、ぼくがここから飛び降りてはいけない理由を言ってくれ。」自分に注意を引くためのいたずらではなかった。メルは少し前にも自殺を図っていたからだ。私はふらふらした頭で、思いつく限りの個人的、実存的、神学的議論をもちだして訴えた。ありがたいことに、メルは思いとどまってくれた。

メルは数年後、ゲイの恋人からもらったという思い出の品々を持って、訪ねて来たこともあった。青いウールのセーターを私に手渡しながら、暖炉に投げ入れてくれと涙しながら言う。罪を犯したけれども、今では悔い改め、そんな生活にけじめをつけて、妻と家族のもとへ帰るつもりだと話してくれた。私たちは喜びつつ、共に祈った。

メルが「カリフォルニア・バース・クラブ」の会員カードを破棄した時のこともよく覚えている。カリフォルニアのゲイの人たちの中に不可思議な病気が現れ、何百人ものゲイの男性がバース・クラブを脱退していた。「病気が怖いからではなく、こうすることが正しいと思うからなんだ」と、メルは涙を流しながら語った。はさみを手に取り、固いプラスチックのカードを切り刻んだ。

メルは不品行と貞節の間を激しく揺れ動いていた。あるときはホルモン過剰のティーンエージャーのように、あるときは賢者のように行動した。こう言ったことがある。「ぼくは、高潔な悲しみと罪ある悲しみがあることを学んだ。両方とも真実だし、両方ともすごく苦しい。でも罪ある悲しみのほうがはるかにひどいものだ。高潔な悲しみは、禁欲主義者が感じるように、何が欠けているかはわかっていても、何を失ったかはわからない。罪ある悲しみは、失ったもののことをいつまでも忘れられない。」メルにとって、罪ある悲しみとは、同性愛者であることを公けに認めれば、キャリアと牧師職ばかりか結婚生活も失い、また信仰を失うことにもなりかねないと意識し続けることだった。

こうした罪悪感にもかかわらず、メルはついに選択は二つに絞られると結論する。精神に異常をきたすか、自分のありのままを受け入れるか。同性愛願望を抑えつけて異性愛の結婚生活を送ろうとしたり、ゲイとして独身生活を過ごそうとしたりすると、やがて必ず精神に異常をきたすようになるだろうと思った。(当時彼は週に五日、精神科医を訪れ、一回の診療に一万円余りを払っていた。)「ありのままの自分を受け入れる」とは、ゲイのパートナーを見つけ、同性愛者としての自分を受け入れることを意味した。

私はメルの長い放浪の旅に困惑した。妻と私は幾度となく、メルといっしょに夜遅くまで彼の将来について話し合った。そして、この問題にふさわしい聖書の箇所とその意味を調べた。メルが何度も問うたのは、クリスチャンはなぜ、同性同士の結びつきばかりに目を向け、同じ聖書箇所で述べられている他の行為に言及しないのか、ということだった。

メルの求めで、一九八七年にワシントンで行われた最初のゲイのデモ行進に参加した。デモの一員としてでも、ジャーナリストとしてでもなく、ただメルの友人としていっしょに歩いたのだ。メルは、自分に重くのしかかっている決断のいくつかを整理する際に、ぜひとも私にそばにいてほしいと望んだのである。

約三十万のゲイの人たちが集まっていたが、中には明らかに公衆に衝撃を与えようとしている者も少数ながらおり、夕方のテレビ・ニュースでは放映できないような衣装を着ていた。十月のその日はひんやりとして、パレードする列の上に灰色の雲が雨粒を落としていた。

私はホワイトハウスの真っ正面に立って、怒りの対決をそばで見ていた。騎馬警官が、ゲイのデモ隊に対抗する小さなグループを囲んで守っている。そのグループは地獄の業火を鮮やかに描いたオレンジ色のポスターを掲げ、報道カメラマンの注意を引きつけていた。ゲイのデモ行進者一万五千、それに抗議するクリスチャン一の割合で、数の上では圧倒されていたが、抗議者たちはゲイの人たちに向かって挑発的なスローガンを浴びせかけていた。

「ホモは帰れ！」リーダーがマイクで叫ぶと、抗議者たちは「ホモは帰れ、ホモは帰れ……」と唱和する。それに飽きると、「自分の行為の恥を知れ」に切り換える。シュプレヒコールの合間にリーダーが、神は男色者や性倒錯者のために地獄でいちばん熱い炎を備えておられる、という短い説教をした。

「エイズ、エイズが、おまえらを襲う」というのが抗議者たちのレパートリー最後のヤジで、最も熱狂的に叫ばれた。私たちは数百人のエイズ患者の悲しげな行列を見たところだった。多くの人が車椅子に乗り、その身体は強制収容所の生存者のように痩せ衰えていた。繰り返される抗議者たちの言葉を聞きながら、こんな運命が他の人にふりかかることをどうして望むのか、私には理解できなかった。

ゲイの人たちが、抗議するクリスチャンに示した反応はいろいろだった。けんか好きな人は投げキスをしたり、「偏屈者！　偏屈者！　恥を知れ！」と反撃したりした。あるレズビアングループが声を合わせて抗議者に向かい、「あなたの奥さん、いただくわ！」と叫び、報道関係者から笑いを誘った。

行進者の中には、いろいろな宗教グループと関わっている人が三千人はいた。カトリックの「ディグニティー」（尊厳）運動、米国聖公会の「インテグリティー」（誠実）運動、またモルモン教徒やセブンスデー・アドベンティスト派に属する者たちもわずかではあったが、加わっていた。メトロポリタン・コミュニティー・チャーチ（ＭＣＣ）の旗のもとで一千人余りの人たちが行進したが、ＭＣＣは、同性愛に対する立場を除けば、ほぼ福音的な神学に立つ教派である。最後に行進したこのグループは、警官隊に守られたクリスチャンの抗議者たちに、痛烈な答えを用意していた。列を乱すことなく静かに近づくと、抗議者に向かって、こう歌った。「イエスは私たちを愛しておられる、私たちはこのことを知っている。聖書がそう語っているのだから。」

この対決の場面に見られた一つの皮肉《アイロニー》とも言える光景に私はとらえられた。一方の側には、純粋な教理を守っているクリスチャンたちがいる。（全米キリスト教協議会でさえMCCが会員になることを承諾しなかった。）もう一方の側には、「罪人たち」がいた。彼らの多くは公然と同性愛行為を認めている。より正統的なグループが憎悪をむき出しにし、もう一方がイエスの愛を歌っていたのである。

ワシントンで週末を過ごす間に、メルは私を大勢の宗教グループの指導者に紹介してくれた。一度の週末にこれほど多くの教会の礼拝に出席した覚えがない。驚いたことに、ほとんどの礼拝が正統的な福音派の賛美歌と礼拝式次第を使っており、講壇から説教される神学には何一つ疑わしいものがなかった。指導者の一人が言った。「ゲイのクリスチャンはたいてい神学的にはきわめて保守的です。私たちは教会からこんなにも憎まれ、拒絶されているのですから、福音が真理でないと思うなら、教会にこだわる理由など全くないんです。」彼の主張を証明する話を数多く聞いた。

私が取材したゲイの人たちはみな、身の毛もよだつほどの拒絶に遭い、憎まれ、迫害を受けたと言った。ののしられ、数えられないくらい殴られた人がほとんどだった。話を聞いた人の半数が家族と絶縁状態にあった。エイズ患者の中には、自分の病気のことを知らせるために、疎遠になっていた家族と連絡をとろうとしたが、何の返事ももらえなかった人たちもいた。ある男性は、家族と別れて十年後に、ウィスコンシンの家で開かれる感謝祭の夕べに招待されたが、母親は彼をひとり離れた席に座らせた。テーブルのセットも彼だけ別で、プラスチックの皿やフォーク類が置かれていた。

「確かに、ゲイの人々には同情心をもって接するべきですが、それと同時にさばきのメッセージを伝えなければなりません」と言うクリスチャンもいる。取材をすべて終えて理解したのは、ゲイの人がみな教会からさばきのメッセージを聞いてきたことだった――何度も何度も、さばきのことだけを。取材したゲイの人の中で、神学に傾倒している人たちは、同性愛に関する聖書のくだりを違ったふうに解釈していた。ある人は、この解釈の違いについて議論しようと保守的な学者に提案したが、だれひとり賛同しなかったという。

私はくらくらした頭を抱えて、ワシントンを離れた。熱い賛美、祈り、証しを特徴とする満員の礼拝に出席したが、その中心にはキリスト教会がいつも罪であると教えてきたものがあったからだ。また、友人のメルが、道徳的に間違っていると思われるほうへ――誘惑に満ちた恐ろしい生活を始めるために妻と離婚し、牧師職を失うというほうへ――どんどん近づいているように思えたからだ。

メル・ホワイトに出会わなかったら、私自身の人生はずっと単純なものになっていた気がした。だが彼は私の友人だった――彼とどう接するべきなのか。恵みは私に何をさせようとするのだろう。イエスならどうなさるのだろうか。

メルはゲイであると公表し、その話が書籍として出版されると、以前の同僚や雇用者は彼を冷たくあしらうようになった。以前はメルのことを快く迎え入れ、いっしょに旅をし、彼の仕事のおかげで何千万円ももうけた著名なクリスチャンたちが突然きびすを返して去った。ある空港で、メルがよく知る有力なクリスチャン政治家に歩み寄って、手を差し出すと、その人は顔をしかめて、くるりと後ろを向き、話をしようともしなかった。メルの本が出たとき、雇い主だったクリスチャンの何人かは記者会見を開いて本を公然と非難し、過去の親しいつながりの一切を否定した。

しばらくの間、メルはラジオのトーク・ショーやテレビのワイドショーなどに引っぱりだこだった。この世のメディアは、「宗教右派の指導者のもとで働く隠れ同性愛者」という切り口に大喜びし、ゴシップを求めて、福音派の著名人についてメルが語る話を事細かに調査した。メルはこうしたショーに出演したため、多くのクリスチャンから叱責を受けた。「どんなトーク・ショーにも出演したよ。ぼくは嫌悪の的で、レビ記の律法に従って扱われるべきだと電話してきた人もいたね。石打ちの刑に処せられるべきだというわけだよ。」

メルの本に登場するという単純な理由で、私のところにもそうしたクリスチャンたちから便りが届いた。メル宛の手紙のコピーを入れてきた男性もいたが、そこには最後にこう書かれていた。

「ある日、あなたが真に悔い改め、あなたを虜《とりこ》にしている罪から解放されることを心から願い、いわゆる『ゲイの教会』の間違った教えを捨てるようにと心から祈っています。あなたが悔い改めないなら、感謝なことに、あなたにふさわしいものが待っています。罪の奴隷となり、悔い改めを拒む者すべてのために用意されている永遠の地獄です。」

返事を書いたとき、「感謝なことに」という言葉を本気で用いたのか、と尋ねてみた。すると、聖句をたくさん引用した長い手紙が返ってきて、もちろん「本気だ」と念を押してきた。

私は近所に住む他のゲイの人たちに努めて会うようになったが、その中には、キリスト教に触れて育った人もいた。ある人は言った。「教会に行くのが大好きでした。でも、行こうとすると、いつでもだれかが私のうわさを流し、突然みんなが遠ざかってしまうんです。」そして彼は、身も凍るような発言をした。「ゲイの私にわかったのは、教会で抱きしめてもらうより、路上でセックスすることのほうが簡単だということです。」

愛情をもって同性愛者とつきあっていこうとするクリスチャンにも会った。たとえば、クリスチャンのベストセラー作家バーバラ・ジョンソンが知ったのは、息子がゲイであること、そして教会がそのことを扱うすべを知らないことだった。彼女は「へらミニストリーズ」という団体を設立し（「あなたは私をショックから立ち直るのに手を貸してくれなければならなかった、へらで天井からこそげ落とすようにして」という言葉のように）、同じ境遇にある他の親たちに奉仕している。バーバラは、聖書は確かに同性愛を禁じていると信じるので、同性愛行為には反対し、その点を常に明確にしている。ただ教会に逃げ場を見いだせない家族のために避難所を作ろうとしているのだ。ニュースレターには、ばらばらに引き裂かれた後、やっとの思いで再び一つになった家族の話が満載されている。「ここに載っている子たちは私たちの息子であり、娘なのですよ。」 バーバラは言う。「彼らにドアを閉ざしてしまうことなど、とてもできません。」

トニー・カンポロと話したこともある。彼は同性愛行為にきっぱりと反対の立場を表明して注目を集めているクリスチャンだが、一方で、同性愛指向は生来のもので、変えることが不可能に近いことを認めている。また、禁欲生活という理想を掲げている。トニーは、妻がゲイ・コミュニティーで伝道しているせいもあって、クリスチャンたちから中傷され、そのために予定されていた講演の多くがキャンセルになることもあった。ある会議で、抗議者たちがトニーとゲイの指導者たちが「同性愛国」で交わしたという文書をばらまいたが、結局それは偽物で、謀略工作の一環だった。

自分でも驚いたのだが、私はエドワード・ドブソンから「異なる」人々との接し方について多くを学んだのである。このエドワード・ドブソンはボブ・ジョーンズ大学を卒業し、ジェリー・ファルウェルの右腕として働き、『ファンダメンタリスト・ジャーナル』誌を創刊した。ファルウェルの組織を離れた後、ミシガン州グランド・ラピッズで牧会し、同市のエイズ問題に関心をもつようになった。そして、町でゲイの指導者に話し合いをもちかけ、自分の教会の会員に奉仕させましょう、と申し出た。

同性愛行為が間違っているという信念は変わらなかったが、ドブソンはどうしてもキリストの愛によってゲイのコミュニティーに手を差し伸べなければならない、と思っていた。ドブソンのファンダメンタリストとしての名声を知っていたゲイの活動家たちのほうが、かえって慎重だった。そして多くのゲイにとってと同様、彼らにとっても、「ファンダメンタリスト」は、私がワシントンD・Cで見た抗議者のような人たちのことが思い起こされたのである。

しかし、やがてエドワード・ドブソンは彼らの信頼を得、HIV感染者にクリスマス・プレゼントをしようと教会員に呼びかけた。そして病人や末期の人を支える、すぐに役立つさまざまなものを提供するようになった。教会員の多くはそれまで同性愛者に会ったことがなかった。協力を拒む人たちもいた。だが次第に、ゲイの人たちも教会の人たちも互いを新しい光の中で見るようになっていった。あるゲイがドブソンに言った。「私たちはあなたがたの立場を知っていますし、私たちと同じ意見でないこともわかっています。それでもなお、あなたがたはイエスの愛を示してくれます。私たちはそれに引きつけられています。」

グランド・ラピッズの多くのエイズ患者にとって、「クリスチャン」という言葉は今では以前とは全く違った意味をもっている。ドブソンは自らの経験を通して、クリスチャンは倫理的行動について強い見解をもちながらも、なお愛を示せることを証明した。彼は私にこんなことを言ったことがある。「私が死んだ時に、だれかが葬式で『エド・ドブソンは同性愛者たちを愛した』とだけ言ってくれれば、それを誇りに思います」と。

当時米国公衆衛生局長だったC・エベレット・クープにもインタビューしたことがある。クープは間違いなく福音的なクリスチャンであった。フランシス・シェーファーとチームを組んで、保守的なクリスチャン・コミュニティーが妊娠中絶合法化に反対する政治闘争を起こすのに一役買っている。

クープは「国の医師」という職務でエイズ患者を見舞った。がりがりに痩せて衰弱し、身体中に紫色の傷がある彼らを見て、クープは医者としてもクリスチャンとしても、患者たちに深い同情心をもつようになった。特権を奪われた弱い立場にある人たちを捜して、そのお世話をします、と誓いを立てていたのだが、エイズ患者はアメリカでもっとも弱く、特権を奪われた人々だった。

クープは七週間にわたり宗教グループだけに話をしたが、その中にはジェリー・ファルウェルの教会、全米福音放送連盟の大会、ユダヤ教やローマ・カトリック内の保守グループもあった。それらの講演会は完全に公衆衛生総局の主導でなされたが、クープは禁欲と一夫一婦婚の必要を確信をもって主張した。しかし、「私は異性愛者と同性愛者、若者と老人、道徳的な人と不道徳な人両方の公衆衛生局長です」とも付け加えた。仲間のクリスチャンたちをこう言って、諭した。

「罪を憎んでもよいが、罪人は愛するべきではないのかね。」

クープは性的混乱には個人的に嫌悪の念をもっていることを常に表明した——同性愛行為に言及するときは必ず「ソドミー（sodomy）」という言葉を使った——が、公衆衛生局長としては、同性愛者のために議員に働きかけ、彼らを思いやった。ボストンで一万二千人のゲイの人々に向かって講演を行ったとき、同性愛者たちが「クープ！　クープ！　クープ！　クープ！」と自分の名を繰り返し呼んでいることが、彼には信じられなかった。「私が同性愛行為について発言してきたことを知っているにもかかわらず、同性愛者たちは信じられないほど支持してくれた。それは、私がすべての国民の公衆衛生局長であると公言し、同性愛者たちのいるところでその人たちに会おうとするからだと思う。それに私が同性愛者たちへのあわれみと、彼らをケアするボランティアを求めているからだろう。」　クープの思想に妥協は見いだせなかった——今でも、あくまで「ソドミー」という感情的な言葉を使っている——。しかし、彼ほど同性愛者に温かく受け入れられている福音派のクリスチャンはいない。

最後に、私はメル・ホワイトの両親から「異なる」人々について大切なことを教えてもらった。あるテレビ局が、メルとその妻、友人、両親にインタビューする番組を制作した。注目すべきことに、メルの妻は彼を支え続け、離婚してからも彼のことを好意的に語っている。そして、彼の本の序文まで書いている。メルの両親は保守的なクリスチャンであり、地域でも尊敬を集めていた（メルの父親は市長を務めた）が、この事態を受け入れるのにつらい時期を過ごした。メルが二人に自分のことを打ち明けたとき、ショックと否定の織りなすさまざまな段階を経験したのだ。インタビュアーがメルの両親にこう尋ねた。「他のクリスチャンが息子さんについてどう言っているかご存じでしょう。息子さんのことを忌まわしいと言っています。そのことについて、どうお考えですか。」

メルの母親は美しい声を震わせながら答えた。「そうですね。忌まわしいかもしれません。でも、それでもあの子は私たちの誇りであり喜びなのです。」

この言葉が私の心から離れないのは、これこそが恵みの定義であると思えるようになったからである。私たち一人一人を神がどのように見ておられるかを、メルの母親が表現していたということがわかったのだ。私たちはみな、神にとってはどこか忌まわしい存在だ——「すべての人は、罪を犯したので、神の栄光を受けることができず……」（ローマ三・二三）——しかもどういうわけか、どんな理由があろうと、神は私たちを愛してくださっている。恵みは、こんな私たちが神の誇りであり喜びである、と宣言しているのである。

ポール・トゥルニエは、離婚を考えている友人についてこう書いた。

「彼のしようとしていることを認めることはできない。離婚は常に神への不従順である。私が彼にそのことを言わないでおくようなことがあれば、自分の信念を裏切ることになる。私たちが本当に神の導きのもとに解決を求めていけば、結婚問題には離婚以外の解決の道が必ずあるだろう。しかしこの神への不従順行為以上に悪いものがある。私が毎日犯している中傷やうそ、プライドを保つための偽装、といったものである。私たちの置かれている人生の状況は違っても、心の現実は同じである。私が彼の立場だったら、彼とは違った行動をとるだろうか。それはわからない。だが、少なくとも、あるがままの私を愛してくれる友、さばかずに信頼してくれる友人が必要である。彼は離婚したら、間違いなく今見舞われている以上の大きな困難に直面するだろう。私の愛情をもっと必要とするだろう。私はそのことを彼に保証してあげなければならないのだ。」

実力行使真っ最中のメルから電話をもらったことがある。彼はコロラド州コロラド・スプリングスのキャンピングカーの中で断食をしていた。そこは保守派の牙城であり、ゲイの権利を求める活動家から「グラウンド・ゼロ」と名づけられていた。メルは、キャンピングカーの中にコロラド・スプリングスのキリスト教団体から送られてきた「ゲイ叩き」の郵便物を並べていた。彼はその団体の指導者たちに、人々を扇動するような発言をしないよう願っていた。その地方ではあちこちでゲイに対する憎悪犯罪が多発していたからだ。

メルはつらい週を過ごしていた。地元ラジオのコメンテーターが遠回しに脅しをかけてきたし、夜には暴走族まがいの連中が彼のキャンピングカーのまわりを走り回り、クラクションを鳴らして、睡眠を妨害した。

「ある記者が、とにかく一度ぼくたち全員を集めようとしているんだ。」メルは電話で語った。「彼はACT・UPの強硬派や『フォーカス・オン・ザ・ファミリー』、『ナビゲーター』などの幹部だけでなく、MCC教会の同性愛の牧師も何人か招いている。どんなことが起きるかわからない。空腹だし、ひどく疲れているし、怖いんだ。君にここにいてほしいんだよ。」

私は家を飛び出した。メルはそのような集会を招集できる、おそらくただ一人の人間だ。政治的右派と左派の人々が同じ部屋に座り、空中に緊張が漂っているのはだれの目にも明らかだった。その夕べの出来事の多くを覚えているが、とりわけ記憶に残っていることがある。メルは私にいくつかの問題について話してほしいと言い、私を友人だと紹介すると、二人のこれまでの関わりについて語った。そしてこう言った。「ぼくは、フィリップが同性愛の問題をどう思っているのか知らないし、本当のことを言うと、聞くのが怖い。でも、フィリップがこのぼくのことをどう思っているのかはわかっている。愛してくれているんだ。」

メルとの友情から、恵みについて多くを教えられた。この「恵み」という言葉は表面的には、リベラリズムの曖昧な寛大さを手っ取り早く表現しているように思えるかもしれない。なんとかうまくやっていけないだろうか、というような寛大さだ。しかし恵みはこれとは全く別ものである。神学的ルーツにまでさかのぼってみれば、恵みには自己犠牲、代償といった要素がある。

私は、自分をののしるクリスチャンたちにメルが幾度となく恵みにあふれた心を示すのを見てきた。クリスチャンたちから受け取った憎しみに満ちた郵便物の束を見せてもらったことがあるが、最後まで読むことは難しかった。手紙の一通一通が憎しみで腐りきっていた。書いた人々は神の名において、呪いと不敬な言葉と脅しを雨のように降らせていた。私は、「待ってくれ、メルは私の友人だ。あなたがたは彼のことを知らないだけなんだ」と抗議したかった。だが、そんな手紙を書いた人にとって、メルはラベル――「性倒錯者!」というラベル――であって、人間ではなかった。私はメルを知っているので、イエスが山上の説教の中で手厳しく論じられた危険がよくわかる。私たちは、他の人を殺人者と非難しながら、自分自身の怒りを見過ごしている。あるいは、他人の姦淫を非難しながら、自分自身の情欲を見過ごしている、という危険だ。私たち対彼ら、という図式になると、恵みは死んでしまうのだ。

メルの著書『門口にいる見知らぬ人』に対して書かれた手紙も何通か読んだ。ほとんどがゲイの人々からで、率直な話が述べられている。手紙を書いた人の多くがメルのように、自殺未遂を図っていた。やはりメルのように、教会からは拒絶されるという辛苦だけを味わわされていた。メルの本は八万冊売れ、四万一千人の読者から手紙が来た――この驚くべき割合は、同性愛コミュニティーがいかに恵みに飢えているかを物語っているのではないだろうか。

私は、メルが新しい仕事を始めようとするのを見てきた。彼は以前の顧客すべてを失い、収入も七五パーセント落ち込み、豪華な一戸建てから集合住宅へ移らなければならなかった。MCC教会の「ミニスター・オブ・ジャスティス」として、今では多くの時間を小さな教会のゲイの人たちと話をすることに費やしている。その人たちは、やんわりとした言い方をすれば、説教者のエゴを満足させるようなことを何一つしない人々である。

「ゲイの教会」という考え方自体が、私には異様に思われる。独身で同性愛行為をしていないゲイの人たちと会ったことがあるが、彼らは教会にぜひとも受け入れてもらいたいと願いながら、そのようにしてくれる教会を一つも見つけられなかった。自分の通っている教会がこうしたクリスチャンたちの霊的賜物を見落としていることは、本当に残念だ。MCC教会が性の問題にあまりにも固執し過ぎているように見えることも残念に思う。

メルと私には大きな違いがある。彼の下した決断の多くを私は容認できない。「ある日、ぼくたちはピケラインをはさんで向き合うかもしれないね。」彼は数年前にそんなことを言った。「そうしたら、ぼくたちの友情はどうなるんだろう。」

私はロシアから戻った直後、「レッドライオン・イン」の喫茶店で、一つの難しい問題にでくわした。共産主義の崩壊、世界の約三分の一がキリストに心を開いたこと、ゴルバチョフやKGBの口から直接聞いた信じがたい言葉……、これらのニュースで頭がいっぱいだった。あまりに知識のなかった世紀における、めったにない恵みの時のような気がした。

しかしメルは全く違う問題を抱えていた。「ぼくの叙任を支持できるかい。」彼はそう尋ねてきた。そのとき同性愛は――性的関心とまで言わなくても――私の心から遠く離れたものになっていた。考えていたのは、マルクス主義の崩壊や冷戦の終結、グーラグの解放のことだった。しばらく考えてからメルに言った。「いいや。君のこれまでの歩み、それから使徒の手紙に書かれていることを考慮すると、君にその資格があるとは思えない。君の叙任のことで、もしも投票することになったら、『否』に入れるよ。」

この会話の後、二人の友情が元に戻るまで何か月もかかった。私はそのとき正直に答えたのだが、メルには、率直で個人的な拒絶に聞こえたのだ。私は、『クリスチャニティ・トゥデイ』誌に記事を書いている人間であり、彼に大きな痛みをもたらしてきた福音派の体制側を代表する者である。彼の立場に我が身を置いて、そんな私と友だちであり続けることが彼にとってどういうことかを理解しようと心がけている。同じ考えをもつ支持者に囲まれていたら、メルはどんなに楽だろうか。

率直に言って、私たちの友情には私よりもメルのほうにずっと多くの恵みが必要なのだと思う。

この話に対する反応は予測がつく。同性愛は一発触発の問題なので、両陣営から熱い反響が寄せられるのだ。保守的な人たちは私が罪人を甘やかしていると厳しく非難してくるだろうし、リベラルな人たちは私が彼らの立場を支持していないと攻撃してくるだろう。繰り返して言うが、私は同性愛行為についての見解を論じてはいない。同性愛者たちに対する自分の姿勢を論じているのである。自分とメルとの関係を例に使ってきた――ある問題は慎重に避けながら――が、それは、「異なる」人々たちとどのように接することを恵みが求めているか、今現実に私が問われている問題であるからだ。

どこにおいても、こうした深遠な問題は、恵みの厳しい試練のようなものになる。ある人々は、過去に自分を傷つけたファンダメンタリストたちとどう接するかということに取り組まなければならない。ウィル・キャンベルは、レッドネックやＫＫＫの団員たちと和解するという責務を引き受けた。また、「差別のない」リベラルな人たちの傲慢さや狭量さと闘う人々もいる。白人は、アフリカ系アメリカ人とどう違うかに取り組まなければならないし、またアフリカ系アメリカ人も同様である。スラム街のアフリカ系アメリカ人はまたユダヤ人や韓国人との複雑な関係をも克服しなければならない。

同性愛のような問題は特別なものである。主な違いが文化ではなく、モラルの問題にあるからだ。歴史上、教会はおおむね同性愛行為を重大な罪であるとみなした。それで次のような問いが生まれてくる。「私たちは罪人たちをどのように扱うのか。」

離婚の問題をめぐって、私の生涯に福音的な教会内で起きてきた大きな変化について考える。イエスが明確にしておられる問題だ。今日、離婚した人が教会から追い出されたり除籍させられたり、唾を吐きかけられたり、激しい非難の声を浴びせかけられたりすることはなくなった。離婚を罪と考える人でさえ、その罪人たちを受け入れ、思いやりと愛をもって接するまでになっている。聖書が明確にしている他の罪――たとえば貪欲――は何の障壁にもなっていないように見える。私たちはその行為を是認しないで、その人を受け入れるようになってきたのである。

イエスの生涯を学んで確信したことがある。それは、私たちが「異なる」人々と接する際に克服しなければならないどんな障壁も、聖なる神が私たちの一員となるために、地球という星に降って来た時に克服なさったものとは比較にならない、ということである。至聖所に住み、その臨在が山の頂上から炎と煙を起こし、近くをうろつく汚れた人間を死に至らせる神であられるからだ。

売春婦、他人を食い物にする裕福な男、悪霊につかれた女性、ローマの兵士、腫れものを患うサマリヤ人、次々に夫を代えたサマリヤ人女性――イエスがこうした「罪人の友」としての名声を得たことに、私は感動を覚える。ヘルムート・ティーリケは次のように書いた。

「イエスは、淫らな女、暴漢、ならず者を愛する力をもっておられた。……それができたのは、ひとえにイエスが退廃の汚物と硬い外皮の下にあるものをご覧になったからだ。というのも、彼の目が、全く――どの人間にも！――隠されてしまっている神の造られた原型をとらえていたからだ。……何よりもまず、イエスは私たちに新しい目を与えてくださるのだ。

……

イエスは罪の意識に苦しむ人を愛し助けたとき、その人の中に、過ちを犯している神の子どもをご覧になった。その人の中に、父なる神が愛し、間違った道を歩んでいるために神が嘆き悲しんでおられる人間をご覧になった。その人を、神がもともとデザインなさったように見たので、汚れや泥といった表層を貫いて、その下にある真の人間をご覧になったのである。イエスはその人を、その人の罪と同一視せず、むしろこの罪の中に、何か異質のもの、本当はその人に属さないもの、ただその人を縛り、支配しているものをご覧になった。イエスはその人をそこから解放し、本当の自分に戻らせるのだ。イエスは泥の層を突き抜けてあの人たちを愛したので、人間を愛することがおできになったのだ。」

私たちは忌み嫌われる存在かもしれないが、それでもなお神にとっての誇りであり、喜びなのである。教会にいる私たちには、他の人の中に可能性を見る「恵みによって癒やされた目」が必要だ。神は私たちの上にもこれほど惜しみなくその恵みを下さったのだから。ドストエフスキーは言った。「人を愛するとは、その人を、神がこうあれと意図されたように見ることである。」

カトリックの小説家は、人は罪によって自分の自由を破棄してしまうと信じている。しかし、現代の読者は、人は罪を犯すことによって自由を得ると信じているように私は思う。両者が理解し合う可能性は少なくない。

フラナリー・オコナー

14 抜け穴

歴史家であり芸術評論家のロバート・ヒューズが、オーストラリア沖の最も警備の厳しい島で終身刑に服していた犯罪人の話をしている。その男はある日、挑発されたわけでもないのに仲間の囚人に襲いかかり、殴って気絶させてしまう。当局は法廷に立たせるべく、この犯罪人を船で本島に送り返したが、彼はそこで自分の犯した罪を率直に認める。後悔しているそぶりも見せず、被害者に対して別に恨みをもっていたわけではないと述べた。「では、なぜあんなことをしたんだ?」当惑した判事が尋ねた。「何が動機なんだ?」

この囚人は、暴力のすさまじさで悪名の高い島の生活に嫌気がさし、今後もそこで生きていく理由を見いだせなかったのだ、と答えた。「なるほど、それはよくわかる。」判事は言った。「君が海に身を投げたくなる理由はわかる。だが人を殺そうとするとは? なぜ殺そうとしたのか?」

「まあ、そんなものですよ。」囚人は言った。「私はカトリックです。自殺をすれば地獄へ直行です。でも人を殺せば、ここシドニーに戻り、処刑される前に司祭に罪を懺悔できます。そうすれば、神は私を赦してくださるでしょう。」

この囚人の論理は、ハムレット王子の姿をそのまま映し出している。王が悪行を赦されて、まっすぐ天国へ行くことがないように、チャペルで祈っている王を殺そうとしなかった、あのハムレットである。

恵みについて書くならば、どうしても恵みの抜け穴と対決しなければならない。W・H・オーデンの「しばしの間」という詩の中では、ヘロデ王が恵みの論理的帰結を的確にとらえている。「ごろつきたちは言うだろう。『俺は犯罪を犯すのが好き。神は罪人を赦すのが好き。世界は本当に良くできているもんだ。』」

この点について、私が恵みの一側面だけを描写してきたことを率直に認めよう。私は神を、赦しに熱心で、愛に痛む父親として描いてきたし、恵みには私たちを縛っている鎖を切断する力があり、私たちの間にある大きな違いを克服する寛大さがあると書いてきた。恵みがこれほど大胆に表現されると、それを聞くほうは落ち着きを失う。そして私は、自分が危険ぎりぎりのところまで来たことを認める。だが、そうしてきたのは、新約聖書もそのようにしていると考えるからだ。大説教家マーティン・ロイドジョンズの辛口の忠言に心を留めてみよう。

「このように、『信仰のみによる義認』というメッセージは、ある意味で明らかに危険なものとなり得るのであり、救いは全く恵みによる、というメッセージも同様である……。すべての説教家に言おう。あなたの救いの説教がそんなふうに誤解されていないのなら、その説教をもう一度検討すべきだ。新約聖書の中で不信心な人々や罪人たち、神の敵たちに差し出されている救いを自分が本当に説いているかどうかを確認すべきである。救いの教義を真に提示することには、この種の危険が伴うからだ。」

恵みにはつまずき《スキャンダル》の臭いがする。カール・バルトは、あなたはアドルフ・ヒトラーに何と言いたいかと尋ねられたとき、こう答えた。「イエス・キリストはあなたの罪のために死なれました。」ヒトラーの罪のために？　ユダの罪のために？　恵みには際限というものがないのだろうか。旧約聖書の二人の偉人モーセとダビデは人を殺したが、神はなおも二人を愛された。前述したように、キリスト教迫害運動を率いた男は、比肩するもののない宣教の旗じるしを掲げた。パウロは、あの赦しの奇跡を倦むことなく語り続けた。「私は以前は、神をけがす者、迫害する者、暴力をふるう者でした。それでも、信じていないときに知らないでしたことなので、あわれみを受けたのです。私たちの主の、この恵みは、キリスト・イエスにある信仰と愛とともに、ますます満ちあふれるようになりました。『キリスト・イエスは、罪人を救うためにこの世に来られた』ということばは、まことであり、そのまま受け入れるに値するものです。私はその罪人のかしらです」（Ⅰテモテ一・一三―一五、傍点筆者）。

刑務所伝道「プリズン・フェローシップ・インターナショナル」を主宰するロン・ニッケルが世界中の囚人に向けて語るお決まりの話がある。「だれが天国へ行けるか、私たちにはわからない。イエスは、多くの人が驚くようなことを言われた。『わたしに向かって、「主よ、主よ」と言う者がみな天の御国に入るのではなく……』と。けれども私たちは、盗人や殺人者が天国にいることを知っている。イエスは十字架上の強盗に天国を約束なさったし、パウロはまさに殺人の共犯者だった。」私は、チリやペルー、ロシアなどにいる囚人たちがロンの話を理解したときの顔の表情を忘れられない。彼らにとって、恵みのもたらすつまずき《スキャンダル》は、信じられないほどすばらしいものである。

ビル・モイヤーズが賛美歌の「アメイジング・グレイス」にまつわるテレビの特別番組を撮ったとき、カメラはジョニー・キャッシュを追って、警備が最も厳重と言われる刑務所の中へ入って行った。「この歌はあなたがたにどんな意味がありますか。」キャッシュはこの賛美歌を歌ってから、囚人たちに尋ねた。殺人未遂で刑に服している男が答えた。「私は教会の役員を務める熱心な信徒でしたが、このような場所に来て、恵みがどういうものであるかを初めて知りました。」

友人のダニエルと話しているとき、「恵みの乱用」がなされる可能性を考えずにいられなかった。ある夜遅く、レストランでダニエルから、十五年の結婚生活の果てに妻のもとを去る決心をしたと打ち明けられた。若くて美しい女性、「もう何年も感じることがなかった、生きていると実感させてくれる」人を見つけた、と言った。妻との間に特別な性格の不一致はなかった。新しい車に食指を動かす男のように、ただ変化が欲しかったのだ。

ダニエルはクリスチャンなので、自分のしようとしていることが個人的、道徳的にどんな結果をもたらすかを十分知っていた。家を出てしまえば、妻と三人の子どもに後々までダメージを与えるだろう、それでも、自分を若い女性へと引き寄せる力は強力な磁石のようにあらがいがたく強いのだ、と言った。

私は悲しみと嘆きに包まれながら彼の話を聞き、何とかそれを理解しようとして、ほとんど口を開かなかった。そしてデザートの皿をつついているとき、彼は爆弾発言をした。「本当のことを言うとね、フィリップ、今夜君にここへ来てもらったのは、ほかでもない、前から気になっていて、聞きたいことがあったからなんだ。君は聖書をよく勉強しているよね。ぼくがしようとしているようなひどいことを、神は赦すことができると思うかい？」

ダニエルの質問は、まるで生きた蛇のようにテーブルの上を這い、私はコーヒーを三杯も飲んだ。飲んでいる間に、恵みの余波について必死に考えた。赦しがすぐそばにあると知っている友人が恐ろしい間違いを犯すのを、どうやって思いとどまらせることができるのだろうか。ロバート・ヒューズの語った本章冒頭の恐ろしい話のように、自分が赦されることをすでに知っている囚人に、殺人を犯させないようにすることにどんな意味があるのだろうか。

恵みには「裏《キャッチ》」があることに、ここで触れておかなければならない。C・S・ルイスによると、「聖アウグスティヌスは、『神は、からっぽの手に与えてくださる』と言う。両手に包みをいっぱい抱えている人は、贈り物を受け取ることができない」。言い換えると、恵みは受け取られる必要がある、ということだ。私が「恵みの乱用」と名づけたものは、見逃しと赦しを混同させたために生じる、とルイスは説明している。「悪を大目に見るということはそれを無視し、あたかもそれが善であるかのごとくに取り扱うことです。しかし赦しが完全となるためには、それは赦す側によって提供されるだけでなく、赦される側によって受け入れられなければなりません。けれども罪を認めない人間は、赦しを受け入れることができないのです。」

私が友人ダニエルに語ったのは、要は、こういうことである。「神は君を赦すことができるだろうか。もちろんだ。君は聖書をよく知っている。神は殺人者や姦淫を犯す者をもお用いになる。ペテロやパウロという、ろくでもない二人が新約聖書の教会を導いたくらいなのだから。赦しは、いいかい、ぼくらの側の問題であって、神の問題ではない。ぼくたちは罪を犯すときに、神から遠ざけられてしまう――反逆行為を働くとき、ぼくたちは変わってしまうわけだ。そして、もとに戻る保証もない。君は今、赦しのことをぼくに聞いているけれど、赦しには悔い改めが必要だとしても、後に赦しを求めるのだろうか。」

そんな会話をして数か月後、ダニエルは家族のもとを去った。彼が悔い改めた証拠は今も見ていない。ダニエルは、この決断は不幸な結婚から自由になる手段であった、と理由づけようとしている。かつての友人たちの多くを「あまりにも心が狭く、さばくことが好きな人たち」ときめつけ、代わりに自分の選択を祝福する人を探している。しかし私には、ダニエルはあまり自由になっているようには思えない。「自由」の代償が、彼のことをいちばん心配している人に背を向けることだからである。ダニエルは、神は今のところ自分の生活の一部ではないとも言う。「おそらく、もっと後になってから」と言うのだ。

神はあらかじめ赦しを宣言することによって、大きなリスクを背負われた。そして、恵みが引き起こすつまずき《スキャンダル》には、そのリスクが私たちに及ぶことも含まれている。

「まことに欠点がたくさんあるのは悪だ。しかし欠点をたくさんもちながら、それを認めようとしないのはさらに大きな悪である」とパスカルは言う。

人間は二つのタイプに分かれる。よく考えられているような、罪人と「義人」ではなく、二つの違ったタイプの罪人にである。自分の誤りを認める罪人と、認めない罪人である。ヨハネの福音書八章は、この二つのグループが登場する場面を記している。

事件は、イエスが教えていた宮の庭で起こる。パリサイ人と律法学者たちのグループが姦淫の現場で捕らえられた女を引っぱってきて、その「礼拝」を中断させる。女は慣習に従い、恥ずべきことを行ったしるしに上半身裸にされている。女は恐怖におののき、自らを守るすべもなく、公衆の面前で屈辱を受け、むきだしの胸を腕でおおってイエスの前に縮こまっている。

もちろん、姦淫とは二人の人間が関係するものだが、その女はひとりでイエスの前にいる（ひょっとして、パリサイ人と床を共にしているところを捕らえられたのかもしれない）。ヨハネは、告発者たちの関心が、罪を罰することよりも、イエスを罠にかけることのほうにあった点を明らかにしているが、それは実に巧妙であった。モーセの律法は、姦淫には石打ちによる死を命じているが、ローマの法律はユダヤ人が実際に処刑することを禁じている。イエスはモーセに従うのか、それともローマに従うのか。それとも、あわれみ深いことで知られるイエスは、この姦淫の女を窮地から救い出す方法を見つけるのか。もしそうするなら、この宮のまさにこの庭に集まった群衆の面前でモーセの律法を公然と否定することになる。すべての目がイエスに釘づけになった。

緊張が最高潮に達したその時、イエスは奇妙な行動に出られた。身をかがめ、指で地面に何かを書き始められたのだ。実は、福音書の中でイエスが何かをお書きになったことを示す場面はここだけである。人の足や雨風でたちどころに消えてしまうと知りながら、イエスは砂のパレットを、一度だけお書きになる言葉のために用いられた。

イエスが砂の上に何を書かれたのか、ヨハネは語っていない。セシル・B・デミルは、映画『キング・オブ・キングス』の中で、イエスがさまざまな罪の名を綴っているところを描いている。姦淫、殺人、プライド、貪欲、情欲。イエスが言葉を一つ書くたびに、パリサイ人が何人かずつ列を作って去って行く。デミルの脚本も、他と同様、あくまでも憶測にすぎない。私たちにわかるのは、この危険きわまる瞬間にイエスが黙ったまま、指で地面に何かを書いておられたということだけだ。アイルランドの詩人セイマス・ヒーニーは、イエスは「できるだけ時間をかけて書き」、皆の注意を一点に集め、これから起ころうとしていることと、観衆が期待していることとの間に意味の亀裂を作り出そうとされた、と評している。

観衆は間違いなく、このドラマに二種類の役者を見る。現行犯でつかまった罪のある女と、宗教の専門家である「義」なる告発者たちだ。やがてイエスは口を開き、その一方を粉砕なさる。

「あなたがたのうちで罪のない者が、最初に彼女に石を投げなさい。」イエスはそう言われた。さらに時間をかけて、再び身をかがめて、何かを書かれると、一人また一人、告発者は全員こそこそと歩み去って行く。

次いでイエスが立ち上がり、ご自分の前にひとり残された女に呼びかけられる。「婦人よ。あの人たちは今どこにいますか。あなたを罪に定める者はなかったのですか。」

「だれもいません。」女は言う。

すると、処刑されると思って恐怖の中を引きずられたこの女に向かって、イエスは罪の赦しをお与えになる。「わたしもあなたを罪に定めない。行きなさい。今からは決して罪を犯してはなりません。」

こうしてすばらしい手腕をもって、イエスは、義人と罪人という一般的な二つのカテゴリーを、罪を認める罪人と罪を否定する罪人という二つの異なったカテゴリーに置き換えられた。姦淫の現場を捕らえられた女は、なすすべもなく自らの罪を認めた。はるかに問題なのは、罪を否定したり抑圧したりしているパリサイ人のような人々だった。彼らにも、恵みを受けるためにからっぽの手が必要だった。ポール・トゥルニエ博士はこうしたパターンを精神医学の言葉で表現している。「神は意識した罪をぬぐい去り、抑圧された罪を意識にのぼらせる。」

このヨハネの福音書八章の場面に私は動揺を覚える。なぜなら自分が本質的に、告発される人よりも告発する人のほうになるからだ。私は罪を告白するよりも否定することのほうが圧倒的に多い。体面という衣の下に自分の罪を覆い隠し、公の場で出すぎた無分別な行為をして、みすみす捕まるようなことは、めったにしない。しかし、この話を正しく理解すれば、この罪深い女が神の国に最も近い。私もあの女のように身体を震わせ、屈辱的な状態で、弁解のしようもなく、ただ神の恵みを受け取るために手のひらを開くようになったときに、初めて神の国に近づくことができるのだ。

恵みを受け取るために手を開いているその姿勢が、私が恵みの「裏《キャッチ》」と呼ぶものである。恵みは受け取られる必要がある。そしてその行為を表すクリスチャン用語が「悔い改め」、すなわち、恵みに至る扉なのである。C・S・ルイスは、悔い改めとは神が恣意的に私たちに要求なさるものではない、「神のもとに戻ることそれ自体を意味する」と言った。放蕩息子のたとえ話にちなんだ言い方をすれば、悔い改めとは喜びに満ちた祝福へ通じる家に逃げ帰ることである。未来への道、回復した関係への道を開くものである。

私が悔い改めに、つまり恵みに至る扉に向かうことを神が願っておられるとわかれば、罪についての聖書の厳しい言葉も新たな光の中に現れてくる。イエスはニコデモに、「神が御子を世に遣わされたのは、世をさばくためではなく、御子によって世が救われるためである」と語られた（ヨハネ三・一七）。言葉を換えれば、神が私のために罪の意識を呼び覚ましてくださるということである。神は私を押しつぶそうとするのではなく、解放しようとされる。そして解放するためには、パリサイ人の高慢な魂ではなく、現行犯で捕らえられたあの女のような無防備な魂が必要とされるのである。

傷は光の中に入るまで癒やされることがない。アルコール依存症の人は、「私は依存症だ」と自らの問題を認めない限り治癒の望みはない。否定することにたけた人がそのように告白するためには、家族や友人の不快とも思える介入が必要かもしれない。アルコール依存症患者が自ら認めるまで、家族や友人たちはその恥ずべき事実を「地面に書く」*のである。

トゥルニエはこう言っている。

「……自分自身に絶望している信者は、恵みの確信を力強く表現する人である。聖パウロ……そしてアッシジの聖フランシスコがいる。彼らは自分がすべての人間の中で最大の罪人であることを確信していた。そしてカルヴァンだ。彼は、人間が自分の力で善を行ったり、神を知ったりすることはできない、と強く主張した……。

ダニエル神父が言うように、『罪の意識をもつのが聖人である。罪の意識こそ、魂が神をどれだけ認識しているかを計るものなのだ』。」

「神の恵みを放縦に変える」ことは可能だ、と聖書の記者ユダは警告している（四節）。悔い改めをどんなに強調しても、この危険を完全に消し去ることはできない。ダニエルも、あのオーストラリアの囚人も、悔い改めが必要なことに理論上は同意した。しかし二人とも、まず欲しいものを手に入れ、そのあとで悔い改めることで、恵みの抜け穴を自分に都合のよいように使おうとした。こうした狡猾な考えは、最初に心の奥底で形づくられる。「自分が求めているのはこれだ。確かに、良くないことだとわかっている。でも、とにかくこのままやってみよう。あとで必ず赦してもらえることだし。」　この考えが膨らんで、頭から離れなくなり、結局、恵みが「不道徳へのライセンス」になってしまう。

クリスチャンはこの危険にいろいろな仕方で対処してきた。神の恵みに心酔していたマルティン・ルターは、恵みが乱用される可能性をときには一蹴した。友人のメランヒトンにこう書いている。「あなたが恵みを説く牧師であるなら、まがいものの恵みではなく、本物の恵みを説きなさい。そしてその恵みが真実であるなら、まがいものの罪ではなく本物の罪を伝えなさい。罪人でありなさい、そして元気に罪を犯しなさい。……私たちが豊かな神の栄光を通じて、この世の罪を背負った小羊を知れば、それで十分です。罪がこのことから私たちを断ち切ることはありません。たとえ私たちが姦淫や殺人を一日に何千回も犯したとしても、です。」

ある人々は、クリスチャンが姦淫や殺人を一日に何千回も犯すかもしれないという話に仰天し、誇張表現だとルターを非難した。聖書は結局のところ、恵みを、罪に対抗し、癒やす力をもつものとして示している。この恵みと罪は同じ人間の中でどのように共存できるのだろうか。私たちはペテロが命じているように、「恵み……において成長」（Ⅱペテロ三・一八）すべきではないのか。神の家族として、神にますます似ていくべきではないのか。ウォルター・トロビッシュは、「キリストはありのままの私たちを受け入れるが、キリストが私たちを受け入れると、私たちはありのままではいられなくなる」と書いた。

二十世紀の神学者ディートリッヒ・ボンヘッファーは、恵みの乱用を要約する一手段として「安価な恵み」という言葉を作りだした。彼はナチス支配下のドイツに生きたが、クリスチャンがヒトラーの脅威におびえていることに愕然とした。ルター派の牧師は日曜日ごとに説教壇から恵みを説いたが、週日は、ナチスが人種差別や安楽死、ついには大量虐殺の政策に走っても、押し黙っていた。ボンヘッファーの『キリストに従う』という本は、きよさに到達するように命じている新約聖書の多くの言葉を強調している。回心への招きはみな、弟子となること、キリストのようになることでもあると彼は主張した。

パウロはローマ人への手紙の中で、まさにこの問題を掘り下げている。神秘に包まれた恵みに、これほど強く注目している聖書の箇所はほかにない。そして恵みのもたらすつまずき《スキャンダル》がどんなものかを把握するには、ローマ人への手紙六章から七章を調べる必要がある。

ローマ人への手紙の最初の数章は、人間の悲惨な状況について警鐘を鳴らし、破滅的な結論を出している。「すべての人は、罪を犯したので、神からの栄誉を受けることができず……」(三・二三)。交響曲の新しい楽章を導くファンファーレのように、続く二章はどんな罰則をもぬぐい去る恵みについて語っている。「しかし、罪の増し加わるところには、恵みも満ちあふれました」(五・二〇)。確かに壮麗な神学ではあるが、こうした大胆な宣言こそが、先ほどから私が堂々巡りしている問題を引き起こしているのだ。赦されるとあらかじめわかっているなら、なぜ良い人になろうとするのか。神が「ありのままの私」を受け入れてくださるのなら、なぜ「神が望まれる私」になろうと努めるのか。

パウロは、自分が神学の水門を開いてしまったことを知っている。ローマ人への手紙六章は単刀直入にこう尋ねている。「それでは、どういうことになりますか。恵みが増し加わるために、私たちは罪の中にとどまるべきでしょうか」（一節）。また「それではどうなのでしょう。私たちは、律法の下にではなく、恵みの下にあるのだから罪を犯そう、ということになるのでしょうか」（一五節）と尋ねている。パウロは「絶対にそんなことはありません」と言って、両方の質問に激しい語調で端的に答えている。威勢のいい翻訳もある。たとえば英欽定訳聖書には「神が禁じたまわんことを（God forbid!）（＝断じてそうではない）」とある。

パウロをこれらの濃密で情熱的な章に没頭させているものは、きわめて単純で、恵みのもつつまずき《スキャンダル》である。パウロの議論の核心には、「なぜ良くあらなければならないのか」という疑問がある。あらかじめ赦されるとわかっているなら、どんちゃん騒ぎをする異教徒に加わればいいではないか。飲め、食え、楽しめ、明日神は赦してくださるんだから、と。パウロはこの明かな抜け穴を無視することができない。

パウロ（ローマ六・一―一四）はまず、肝要な点に直接言及している。罪が増せば恵みが増すというのなら、なぜできるだけたくさんの罪を犯して、神に恵みを広げる機会を与えないのか、という問いを出した。そのような推論はつむじ曲がりに聞こえるが、常軌を逸したとも見えるこの論理にクリスチャンが厳格に従った時代もあった。ある三世紀の司教は、敬虔な殉教者たちが牢獄で過ごす最後の夜を、酩酊とお祭り騒ぎと乱交にささげているのを見て、衝撃を受けた。殉教の死を遂げることで完全になれるのだから、最後の時を罪を犯すことに費やしたところで何の問題があるだろうかと彼らは考えたのだ。また、クロムウェルの時代のイングランドでは、ランターズとして知られている過激派が「罪のきよさ」という教義を展開した。この運動のある指導者はロンドンの教会の説教壇で一時間悪態をついた。公衆の面前で酔っぱらい、不敬な言葉を発する者もいた。

パウロには、そのように複雑な倫理的な事柄を論じる時間はなかった。とにかくそれに反論するために、生と死が全く対照的なものであるという基本的な類比で話を始めている。「罪に対して死んだ私たちが、どうして、なおもその中に生きていられるでしょう」（六・二）と、とても信じられないという面持ちで尋ねている。新しいいのちによみがえったクリスチャンが、墓を望んでいるはずがない。罪は死臭を放っている。なぜそれを選ぶ者がいるのだろう。

パウロは死といのちを鮮やかに対照させて描いたが、それで問題を解決したわけではない。邪悪さがいつも死の悪臭を放っているわけではないからである――少なくとも堕落した人間にとっては。恵みの乱用は実に大きな誘惑である。どれでもいいから今時の雑誌に載っている広告を広げてみれば、罪を魅力的なものとする情欲、貪欲、羨望、プライドへ向かう誘惑などが見られるだろう。私たちは農場の豚よろしく、喜んで泥の中を転げ回っているのである。

さらにクリスチャンは、ある神学的な意味では「罪に死んだ」のかもしれないが、罪は生活に舞い戻ってきて、ひょこひょこ顔を見せる。聖書研究会でこの箇所を指導していた友人のところへ、当惑顔の女子大生がやって来て、言った。「私たちは罪に死んだと書いてあることはわかっています。でも、私の生活では罪が元気に生きているように思えるんです。」現実主義者であるパウロはこの事実に気づいていた。そうでなければ、同じ箇所で次のようなことは言わなかっただろう。「あなたがたも、自分は罪に対しては死んだ者……と、思いなさい」（六・一一、傍点筆者）、「あなたがたの死ぬべきからだを罪の支配にゆだねて……はいけません」（同一二節）と。

ハーバード大学の生物学者エドワード・O・ウィルソンが、少し風変わりな蟻の実験を行ったが、これはパウロの描写を補足するかもしれない。ウィルソンは、蟻が同じ巣の干からびた仲間が死んだと認識するのに数日かかることに気づいた。そして、蟻たちは死を視覚ではなく、臭いでもって確認するという結論を出す。蟻の死体が腐敗し始めると、他の蟻たちがそれを巣から運び出し、くずの山へ積む。ウィルソンは何度も実験をした後、その原因をオレイン酸という化学物質に絞り込む。蟻はオレイン酸の臭いをかぐと死体を運び出そうとし、他の臭いはどれも無視する。蟻の本能は非常に強く、ウィルソンがオレイン酸を紙きれに塗りつけると、その紙を忠実に蟻の墓へ運んで行った。

最後にウィルソンは、オレイン酸を生きている蟻に塗ってみた。思ったとおり、巣の仲間たちは、オレイン酸を塗られた蟻を捕まえて、蟻の墓へ引っ張って行く。運ばれていくほうの蟻は一生懸命に足や触覚を動かして抵抗した。このように墓へ積み上げられ、憤慨した「生きた屍《しかばね》」は、自分の身体の臭いを落としてから、巣に戻った。オレイン酸を消し取らなければ、巣の仲間たちがすぐに捕まえ直して、墓へ引きずり戻す。再び巣に受け入れられるには、まず生きていることが立証されなければならず、それはただ臭いによって判断されるのだった。

ローマ人への手紙六章でパウロが最初に描いているところを読むと、元気に身体を動かしている「死んだ」蟻のイメージを思う。罪は死んでいるかもしれないが、執拗にもがきながら息を吹き返そうとしているのだ。

パウロはすぐさまそのジレンマを、かすかに違ったふうに言い直している。「私たちは、律法の下にではなく、恵みの下にあるのだから罪を犯そう、ということになるのでしょうか」（六・一五）。恵みは、倫理が作る人生の迷路を抜け出るライセンス、一種のフリーパスを提供するのだろうか。まさにこのような結論を下したオーストラリアの殺人者とアメリカの姦通者のことは先に述べた。

「若いときには規則を守る何らかの理由があると思う……。年取ったときにその規則全部を破るだけのエネルギーを残しておくために。」マーク・トウェインはそう言って、勇敢にもその言葉に従おうとした。あらかじめ赦されるとわかっているなら、いいじゃないか。再びパウロは信じられないと言わんばかりに、「断じてそんなことはない！」と声高に言い放っている。人生の主たる目標が、恵みを封印することであるという人に、どう答えればよいのだろう。そういう人は本当に恵みを経験したことがあるのだろうか。

パウロの二番目の類比（六・一五－二三）である奴隷は、この議論に新しい次元を加えている。彼は、「あなたがたは、もとは罪の奴隷でしたが」と話を切りだし、いかにも適切な比較を行っている。罪は好むと好まざるとにかかわらず、私たちを支配する主人である。逆説的だが、がむしゃらに自由を追い求めると、それが束縛に変わってしまうことがままある。怒りを感じたらいつでもかんしゃくを起こしてよいという自由を主張すると、すぐさま自分が怒りの奴隷になっていることに気づくだろう。今日、十代の若者が自由を表現するために行っていること――タバコ、アルコール、ドラッグ、ポルノ――は、彼らの残忍な主人となっている。

多くの人にとって、罪は一種の奴隷状態のように感じられる――現代風に言えば「依存症」である。AAの十二ステップの自助グループに参加している人は、そのプロセスを述べることができる。依存症に屈しないという断固とした決意をせよ、そうすればしばらくの間あなたは自由に浴するだろう、と。だが、どれほどの人が奴隷状態へと悲しく帰っていくことだろう。

小説家フランソワ・モーリヤックが、この逆説を正確に描写している。

「一つ一つのこの情熱が眠りから覚めて徘徊し、その強欲の対象の臭いをくんくんとかぐ。この情熱はあわれな優柔不断の魂を背後から襲い、その人は疲弊する。何度も溝の中に叩きつけられ、泥で息を詰まらせ、へりをつかんで再び光に向かって立ち上がっては、手がそこから離れ、もう一度暗闇に戻るのを感じなければならなかったことか。しかし、ついに霊的生活の法に屈するのだ。――それはこの世で最も理解されていない法であり、何よりも彼をうんざりさせる法であるが、それなくして救いの究極的保持という恵みを獲得することはできない。要求されているのは自我の放棄であるが、これはパスカルの次の言葉に完璧に表現されている。『完全かつうるわしい放棄。イエス・キリストへの、そして私の霊の指導者への絶対的な服従。』

人は、あなたは自由な人間という称号にふさわしくないとか、自分自身が主人に服従しなければならないなんて、と嘲笑するかもしれない。……しかしこの隷属は、実際は奇跡的な解放なのである。というのも、あなたが自由であったときでも、自分自身のために鎖を鍛造しそれを身につけ、その鎖を刻一刻、さらにきつくしめることに全時間を費やしていたからである。自由だと思っていた年月、雄牛のように、自分の数えきれない遺伝病のくびきに屈していたのである。生れ落ちたときから、犯した罪がことごとく生き続け、なおいっそうあなたをとらわれの身とし、他の罪を生じさせてきた。あなたが屈したお方は、あなたに自由の奴隷になってほしいとは思っておられない。つまり彼はあなたの束縛の循環を断ち切り、半分消されてはいるが、なおくすぶっているあなたの願望に恵みという炎をともし、またさらにともすのである。」

さらに第三の描写で（七・一―六）、パウロは霊的な生活を結婚にたとえている。この基本的な類比は決して新しいものではない。聖書はしばしば神を、気まぐれな花嫁を追い求める恋人として描いているからだ。私たちが人生を共に過ごそうとする人に対して抱く熱い思いは、神が私たちに対して感じておられる愛情を映し出している。そして神はご自分の愛情を同じような形で返してほしいと願っておられる。

死よりも、奴隷状態よりも、この結婚の類比は、パウロがもちだした「なぜ良くあらなければならないのか」という問いに答えを出している。実際、その問いは間違っていた。こう問うべきだったのだ。「なぜ愛するのか。」

ある夏、私は大学院の学位取得のためにドイツ語の基礎を学習しなければならなかった。なんと散々な夏だったことか！　友人たちがミシガン湖でボートを走らせ、サイクリングに興じ、カフェテラスでカプチーノをすすっている夕方に、私は指導教官といっしょにこもって、ドイツ語の動詞変化などを覚えていた。週に五晩、一晩に三時間、二度と使うことがないような語彙や言葉の活用語尾の暗記に費やした。その拷問に耐えたのは、試験に通って学位を得るというただ一つの目的のためだった。

学校の教務係がこんな約束をしていたら、どうだっただろう。「フィリップ、一生懸命勉強してほしい、ドイツ語を学んでほしい、そして試験を受けてほしい。しかし前もって約束しておくよ、君は合格だ。卒業証書ももう書いてあるから。」もしもそうだったら、私が楽しい夏の宵を、熱くてむんむんしたアパートの中で過ごしたと読者は思われるだろうか。まさか、である。要するに、これがパウロがローマ人への手紙の中で相対した神学上のジレンマだったのだ。

なぜ、ドイツ語を学ぶのか。もちろん立派な理由はいくつもある――言語は考え方やコミュニケーションの幅を広げるなどといった理由である。しかしそうしたことは、私がドイツ語を学ぶ動機には一度もならなかった。ただ学位取得課程を終えるという利己的な理由のためだけに勉強したのであり、目の前にぶらさがっていた結果の脅威が私に夏の優先順位を整理し直させたのだ。しかし今日、あのとき脳みそに詰め込んだドイツ語はほとんど思い出すことがない。「古い文字《もんじ》」（パウロによる旧約聖書の律法の描写）はせいぜい短期的結果を生むだけなのである。

どういうことならドイツ語を学ぶ気が起こるのだろうか。ある強い誘因力が考えられる。もしも妻（私が恋に落ちた女性）がドイツ語しか話せなかったら、記録的な速さでこの言語を学んだことだろう。なぜか。「この美しい女性」と意思疎通を図りたいと強く願うからだ。夜遅くまで動詞の変化形を学び、ラブレターの文章にはそれを正しく書き、新しい語彙が加われば、それを心に蓄えて、愛する人に自分のことを表現する新たな方法として組み入れただろう。自分への報いがあるので、私はしぶしぶではなくドイツ語を学んだことだろう。

こうしたことが、「恵みが増し加わるために、私たちは罪の中にとどまるべきでしょうか」という問いに、パウロが「絶対にそんなことはありません」と、激しい口調で答えた理由を私が理解する助けとなっている。婚礼の夜の花婿は、花嫁と次のような会話をするだろうか。「ねえ、君。ぼくは君をとても愛している。それで君と人生を共にしたいと心から願っている。だけど、ちょっとはっきりさせておかなければならないことがある。結婚したあと、他の女性とどこまでつきあってもいいかなあ？　ベッドを共にしてもいいかい？　キスしてもいいかい？　ときどき浮気するぐらい、気にしないだろう？　君が傷つくかもしれないとわかっているけれど、君を裏切った後に、ぼくを赦す機会がどれほどたくさんあるか、ちょっと考えてみてくれ！」そんなドン・ファンに唯一合理的な返答は、顔をぴしゃりと叩いて、「絶対に駄目！」と言うことだ。明らかに、その花婿には愛の何たるかがわかっていない。

同様に、私たちが神に「どんな罰なら免れる？」といった姿勢で近づくとしたなら、私たちに対する神の思いを私たちが理解していない、ということだ。神は私に、主人と奴隷のような関係をはるかに超えたものを望んでおられる。奴隷の主人は、鞭をもって服従を強要するだろう。神は社長でもなければ部長でもないし、私たちの命令に従うランプの精でもない。

神は、地上で最も親しい関係よりも、男と女の生涯にわたる絆よりも、親密なものを求めておられるのだ。神が望んでおられるのは、すばらしい演技ではなく、心である。私が妻のために「良い行い」をするのは点数稼ぎのためではなく、彼女に愛を示すためである。同じように、神も私に対して、「新しい御霊によって」仕えてほしいと願っておられる。無理強いではなく、願望である。「弟子であるとは、ただ、恵みから生まれ出る人生を意味している」とはボンヘッファーの言葉である。


新約聖書に記されている「良くある」ための動機を一語で要約するとしたら、私は「感謝」を選ぶだろう。パウロは手紙のほとんどを、私たちがキリストにあって所有する豊かさの要約で始めている。キリストが私たちのためにしてくださったことを理解したら、感謝の気持ちから、そのような偉大な愛に「ふさわしく」生きようと懸命になるはずである。一生懸命にきよさを求めるのは、神にもっと愛してもらうことが目的ではない。なぜなら神はすでに愛してくださっているからだ。パウロがテトスに言ったように、「私たちに、不敬虔とこの世の欲とを捨て、この時代にあって、慎み深く、正しく、敬虔に生活し……と教えさとした」（テトス二・一二、一三）のは神の恵みなのである。

カトリック作家のナンシー・メヤーズは回顧録『月並みな時代』の中で、「パパなる神」という子ども時代のイメージに反抗した日々を語っている。その神は、七面倒くさい規定や禁止令のリストに従ったときにだけ喜ぶお方なのだ。

「これらが戒律という最も基本的な形をとっている、という事実は、人間の本性が善へと強制されなければならないことを示唆していた。人間自身の思うがままにさせたなら、偶像や冒瀆行為を好み、日曜日の朝はロールパン片手に『ニューヨーク・タイムズ』を読んでゆっくり過ごすようになるだろう。権威に対する無礼、殺人、姦淫、窃盗、うそ、隣に住む人の持ち物すべて……。私は、永遠にしてはならないことを今にもしそうな危うさの中にあり、そうした罪を償うために、神に赦しを請わなければならなかった。このお方がまさに、これは犯すだろうと予測した行為をまず最初に禁じ、そうすることで私を違反者に仕立て上げられたのだ。『ほら、つかまえた』の神、と言えるかもしれない。」

メヤーズはそれらの規則の多くを破り、常に罪の意識を感じ、そして彼女の言葉で言うと、「罪が犯せなくなるただ一つの行為――愛を求める」神の「ご配慮の中で成長するようになった」。良くなければならないいちばんの理由は、良くなりたいと思う、ということである。心が変化するには関係が必要である。愛が必要なのだ。アウグスティヌスは、「愛することによってそうさせられるのでなければ、だれが良くなることができようか」と言った。アウグスティヌスは「神を愛しているなら、あとはしたいようにしてよい」という有名な言葉を述べたとき、真剣そのものだったのである。真に神を愛する人は神を喜ばせたくなる。それが、イエスとパウロとが律法全体を「神を愛せよ」という単純な命令に要約した理由である。

神の私たちに対する愛の不思議を本当に把握したら、ローマ人への手紙六章と七章を駆り立てた回りくどい問い――私は何をしてもかまわないのか――は思いつきもしなかっただろう。私たちは神の恵みを搾取するのでなく、その真の意味を理解しようとして日々を過ごすことだろう。

＊アルコール依存症患者の間では、酒を断った後も自分に問題があることを認めようとせず、否定し続ける人のことを「しらふの酔っぱらい」と呼ぶ。その人はしらふではあっても惨めなので、周囲の人まで惨めにする。そして他の人々を操作し、共依存のひもを引っぱる。しかし、もはや酒を飲まないので、幸せを感じることがない。家族はそのような患者に、気休めのために再び酒を飲ませようとさえする。彼らはあの「幸せな酔っぱらい」に戻ってきてほしいのだ。著述家キース・ミラーはこの人を教会の偽善者になぞらえている。偽善者は外側を変えても、内側は変わっていない。クリスチャンにとっても依存症患者にとっても、真の変化は、恵みの必要を認めることから始められなければならない。否定は恵みを遮るのだ。

しかし、ぶどう酒を飲んでいる者が、ぶどうを欲しがったりするだろうか。
ジョージ・ハーバート

15 恵みの回避

私は律法主義とは至近距離で出会うことが多かった。男女がいっしょに泳ぐこと、短パン、アクセサリー、化粧、ボーリング、新聞の日曜版を読むことなどに眉をひそめる南部アメリカのファンダメンタリズム的文化を経験してきたのである。アルコールなど、地獄の業火の硫黄を強烈に臭わせる桁違いの罪だった。

後にバイブル・カレッジに入学したが、ミニスカートが流行していた時代で、学部長はスカート丈を膝下に定めた。やや怪しい長さのスカートをはいてきた女子学生には、女子部の学生部長がひざを屈めさせ、スカートが床に付くかどうかを確かめた。女性は、ヘイライド（訳注＝干し草を敷いた荷馬車に乗って、夜などに遠乗りをすること）の時以外はスラックスをはくことが禁じられていた。そのときも、慎み深くあるために「スカートの下に」スラックスをはかなければならなかった。ライバルのクリスチャン・カレッジでは水玉模様のドレスまで禁じられていた。模様がからだのある部分を「連想させる」恐れがあるから、というのだ。男子学生にも規則があっり、髪が耳にかかったり、ひげをはやしたりすることが禁止されていた。デートにも厳しく規制があった。私は最終学年になる前に婚約したが、婚約者に会えるのはディナーの時だけで、キスはおろか手を握ることもできなかった。

カレッジは、学生と神との関係まで監視しようとした。朝早くベルが鳴ったら、起床して各自デボーションをするようにと言われた。眠りこけているところをつかまれば、『幸福な生涯に至るクリスチャンの秘訣』を読んでレポートを書かなければならなかった（大学側はそのような罰を課すことで、長期的にどんな影響がでるかを考えたのだろうか）。

退学する学生、喜んで規則を守る学生、また二重生活を送って人の目を欺くことを覚えた学生もいた。私が大学にとどまることができたのは、一つにはアーヴィング・ゴッフマンの古典的著作『アサイラム』（訳注＝邦訳は石黒毅訳、誠信書房刊）を読んだおかげであった。この偉大な社会学者は、自ら「全制的施設」と名づけた一連のものを調べていたが、それには修道院、私立の寄宿学校、精神病院、刑務所、陸軍士官学校が入っていた。これらの機関には必ずと言ってよいほど、恣意的で人間性を失わせるような長い規則のリストがあり、個性を破壊し服従を強要する手段となっていた。どこの組織も、「恵みでないもの」に調子を合わせて作られていた。

ゴッフマンの本のおかげで、私はバイブル・カレッジやファンダメンタリズム全般を、コントロールされた環境、サブカルチャーと見るようになった。そうした環境に不快感を覚えていたが、だれでもサブカルチャーの中で成長していることが今はわかる。アメリカ南部のファンダメンタリスト以上に律法主義的な人々（ハシディームのユダヤ人、イスラム原理主義者）や、もっと危なっかしい人々（スラム街のギャング、右翼の在郷軍人グループ）もいる。ビデオゲームやMTVサブカルチャーなど、表面的には当たり障りなく見えても、実際は油断のならないものもあるかもしれない。ファンダメンタリズムに対する怒りは、他のサブカルチャーについて考える過程で、静まっていった。

私はバイブル・カレッジを霊の陸軍士官学校のようなものだと考え始めた。バイブル・カレッジも士官学校も、他の学校よりも整えられたベッド、短い髪、厳格な態度を要求している。それが気に入らなかったら、別の場所に行けばよいのだ。

振り返ってみると、何よりも私を煩わせたのは、バイブル・カレッジがその規則のすべてを神の律法に関連づけようとしていたことだった。六十六ページの規則書——私たちは、各ページの規則に聖書各書が割り当てられているのだとジョークを言っていた——の中やチャペルでの礼拝で、学部長や教授たちは各規則を聖書の諸原理に立脚させようとして苦心していた。イエスも、私たちが学んだ聖書の登場人物たちも、おそらく私たちよりも髪を長く伸ばしていただろうし、ついでに言うとひげもはやしていたことに気づき、男性の長髪を非難しようとする学部長たちのゆがんだ企てに怒りがこみあげてきた。髪の長さに関する規則は、聖書的であるということよりも、カレッジの支援者たちの心情を考えてのものだったが、そのことをだれも認めようとしなかった。

ロック・ミュージックやスカートの長さ、喫煙について、私は聖書の中に一語も見つけることができなかった、そしてアルコールの禁止は、イエスではなくバプテスマのヨハネの側に私たちを立たせた。しかし学校側はこれらすべての規則を、何としても福音の一環として提示しようとした。サブカルチャーが聖書のメッセージとごちゃまぜになっていたのである。

ここではっきりさせておかなければならないのは、私が今、ファンダメンタリズムの厳格さにいろいろな点で感謝している、ということである。厳格なファンダメンタリズムは私をゴタゴタから守ってくれた、と言えるかもしれない。厳格な律法主義は、逸脱しないよう、しっかりと抑え込む。私たちはボーリング場にこっそり入り込むことはあっても、酒や――恐怖だ！――ドラッグに触れることなど考えもしなかった。聖書の中に、タバコに反対する記事を見つけることはできないが、連邦公衆衛生局長官が反対を表明する前から、ファンダメンタリズムのおかげでタバコを恐れ、遠ざかるようになっていたことを感謝している。

要するに、私はこれら特定の規則にはあまり憤慨していない。その表現の仕方に憤りを覚えたのである。とにかく規則に外面的に従うことが神を喜ばせる方法だ――もっと言えば、神の愛を得る方法だ――と、絶えずたきつける感覚が私にはあった。サブカルチャーの中で福音に出会った私は、福音をサブカルチャーから抽出するのに何年もかかった。悲しいことに、友人の多くはその努力を放棄し、イエスに行き着くことを断念した。教会の狭量さに道を阻まれたからである。

教会と社会とが反対方向へ暴走しているときに、律法主義の危険性について書くのは、ためらいを感じないわけではない。しかし同時に、恵みにとって律法主義ほど大きな脅威を私は知らない。律法主義はバイブル・カレッジや海軍のような機関では「機能する」かもしれない。「恵みでないもの」の世界では、作り上げられた恥というものにはかなりの力がある。しかしそこには代償、それも計り知れない代償がある。「恵みでないもの」は、神との関係では機能しないのだ。私は律法主義を、偽りのきよさを追求して恵みを回避しようとする、手の込んだ企みと見るようになった。人は律法の真髄を知らなくても、律法をそらんじることができるのだ。

ある中年の男性は、カトリックの学校であまりにも厳格に育てられたため、教会にアレルギー反応を起こすようになり、私の友人がその人のアレルギー克服を助けようとした。「黒と白の衣をまとった小柄な老修道女にいつまでも、君が神の国に入る邪魔をさせておくつもりかい。」友人が尋ねた。悲しいことに、多くの人は「そうだ」と答える。

イエスの生涯を研究しながら、ある事実にいつも驚かされた。イエスを最も怒らせた人たちは、少なくとも外面的には、彼に最もよく似た人たちだったのだ。イエスがパリサイ人の特徴を備えていたというのは、学者たちの一致した意見である。イエスは、トーラーやモーセの律法に従い、指導的なパリサイ人の言葉を引用し、公の議論では彼らの味方をすることもしばしばあった。それなのに、イエスはパリサイ人を最も強く攻撃された。彼らを「蛇ども」とお呼びになった。「まむしのすえども。愚かで……偽善の律法学者、目の見えぬ手引きども。……白く塗った墓のようなものです」（マタイ二三・三三、一六―一八、二七）。

何がこれほどの怒りを引き起こしたのか。パリサイ人には、今日の報道機関がバイブル・ベルトのファンダメンタリストと呼ぶような人々と似たところがたくさんあった。彼らは人生を神に従うことにささげ、十分の一献金を正確に行い、律法の一点一画に従い、改宗者を獲得するために宣教師を送り出した。一世紀の相対主義者や世俗主義者らに対抗し、伝統的価値を固守した。性的な罪や暴力犯罪に巻き込まれることはめったになく、パリサイ人はまさに模範的な市民であった。

イエスがパリサイ人を公然と非難したことは、律法主義の有害な脅威をいかに深刻に見ておられたかを物語っている。律法主義の危険性を理解するのはなかなか困難で、まさにとらえどころがない。その危険性を調べようと新約聖書に目を通してみた——特にルカの福音書一一章とマタイの福音書二三章を見たのは、そこでイエスがパリサイ人を道徳的に分析しておられるからだ。今、律法主義の危険に言及するのは、それが一世紀と同様、二十世紀においても大きな脅威となっていると思うからである。律法主義は現在、私の子ども時代とは違う形をとっているが、決してなくなってはいない。

イエスは概して、律法主義者が「外側」を強調したことを非難なさり、「あなたがたパリサイ人は、杯や大皿の外側はきよめるが、その内側は、強奪と邪悪とでいっぱいです」(ルカ・一一・三九)と言われた。神に対する愛の表現は、時を経るにしたがって、周囲に強く印象づける形へと変貌を遂げていった。イエスの時代、宗教者たちは短い断食の間、やつれ果てて飢えたふりをし、人前で大げさに祈り、聖書の一部分を身体に結びつけていた。

イエスは、山上の説教の中で、そうした一見無害とも思える行動の背後にある彼らの動機を非難された。

「だから、施しをするときには、人にほめられたくて会堂や通りで施しをする偽善者たちのように、自分の前でラッパを吹いてはいけません。まことに、あなたがたに告げます。彼らはすでに自分の報いを受け取っているのです。あなたは、施しをするとき、右の手のしていることを左の手に知られないようにしなさい。あなたの施しが隠れているためです。そうすれば、隠れた所で見ておられるあなたの父が、あなたに報いてくださいます。また、祈るときには、偽善者たちのようであってはいけません。彼らは、人に見られたくて会堂や通りの四つ角に立って祈るのが好きだからです。まことに、あなたがたに告げます。彼らはすでに自分の報いを受け取っているのです。あなたは、祈るときには自分の奥まった部屋に入りなさい。そして、戸をしめて、隠れた所におられるあなたの父に祈りなさい。そうすれば、隠れた所で見ておられるあなたの父が、あなたに報いてくださいます」（マタイ六・二－六）。

私はこれまで、クリスチャンがイエスのこの命令を無視するときにどんなことが起こるかを見てきた。たとえば、私が少年時代に属していた教会では、海外宣教のために毎年資金集めがなされた。*牧師は説教壇から、寄付の約束をしてくれた人の名前とその額を読み上げた。「ジョーンズ氏、五万円……それから、聞いてください――サンダーソン一家、二十万円です！　主をほめたたえよ！」全員が拍手喝采をし、「アーメン！」と言うと、サンダーソン家の人たちは満面に笑みを浮かべ、顔を輝かせる。私は子どものころ、そんなふうに人々から認められたくてたまらなかった。しかしそれは、外国へ宣教師を送るためではなく、自分が認められ、称賛を受けるためであった。あるとき一円玉を詰めた大きな袋を前に持って行くと、牧師は礼拝を中断して私をほめ、献金したことに感謝の祈りをささげた。そのときほど自分の正しさを感じたことはなかった。私は報いを受けたのだった。

こうした誘惑は今日も存在する。NPO（非営利団体）に相当の額の寄付をしたことがある。おかげでプレジデント・クラブに入会させてもらえた。名前が機関紙に掲載された。その団体の会長から特別な届け物が送られてきたが、それは寄付した人たちの中でもエリートグループにだけ贈られるものと確信した。お世辞の手紙と感謝の贈り物を存分に楽しんだことを認めよう。自分は寛大で正しい、という気にさせてもらった――帰宅して、山上の説教を読むまでは。

生涯、律法主義と闘った作家のレフ・トルストイは、外面的なものに基づく宗教の弱さを理解していた。彼の本のタイトルの一つ『神の国はあなたがたの中にある』は、それをよく表している。トルストイによれば、あらゆる宗教のシステムは外的規則、あるいは道徳主義を促進する傾向にある。それとは対照的にイエスは、ご自分の弟子たちが達成して満足感を得るような規則を定めようとはなさらなかった。「心を尽くし、思いを尽くし、知力を尽くして、あなたの神である主を愛せよ。……だから、あなたがたは、天の父が完全なように、完全でありなさい」（マタイ二二・三七、五・四八）。こんな徹底した戒律を前にすれば、人は決してそこへ「到達する」ことなどできない。

トルストイは、イエスのアプローチと他のすべての宗教のアプローチの仕方との著しい違いを明らかにした。

「外面的な宗教の教えを順守しているかどうかは、私たちの取る行為がその教えの定めたことに適合しているかどうかで測られる。〔安息日を守れ。割礼を受けよ。什一献金をせよ。〕こういった服従は実際可能である。

キリストの教えを守っているかどうかは、自分には理想的な完璧さを獲得できない、という意識があるかどうかで測られる。私たちがこの完璧さに近づく度合は目に見えない。見ることができるのは、自分の逸脱の度合いである。

外面的な律法を信奉すると公言する人は、柱に固定されたランタンに照らされて立っている人のようだ。周囲はそのとき光に覆われているが、その人が移動すると光はなくなってしまう。キリストの教えを信じると告白する人は、棒の先にランタンをつけ、自分の前にささげ持っている人のようだ。光はその人に先立って、いつも地面を照らし、その人の歩みを励ますのだ。」

言い換えれば、霊的成熟の証拠は、今どれほど「きよい」かではなく、どれほど自分の不純さを自覚しているかということである。この自覚こそが恵みに至る扉を開くのだ。

「おまえたちもわざわいだ。……人々には負いきれない荷物を負わせるが……」（ルカ一一・四六）。律法を守る精神は、しだいに「極端主義」に固まっていく。頑迷さの領域を広げようとしない律法主義を、私は知らない。

たとえば、モーセの律法を研究したユダヤの律法学者やパリサイ人たちは、その六百十三の規定に多くを付け足した。ラビの大エリエゼルは、普通の労働者、ロバを追う人、ラクダを追う人、船乗りがそれぞれ妻とベッドを共にすべき頻度を定めた。パリサイ人は、安息日の行為に関してだけ、たくさんの修正を加えた。人は安息日のきまりを破らずにロバに乗ることができても、鞭を使ってロバを速く走らせたら、重荷を課した罪を問われた。女性は、安息日に鏡を見ることが許されなかった。白髪を見つけてそれを抜きたいという誘惑に駆られないためである。酢を飲んでもよいが、それでうがいをしてはならなかった。

モーセが何を言ったにしても、パリサイ人はそれを改めることができた。第三の戒め「あなたは、あなたの神、主の御名を、みだりに唱えてはならない」（出エジプト二〇・七）は、主の御名を使うこと一切を禁止するものとなった。そして今日に至るまで、敬虔なユダヤ教徒は“God”の代わりに“G-d”と書くし、決してその言葉を口にしない。学者たちは「子やぎを、その母親の乳で煮てはならない」（同二三・一九）という律法を、大事を取って、肉と乳製品の混ぜ合わせを禁じるものと解釈した。そのためユダヤ教の規則に几帳面に従うアパートや病院、老人ホームには、今でも肉用と乳製品用に二つの台所が設置されている。「姦淫してはならない」（同二〇・一四）はパリサイ人によって、妻以外の女性と話をしたり、目を向けたりすることさえ禁じるしきたりになっていった。頭を低くして壁に打ちつける「血まみれのパリサイ人」の打ち傷は、きよさを示すしるしであった。

(これらモーセの律法に追加されたものを無視したために、イエスは絶えずトラブルに巻き込まれた。安息日に人々を癒やし、弟子たちが空腹になると麦の穂を摘ませられた。イエスは白昼、女性と会話をされた。「汚れた」人々と食事をし、食べる物が人を汚すのではないと主張された。何より衝撃的だったのは、イエスが神を「アバ」と呼ばれたことだった。)

教会史は、クリスチャンがパリサイ人の極端主義をしのぐこともあったことを暴露している。修道士の主食は四世紀までパンと塩と水だった。ある人は、からだを半分に折り曲げなければ中に入ることのできない小部屋を考案し、またある人は円形の檻《おり》の中で十年間を過ごした。菜食主義の修道士は森に住み、野生の薬草や根を一生懸命に探し回った。いばらの腰巻きだけを身につけていた人もいた。大シメオンは極端主義の標準を設定した。三十七年の間、柱の上で生活し、一日に千二百四十四回ひれ伏したのである。

自由とプラグマティズムの要塞である合衆国のクリスチャンも、極端主義の限りを尽くしてきた。シェイカーのような人々は(自分たちが必ず絶滅することがわかっていながら)結婚やセックスを禁じた。偉大なリバイバリスト、チャールズ・フィニーはコーヒーや紅茶を慎み、創設した大学、オーバリン・カレッジではコショウ、芥子、油、酢などの刺激物を禁じると言った。もっと最近では、どの食物なら食べるのが許されるかを悩んで餓死したセブンスデー・アドベンティストの若者がいたのだが、私の友人がその若者の葬式で説教をしたのである。

そのような極端な例を見て、笑ったり、涙したりする傾向が私たちの伝統の残忍な部分であることをクリスチャンは認めなければならない。だが、こうしたパターンは世界的に変貌を遂げ、「西側キリスト教世界」は今やその極端な律法主義ではなく退廃で知られるようになっている。一方、イスラム諸国の中には、車の運転をしたりヴェールをつけずに人前に出ようとしたりする女性をこん棒で殴る道徳警察の配備されている国がある。また、イスラエルのホテルには、「安息日」用に各階止まりのエレベーターがしつらえてある。このエレベーターはボタンを押さなくてもよく、正統派ユダヤ教徒にとっては安息日に仕事をすることにならずにすむのである。しかし、そうかと思えば、極端主義の台頭が見られるクリスチャン・グループもある。律法主義が根づく所では、極端主義のいばらの棘《とげ》がやがては広がるのである。

律法主義には巧妙な危険性がある。だれも自分を律法主義者だとは思わないからだ。私自身が定めた規則は必要に思われるのだが、人の作った規則は過度に厳格なものと感じるものなのだ。

「あなたがたは、はっか、いのんど、クミンなどの十分の一を納めているが、律法の中ではるかに重要なもの、すなわち正義もあわれみも誠実もおろそかにしているのです。……目の見えぬ手引きども。あなたがたは、ぶよは、こして除くが、らくだはのみこんでいます」(マタイ二三・二三―二四)。

イエスはパリサイ人の極端主義自体を非難されたわけではない――パリサイ人たちが何を食べたかとか何回手を洗ったかとかいったことは気になさらなかったのではないかと思う。しかしイエスは、彼らが極端主義を他の人々に押しつけ、もっと重大な問題より「どうでもいいような細かいこと」に焦点を当てたことに目を留められたのだ。台所の香料の十分の一を納めている教師が、パレスチナの不正や弾圧についてはほとんど何も言わなかった。そしてイエスが安息日に人を癒やされたとき、批判者たちは、病んでいる人よりも、儀礼慣習にずっと大きな関心を示したようである。

律法主義の最悪の姿は、イエスの処刑の時に現れた。パリサイ人は過越の祭りの前にピラトの宮殿に入らずにすむよう心を砕き、安息日のきまりに差し障りのないように十字架刑を準備した。こうして、歴史上最大の犯罪は、律法主義の隅々まで厳格な注意が払われて実行に移されたのである。

私は現代においても、些細なことに向かいがちな律法主義の傾向を数多く見てきた。私の育った教会は髪形やアクセサリー、ロック・ミュージックについていろいろと言ったが、人種問題に関する不正や南部のアフリカ系アメリカ人の苦境については何も言わなかった。バイブル・カレッジでは、おそらく歴史上最も忌まわしい罪と思われるドイツのホロコーストについて一度も語られることがなかった。スカート丈を測るのに忙しすぎて、核戦争や人種差別主義、世界的飢餓といった現代の政治問題を考えられずにいた。私が出会った南アフリカの学生たちは、若いクリスチャンがガムをかんだり、ポケットに手をつっこんだまま祈ったりすることがなく、また、ジーンズをはいた人を霊的に疑わしいとみなすような教会からやって来た。ところがその教会は、アパルトヘイトを支持する人種差別の教義を声高に弁護していたのである。

一九三四年、ベルリンのバプテスト連盟世界会議に出席した合衆国代表者が、ヒトラー政権下で目にしたことを次のように伝えた。

「わいせつな性文学を売ることも、道徳的に堕落した映画やギャング映画を上演することもできない国にいると、本当に安心します。新生ドイツは、腐敗した書籍や雑誌を、ユダヤ人や共産主義者の図書のかがり火といっしょに大量に焼き払いました。」

この代表者はヒトラーを、喫煙も飲酒もせず、女性には慎み深い装いを望み、ポルノに反対する指導者だと擁護した。

一九三〇年代ドイツのクリスチャンや、六〇年代米国南部のファンダメンタリスト、七〇年代南アフリカのカルヴァン主義者を非難するのは簡単である。私を厳粛な思いにさせるのは、現代のクリスチャンもいつの日か同じように厳しくさばかれるかもしれない、ということである。私たちはどんな些細なことに気をとられているのだろうか。そして律法のどんな重大な問題――正義、あわれみ、忠実――を見過ごしているのだろうか。神は鼻のピアスに心を留めておられるのだろうか、それとも都会の荒廃を気にかけておられるのだろうか。グランジ・ミュージック（訳注＝意図的に汚い感じにした音楽）だろうか、世界的飢餓だろうか。礼拝の形態だろうか、それとも暴力の文化だろうか。

作家のトニー・カンポロはいろいろなクリスチャン・カレッジを回ってチャペルで話をしているが、挑発的な発言をしている時期があった。「国連は、毎日一万人以上が飢死していると報告しているけれども、ここにいるやつらのほとんどは全く意に介していない！　だが、さらにいっそう悲劇的なのは、あなたがたの多くが、きょう一万人が死のうとしている事実よりも、私が今ひどい言葉遣いをしたということに心が向いていることだ。」トニー・カンポロに対する応答はまさに、彼の話を実証していた。カレッジのチャプレンや学長のほとんどがトニーの無礼な言葉に抗議する手紙を書いてよこしたが、世界の飢餓に触れていた手紙は一通もなかったのである。

私の受けた教育では罪深いと考えられていた行為が、今では多くの福音派の教会で普通に行われている。外に現れているものは変化してきたが、律法主義の精神は変わっていない。今は、思想の律法主義に出会うことが多い。たとえば、私の作家仲間は堕胎や同性愛について一般に受け入れられている教義にあえて疑問を呈しているが、今日、「つきあいで酒を飲む」クリスチャンがファンダメンタリズムのサブカルチャーの中で直面するのと同じさばきを味わっている。

トニー・カンポロが同性愛者に対してもっと同情の念を示すべきだと主張したために、ののしられたという話は、すでに述べた。友人のカレン・メインズは、彼女の著作を批判する運動が起きて、ブロードキャスターの職を失った。ユージン・ピーターソンは、新約聖書をパラフレーズした著書『メッセージ』で、「神の言葉をみだりにいじくった」として、自称カルト監視人の標的となった。リチャード・フォスターは、霊的訓練に関する著作の中であえて「瞑想」といった言葉を使ったため、ニュー・エイジではないかと疑いをかけられた。チャック・コルソンが私に語ったところでは、今までに受け取った最も醜悪な郵便物は、彼のテンプルトン宗教賞受賞に対してクリスチャンたちから寄こされたものだった。その賞がクリスチャンでない人々にも贈られることがあるからだ。「私たちの兄弟姉妹よりも、ウォーターゲートの時代の世俗メディアのほうがはるかにあわれみ深かった」と、コルソンは厳しく非難した。その手の郵便物は、彼がカトリックとの相互協力の声明に署名すると、さらに激しさを増した。

「パリサイ人のパン種に気をつけなさい。それは彼らの偽善のことです。……彼らの行いをまねてはいけません。彼らは言うことは言うが、実行しないからです」(ルカ一二・一、マタイ二三・三)。「偽善」という言葉は、「仮面をつけること」という意味である。明らかにイエスご自身が作った言葉で、家の近くの野外劇場で群衆を楽しませていたギリシャの役者たち、「ヒュポクリテース」から借用なさったものだ。ヒュポクリテースとは、好印象を与えるために仮面をつける人のことを表現する言葉である。

友人のテリー・マックは、フルブライトの奨学金を受けて、スリランカの仏教の僧侶のもとで律法主義を研究した。僧侶たちはみなブッダの二百十二の戒律に従うことに賛同していたが、戒律の多くが今では時代遅れで非現実的なものになっていた。僧侶が現代世界に生きなければならないという現実と、古代の律法主義的なしきたりを厳守するということとをどう両立させるのか、テリーは不思議に思った。たとえば、ブッダは、僧侶は金銭を携帯すべきではないと明言したが、テリーは僧侶たちがきちんと市バスの運賃を払っているのを目撃していた。「あなたは二百十二の戒律に従っていますか」と彼は尋ねた。「はい。」「あなたはお金を使いますか。」「はい。」「あなたはすべての戒律に従っていますか。」「はい。」「あなたはお金を持つことを禁じているおきてを知っていますか。」「はい。」

戒律はお昼以降の食事も禁じていた。僧侶たちは施し物で生きており、ブッダは弟子たちを主婦らの重荷にしたくなかったのである。現代の僧侶たちは毎日正午に時計を止めて、おきての抜け道をつくっている。そして夕食が終わると、時計を正しい時刻に合わせるのだ。

仏教を例にとったが、私の経験から言うと、偽善は、人々がキリスト教を否定する最も一般的な理由の一つである。クリスチャンは「家族中心の価値観」を公言しているが、ある研究によれば、クリスチャンも、他のだれとも変わらない割合でアダルトビデオを見、離婚し、子どもを虐待しているという。

律法主義は本質的に、心の中で起きていることを覆い隠すような行為を定めているので、偽善を助長する。バイブル・カレッジやクリスチャン・キャンプで、そして教会の中でも、だれもが「霊的」に見せる方法を学んでいる。外面的なものを強調すると、心の中の問題を抑えつけたり隠したりして人目を欺くことが容易になる。バイブル・カレッジを出て何年もたってから、いっしょに学んでいた学生の中に、ひどい心の不安――うつ病、同性愛、依存症――に苦しんでいた人たちがいたことを知った。彼らは在学中はそれを口にせず、必死に周囲の行動に合わせていたのだ。

新約聖書の中で、最も厳粛な思いにさせられる箇所の一つは――そして直接的な罰を述べている数少ない箇所の一つだが――使徒の働き五章のアナニヤとサッピラの話である。この夫婦は地所の一画を売った代金の多くを寄付するという非常に良い行いをした。しかし、ただ一つ間違いを犯した。いかにも霊的に見られるように、あたかも代金のすべてを寄付したように振舞ったのだ。言い換えれば、自分たちのことを霊的に偽って伝えたのである。アナニヤとサッピラに対する過酷な応答は、神が偽善をいかに深刻に見ておられるかを表している。

私は偽善に取って代わるものを二つだけ知っている。完璧さか正直さだ。心を尽くし、知力を尽くし、思いを尽くして、私たちの主である神を愛し、しかも隣人を自分自身のように愛している人に会ったことがないので、完璧であることが実際に偽善に取って代わるものだとは思えない。だとすると、私たちの唯一の選択肢は悔い改めに通じる正直さである。聖書が示しているように、神の恵みは、殺人や不信仰、裏切りを含めたどんな罪をも覆うことができる。しかし、本質的に恵みは受け取られる必要がある。そして偽善は、私たちが恵みを受け取ることとの必要性を隠蔽してしまうものである。仮面が取れると、偽善は恵みを回避するための巧妙な計略であることが暴露されるのである。

「彼らのしていることはみな、人に見せるためです。……また、宴会の上座や会堂の上席が大好きで、広場であいさつされたり、人から先生と呼ばれたりすることが好きです」（マタイ二三・五―七）。

イエスの批判の中心は、律法主義がそれを守る人々に何をもたらすかにあった。律法主義はプライドや競争といった感情を育てるのだ。異邦人に向かって光り輝くような正しい社会を作り上げようとするよりも、パリサイ人は視野を狭めて互いに競い始めたのである。霊の健康体操で互いに印象づけようとすることに躍起になって、本当の敵だけでなく、外界との接触も断ってしまったのである。アビラのテレサは、「おお、主よ。私たちを愚かな勤行や、苦虫をかみつぶしたような顔をしている聖者たちから救ってください」と祈った。

元律法主義者の私が自らに言い聞かせなければならないのは、パリサイ人たちはどんなに厳格であったとしても、律法の義務を不快に思ってはいなかったということである。だから彼らは新しいしきたりをつくり続けた。パリサイ人は、厳格であることが達成する手段であり、地位を得るための道だと考えていたのである。イエスは彼らのそのプライドを非難し、ある罪を容認できるものにし（憎悪、物質主義、情欲、離婚）、ある罪を容認できないものに（殺人、姦淫、安息日のきまりを破ること）、とランクづけをする段階的な霊性をも責められた。

私たちクリスチャンは、「容認できる」罪と「容認できない」罪とにグループ分けを行っている。最悪の罪を避けていれば、霊的にかなり良いところにいると思うのである。問題は、最悪の罪に対する理解が変化し続けることだ。中世には利子を取ることは不道徳だと考えられていたため、ユダヤ人がその汚い仕事に徴用された。今ではクリスチャンは罪の意識をもたずに、クレジット・カードを持ち、家の抵当融資を受け、投資信託会社の口座を利用している。七つの重罪のリストに入っているのは、暴飲暴食、嫉妬、霊的怠慢や「憂鬱」だった――今日めったに説教に上ることのないものである。

ヴィクトリア時代は性的な罪がいちばん上にランクされていた――見方によっては、いちばん下なのだが――ので、「不道徳」は性的罪の同義語になった。私の少年時代は離婚と飲酒がリストの上位にあった。現代の福音派の教会では堕胎と同性愛がおそらく最高位にあるのだろう。
イエスは罪に対して全く違ったアプローチをなさった。罪を重大だとか、あまりそうでないとかとランクづけすることよりも、聴く者の目を完全なる神に向けさせられた。神の前では私たちはみな罪人である。だれもが神の恵みに頼らざるを得ない。イザヤはそれを素朴な言葉でこう表現している。私たちの義はすべて「不潔な着物」、文字どおり「汚れた下着」のようだ、と(六四・六)。

恵みの話となると、意外にもまぎれもない罪人たちに一種の強みがある。作家グレアム・グリーンは、ある不道徳に足をすべらせたときに信仰が強まったという。絶望の末に教会へ行き、罪を告白をしたからである。グレアム・グリーンに弁明の余地は全くなく、自分の行動を弁護するすべがなかった。

放蕩息子の話も同様の点を主張している。放蕩息子には、拠って立つべき論拠がなく、霊的なプライドを保てるような基盤もなかった。霊的な競争ではどんな測り方をしても彼の負けであり、今や彼には恵み以外に頼るべきものがなかった。神の愛と赦しは当然、有徳な兄にも同じように差し出されていたが、兄は自分を無責任な弟と比べることに忙しすぎて、自身の真実が見えなくなっていた。ナウエンの言葉で言えば、「憤った『聖人』の失われた状態を、正確に突き止めるのはとても難しい。それは、善良で高潔な人間でありたいという願望と、分かちがたく結びついているからだ」。ナウエンは次のように告白している。

「わたし自身も、善き人間になりたい、人に受け入れられ、好かれ、他人の良き模範となれるように熱心に励んできた。罪に陥らないように意識的に努力し、誘惑に屈することをいつも恐れていた。そのせいで、生真面目さ、道徳的な堅苦しさ（狂信すれすれの）を招き、父の家でくつろぐことが、ますます難しくなった。わたしは自由を失い、自発性がなくなり、遊び心が消え、他の人々はますますわたしのことを、何となく『重苦しい人』と見るようになった。……

自分の中にいる兄息子について思い巡らすほど、現実に、それがいかに深く根を張っているか、また家に帰ることが、いかに困難であるかを認めるほかない。わたしの存在の、最も奥深くに根を下ろす冷徹な怒りから逃れて家に帰るより、快楽に溺れた生活から逃れて家に帰ることのほうが、ずっとやさしいと思われる。」

私たちの演じる霊のゲームの多くは、真にすばらしい動機で始まるが、本来の思惑からそれて、私たちを神から遠ざけてしまう可能性がある。私たちを恵みから遠ざけるからだ。正しい行いでもきよさでもなく、悔い改めこそが恵みに至る道である。そして、罪の反対は美徳ではなく、恵みなのである。

イエスの律法主義批判がそれほど痛烈なものではなかったとしても、使徒パウロが別の角度から根本的な問題点を突いている。律法主義は、それが目ざしているはずのある一つのことに惨めにも失敗しているというのだ。従順を促すことに、である。奇妙なことに、厳しい律法というものは、人の心に律法を破ろうとする新たな思いを注入する。パウロは、「律法が、『貪ってはならない』と言わなかったら、私は貪りを知らなかったでしょう。しかし、罪はこの戒めによって機会を捕らえ、私のうちにあらゆる貪りを引き起こしました」(ローマ七・七―八)と言う。いくつかの調査がこの原理を証明している。絶対禁酒主義を実践する教派で育った人々は、アルコール依存症になる確率が通常の三倍だ、という。

梨を盗んだアウグスティヌスの記事を読んだことがある。アウグスティヌスと友人たちには上等な梨がたくさんあったのに、「梨を盗むな」という隣の人の警告にただ逆らうためだけに、その家の梨の木を荒らしてしまう。六十六ページの規則書に管理されたキャンパスで四年間を過ごした私には、この奇妙なパターンがよくわかる。反抗してはならないとさんざん言われたために、反抗するようになったのだ。自分自身の未熟さもあったのだが、強く要求されているというただそれだけの理由で、権力者に逆らいたいという思いが絶えず心の中にあった。あごひげを生やしたくなったのは、あごひげを禁止する規則を読んでからである。

カトリックの神学者ハンス・キュンクは、「網がきれいに編まれれば、それだけ穴の数も多くなる」と書いている。彼は、ローマ・カトリックの教会法典の二千四百十四の規約に忠誠を誓っていたが、ある日、自分が福音のみわざを成し遂げようとするよりも、規約を守ったりくぐり抜けるようなことに奔走していることに気づいた。

反抗せず、かえって真摯にきまりを守ろうと頑張っている人にも、律法主義はまた別の罠を仕掛けている。守れなかったという思いが、恥という後々まで残る傷を作ることがあるのだ。マルティン・ルターは修道士だったとき、前日に犯した罪を思い起こして告白するのに六時間も頭を絞っていたという！　ルターは次のように書いている。

「私は修道士として非難されることのない生活を送っていたが、神の前では良心に不安を覚える罪人であった。また自分の行いで神を喜ばせたなどとも思えなかった。罪人を罰する義なる神を愛するどころか、実際は神をひどく嫌っていた。私は良い修道士であったし、非常に厳格に秩序を守っていたので、修道院の規律を守ることで天国へ行けるとしたら、私こそがまさにその修道士だった。修道士仲間がみな、そう確信していただろうと思う。……私の良心は確信を与えてくれなかったようで、私はいつも心配になって、こう言っていた。『おまえはちゃんとやらなかった。罪の悔い改めが十分でない。まだ告白していないことがある。』」

関係の破綻は双方に影響を及ぼす。イスラエル人の歴史、そしてイスラエル人と神との契約の歴史を読んで気づくのは、神が喜んでおられることに言及した箇所が多くないことだ。輝かしい例外もわずかに記されているが、歴史書——特に預言書——が描いているのは、苛立ったり失望したり、あからさまに怒りを表しておられる神である。律法は従順を促さず、むしろ不従順を助長した。律法は病気を指し示しただけだった。だが、恵みは癒やしをもたらした。

イエスもパウロも、私にとって大きな重荷となっている律法主義に対して、ある決定的な問題に言及しなかった。私はこれまでおおむね、教会のけちな律法主義のせいでキリスト教信仰を拒絶した友人たちのことに触れてきた。私の兄が初恋の女の子と別れたのも、兄の律法主義的な基準からすると彼女が十分「霊的」ではないからというものだった。兄は三十年間その厳格な律法主義から逃れようとした――そして今のところ、神から逃げることにも成功している。

律法主義はサブカルチャーを作り出す。そして移民の国、合衆国に住む人々は、サブカルチャーを拒否できることを知っている。移民の子どもたちが自分の民族の言葉や伝統、慣習を捨てて、現代アメリカの十代のサブカルチャーを取り入れていくのを、その親たちは見続けてきた。それと同じように、多くの厳格なクリスチャン家庭が、子どもたちが信仰を捨てるのを目にしてきた。子どもたちは小さくなったジャケットを処分するように、規則や信仰を簡単に捨てている。律法主義は棄教を容易にさせるのだ。

十九世紀イギリスの改革者サムエル・チュークは、精神病の治療に革新的な方法を思いついた。当時、精神病院で職員は精神障がい者を鎖で壁にくくりつけて、殴ったりしていた。そのように罰を与えれば、病人の中にある悪の力を打ち破ると信じられていたのである。チュークは、病をもつ人たちに、ティーパーティーや教会に行ったときの振舞い方を、懇切丁寧に教えた。そして彼らにも他の人と同じような装いをさせ、だれからも病を患っているとはわからないようにした。外見的には元気そうだった。しかしチュークは、患者たちの病に何の処置も施すことはなかった。

患者たちはどう振舞おうとも、病をかかえたままだった。

ある日私は、自分もチュークの患者のようだと思った。少年時代に通っていた教会は適切な行動の仕方を教えてくれたし、バイブル・カレッジはさらに新しい知識を提供してくれたが、いずれも私の内にある深刻な病を癒やさなかった。外面的な行動を習得したとしても、内側には病と痛みが残ったままだった。一時期、子どものころの信仰を捨てたが、ついに神はすばらしい仕方で私にご自身を現してくださった。憎しみの神ではなく愛の神として、しきたりの神ではなく自由の神として、さばきの神ではなく恵みの神として。

私といっしょに反発していた友人の中には、教会に対する深い不信感のために、今日に至るまで依然として神から遠ざかったままの人たちもいる。律法主義というサブカルチャーが邪魔をして、とにかく彼らは究極のゴール、神を知るというゴールを見失ってしまったのだ。教会は「間違いを犯すことへの恐れを私たちに植えつけるのに非常に多くの時間を費やしてきた。そのため、私たちは、間違った指導を受けたピアノの生徒のようになってしまった。自分の曲を演奏しても、それを真の意味で全く聞いていない。主たる関心が音楽を奏でることではなく、へまをして恥をかいたりしないようにすることにあるからなのだ」とロバート・ファーラー・ケイポンは言う。私は今では恵みの調べを聞いており、それを聞いていない友人たちのことを思うと深い悲しみを覚える。

数十年を経た今、自分が律法主義的な環境の中で育ったことを困惑の思いで振り返っている。率直なところ、私には、口ひげをはやしているかどうかを神が気にしておられるとは思えない。

それは、ズボンの前をジッパーにするか、アーミッシュのようにボタンにするかを神が心配しておられると思えないのと同様である。バイブル・カレッジに通っていたとき、規則に従いながら神を見失っている人たち、そして規則を破りながら神を見失っている人たちの両方を見た。しかし私を悩ませているのは、自分が規則を破ったために神を見失ったと今なお信じている人たちがいることだ。彼らは恵みの福音のメロディーを一度も聞かなかったのである。

律法主義について書いてきたのは、一つには、自分がこれと出会って傷ついたからであり、もう一つには、律法主義が教会に対してとても大きな力で誘惑してくると思うからである。律法主義は、信仰の道の脇に立って、こっちの道はもっと楽だよと誘う。思わせぶりに、信仰をもつことの益をいくらか約束しながら、いちばん大切なことを提供することができない。パウロは当時の律法主義者にこう手紙を書いている。「なぜなら、神の国は飲み食いのことではなく、義と平和と聖霊による喜びだからです」(ローマ一四・一七)。

テーラー大学学長のジェイ・ケスラーが、律法主義との出会いを語ってくれた。十代でキリストに従う決心をしてまもなく、自分に課せられた新たな規則に圧倒されたという。とまどいを覚えながら、インディアナにある自宅の裏庭を歩いていたとき、ふと、家のコリー犬ラディーが、露に濡れてきらきらと輝く草の中で伸びをし、楽しげに骨をかじっているのに気づいた。ジェイは、ラディーこそ最もすばらしいクリスチャンではないかと思い、ショックを受ける。ラディーはタバコも酒も飲まず、映画やダンスに行くこともなく、抗議のプラカードを掲げることもない。

人に危害を加えることもなく、おとなしく、活動的なほうでもなかった。ジェイは即座に、イエスは自由で熱意のある人生を送るようにと召してくださったはずなのに、自分がそこから大きく道を踏みはずしていることに気づいたのであった。

律法主義は一見難しそうだが、実際はキリストにある自由のほうが困難な道である。殺人を犯さないようにするのは比較的容易だが、愛をもって手を差し伸べるのは難しい。隣人とベッドを共にしないのは比較的やさしいことだが、結婚生活を存続させていくのはなかなか困難だ。税金を支払うのは困難なことではないが、貧しい人々に仕えるのは決してやさしいことではない。自由の中に生きようとするなら、私は聖霊に導きを求め続けなければならない。自分がやってきたことよりも、なおざりにしてきたことのほうに目が向く。私は偽善者のように行動という仮面をつけることができないし、他のクリスチャンたちと安易に比較して、その背後に隠れることもできない。

改革派の神学者グレシャム・メイチェンは、こう書いている。「低い律法観は律法主義に通じるが、高い律法観は、人を恵みを追い求める者にする。」律法主義は結果的に、神に対する見方を低いものにしてしまう。私たちは、厳格な教派やキリスト教団体を「霊的」だと考えがちである。しかし本当のところ、ボブ・ジョーンズ大学とホイートン大学の違い、あるいはメノナイトと南部バプテストの違いなど、聖なる神と比べれば些細なものなのだ。

比例度から言うと、地球の表面はビリヤードの玉よりもなめらかだ、と何かで読んだことがある。エベレスト山の大きさや太平洋の海溝の深さは、この惑星に住む私たちにとって、とても印象深いものだ。しかしアンドロメダ大星雲から見れば、あるいは火星から見ても、そのデコボコは全く問題にならない。私は今、キリスト教グループの行動の違いなど、それと同様に些細なものだと思っている。きよく完全な神と比較すれば、人間が定めた規則のエベレスト最高峰もモグラ塚程度なのである。人はそこを登ったからといっても、神に受け入れられるわけではない。神に受け入れられるのに必要なのは、ただそれを贈り物として受け取ることなのだ。

イエスは、神の律法は完全で絶対だから、義を達成することはだれにもできないと宣言された。しかし神の恵みはあまりにも大きく、私たちは義を達成しなくてもよいのだ。律法主義者は自分たちがどれほど神の愛にふさわしい者であるかを懸命に示そうとして、福音の核心を見失ってしまっている。神の愛は本来ふさわしくない人々への神からの贈り物であるという福音の核心を。罪の解決とは、いっそう厳格な行動規範を押しつけることではない。解決は神を知ることなのだ。

＊そう、これがアフリカ系アメリカ人の会員を排斥した教会である。私たちは、自分たちとは異なる人種の人々に福音を宣べ伝える宣教師を派遣するために一千万円以上の献金——一九五〇年代、六〇年代には大変な額だった——を集めたが、集っている教会のドアの内側には、白人以外の人たちを入れなかった。

第四部　耳の聞こえない世界に響く恵みの調べ

16　ハロルドおじさん——物語

父は私が一歳一か月の時にポリオで亡くなったので、私は父親を知らずに育った。教会のある男性が、親切にも兄と私の面倒を見てくれた。私たちはこの人のことを「ハロルドおじさん（ビッグ・ハロルド）」と呼んでいた。兄弟が遊園地のメリーゴーランドに乗っている間、ハロルドおじさんはじっと座って待っていてくれた。兄と私が大きくなると、チェスのやり方を教えてくれたり、木箱でレーシング・カートを作るのを手伝ってくれたりした。無垢な子ども時代にいた私たちは、教会の人の多くがハロルドおじさんを変わり者と見ていることなど考えてもみなかった。

やがてハロルドおじさんは私たちの教会へ来なくなった。この教会がリベラルすぎると結論したからだ。教会には口紅をつけ、化粧をしている人たちがいた。教会に楽器を持ち込んではならないと解釈できるみことばもいくつか見つけていたので、それと同じ立場に立つ教会を求めたのだった。ハロルドおじさんの結婚式に出席したが、音楽ご法度のルールは、教会堂の中だけに適用されるものらしく、長く黄色い延長コードが中央の通路からくねくねと外まで這い出していた。レコード・プレーヤーは戸外でメンデルスゾーンの『結婚行進曲』の演奏をキイキイ咳き込みながら吐き出していた。

ハロルドおじさんの頭は道徳と政治のことでいっぱいだった。合衆国は寛大だから神のさばきを受け、じきに崩壊すると信じていた。おじさんが引用するのは、西側世界は熟しすぎた果物のように内側から外側へ腐っていくと語る共産主義指導者の言葉だった。実際、おじさんは、三極委員会や連邦準備銀行を牛耳る共産主義者がそのうち政府を乗っ取るようになると思っていた。極右反共団体ジョン・バーチ協会が出している、赤と白と青のカバーのかかった粗末な紙の印刷物を私にくれた。そして『大逆を犯させるな』という書名のその本を読むようにと言った。

ハロルドおじさんはアフリカ系アメリカ人が大嫌いだった。自分のまわりで働く人たちを例に出して、彼らがいかに愚かで怠け者で、役立たずであるかを語った。そのころ、アメリカ議会は公民権法案を通過させ、アトランタは人種差別撤廃に乗り出していた。以前は白人専用のモーテルやレストランがあり、ショッピング・センターも肌の色で分けられ、決して両者が共に使えるセンターではなかった。政府は変革を強引に進めていたが、ハロルドおじさんは、それも共産主義者の陰謀だと思っていた。裁判所がアトランタの児童にバス通学を命じたとき、ハロルドおじさんの我慢は限界に達した。おじさんにはそのとき子どもが二人いたが、その子たちがアフリカ系の子どもでいっぱいのバスに乗せられ、世俗的なヒューマニストの運営する学校へ行くことなど耐えられなかった。

ハロルドおじさんが移住を検討し始めたとき、私はそれを冗談かと思った。おじさんはローデシア、南アフリカ、オーストラリア、ニュージーランド、フォークランド諸島など――白人がなお支配権を握っているような所――に、パンフレットの送付を頼んだ。そして、地図を広げて、それらの国の社会がどういう人種で構成されているかを調べた。白人が支配しているだけでなく、道徳的にもしっかりした国を探していた。そんなわけで、オーストラリアは、白人が多数を占めているけれども、除外された。オーストラリア社会は合衆国以上に寛大と見受けられたからである。オーストラリアにはトップレス・ビーチがあり、皆がビールを飲んでいた。

ある日、ハロルドおじさんは南アフリカに移住すると宣言した。当時、南アフリカの少数派である白人が権力支配を緩めるなど、だれも想像していなかった。何といっても彼らには銃があった。国連はアパルトヘイトを非難する議案を次々と可決していたが、南アフリカは一歩もゆずらず、全世界を敵に回していた。しかしハロルドおじさんは、それを喜んでいた。

おじさんは、宗教が南アフリカ政府の中で大きな役割を果たしている点も喜んでいた。政府与党は改革派教会に大きく依存し、改革派教会はお返しに、アパルトヘイトの神学的基盤を提供していた。南アフリカ政府はためらうことなく道徳を強要した。堕胎も、異人種間の結婚も違法だった。税関の検査官は『プレイボーイ』のような雑誌を検閲し、いかがわしい映画や本を禁じた。ハロルドおじさんは、子ども向けの馬のお話である『黒馬物語』(訳注=原題は『ブラック・ビューティ』)が、そのタイトルのせいで何年も発禁処分になっていたと言って笑った。わざわざその本を読む検査官がいなかったのだ。

アトランタ空港で、ハロルドおじさんと奥さんのサラ、そして幼い子ども二人がそれまで唯一知っていた国に手を振って別れを告げるのを、私たちは涙しながら見送った。一家には南アフリカに、仕事も友人も住む家さえもなかった。しかしおじさんたちは、「心配ないさ。白人は手を広げて歓迎してくれるよ」と言って私たちを安心させた。

ハロルドおじさんの手紙のスタイルはいつも決まっていた。おじさんは小さな教会の信徒説教者も務めていて、アメリカの親族や友人へ手紙を書くときには、説教ノートの裏面を使っていた。概してその説教には要点が十二から十四あり、どれもみことばの引照とともに聖書的な裏づけが記されていた。手紙の裏と表を見分けるのが難しいこともあった。どちらの面にも、説教が書いてあるように読めたからだ。ハロルドおじさんは、共産主義とまやかしの宗教、今日の若者の不道徳、細かい点で自分と意見の合わない教会やクリスチャンたちを激しく罵倒していた。

おじさんは南アフリカで成功しているようだった。アメリカは南アフリカから学ぶことがたくさんあると書いていた。南アフリカの教会では、若い人が説教の間にガムをかんだり、メモを回したり、ささやき合ったりしない。学校（白人だけの）では学生は起立し、尊敬の念をもって教師に話しかけた。ハロルドおじさんは『タイム』誌を購読していたが、現在アメリカで起きていることが信じられなかった。南アフリカは少数民族を力で抑えつけ、フェミニズムやゲイの権利を求める圧力団体など全く存在しない。政府は神の代理者であり、暗闇の力に対して正しいことのために立ち向かうべきなのだ。おじさんは私にそう言ってきた。

ハロルドおじさんは家族について書くときも、偏屈で人をさばく調子になっていた。子どもたちが父親を喜ばせたことは全くなかったようだ。特に息子のウィリアムが、いつも間違った判断をしては、問題を起こしていた。

ハロルドおじさんの手紙を一通でも手にした人はおそらく、おじさんを変人だと判断するだろう。しかし少年時代の良い思い出がある私は、おじさんの手紙を一度も真に受けたことがなかった。荒々しい外見の下に、幼い二人の男の子を抱えた未亡人を骨身を削って助けた男性がいることを知っていたからだ。

ハロルドおじさんが南アフリカに移住したとき、私はまだ十代だった。大学、大学院へと進み、雑誌編集者の仕事を得、やがてフルタイムの物書きになった。この間ずっとハロルドおじさんはとぎれることなく手紙を送ってくれた。おじさんの父親が亡くなり、次いで母親が亡くなったが、おじさんはアメリカへの里帰りを考えたことがなかった。私の知る限り、彼の親族や友人も南アフリカへ会いに行かなかった。

一九九〇年代に入ると、ハロルドおじさんの手紙が暗いものになった。このころ、南アフリカでは肌の色の違いを超えて権力を分かち合うことが考えられるようになったのだ。ハロルドおじさんは、当地の新聞に投書した手紙のコピーを送ってきた。南アフリカ政府は合衆国政府と同じように、おじさんを裏切っているのだ。ネルソン・マンデラとデズモンド・ツツのことを正真正銘の共産主義者に違いない、と言った。南アフリカへの経済制裁を支持したといって、アメリカ人を裏切り者呼ばわりした。そして、道徳性が衰退した主たる原因は共産主義者の扇動にある、と言った。今やストリップ・ショーを見せるクラブが国境の町周辺にオープンしていたし、ヨハネスバーグの中心街では、肌の色の違うカップルが手をつないでいるのも見られた。おじさんの手紙の調子はますますヒステリックなものになっていった。

いくらか不安もあったが、一九九三年にハロルドおじさんを訪ねることにした。二十五年間、私がおじさんから受け取っていたのは、さばきと非難だけが書かれた手紙だった。私の著書についても長文の反論を書いてきたが、中でも『神に失望したとき』には怒りを爆発させて、「もうこれ以上おまえの本は送ってくるな」と言わんばかりだった。三ページにわたってその本に非難を浴びせてきたが、怒りは本の内容ではなく、タイトルに対するものだった。彼はページを開けてもいなかったが、タイトルについて言いたいことが山ほどあった。タイトルが不愉快だったのだ。

それでも私は仕事で南アフリカへ行くので、八百キロ遠回りしてでも、どうしてもハロルドおじさんに会いたかった。おじさんは、私がかつて知っていたおじさんではないかもしれない。彼にはもっと広い世界と接することが必要だったのかもしれない。私は数か月前に、おじさんのところへ遊びに行ってもよいかと尋ねる手紙を出してみた。すると、すぐに手紙の返事が来た。それは穏やかで融和的な口調のものだった。

ハロルドおじさんのいる町に着く飛行機は、ヨハネスバーグを朝六時半に発つ便だけだった。妻と私は空港に着くころには、コーヒーで興奮状態に陥っていた。カフェインのせいで、今回の訪問に関してさらに神経過敏になってしまったのだ。これからどうなるのか、見当もつかなかった。ハロルドおじさんの子どもたちはもう成人していて、南アフリカのアクセントで話すことは間違いなかった。私にはその子たちの両親、ハロルドとサラがわかるだろうか。子どものころから抱いてきたハロルドおじさんのイメージは捨てようと心に決めた。

私の人生で最も奇想天外な日々はこうして始まった。飛行機が着陸し、到着口を出ると、サラのことはすぐにわかった。髪の毛が白くなり、年齢のために肩もやや前屈みになっていたが、あの悲しげな細い顔はほかでもないサラだった。サラは私を抱きしめてから、息子のウィリアムとその婚約者のビバリーを紹介した（サラの娘は遠くに住んでいて、来ることができなかった）。

ウィリアムは二十代後半の気さくでハンサムな青年で、大のアメリカファンだった。彼の話によると、ビバリーとは、麻薬依存症のためのクリニックで出会ったという。明らかにハロルドおじさんの手紙には書かれていない事実がいくつかあった。

ウィリアムは、私たちが荷物をたくさん持ってきているかもしれないと考えて、おんぼろのフォルクスワーゲンのバンを借りてきてくれていた。バンの真ん中の座席が剝がれて壊れていたので、ウィリアム、ビバリー、サラが前の席に座り、私と妻は後部エンジン真上の席を占領した。暑くてゆうに三十度は超えており、エンジンから上がってくる排気ガスがさびた床から漏れてきた。さらに悪いことに、ビバリーとウィリアムは回復途上の麻薬依存症患者によくあるようにタバコを手放さず、紫煙の雲がディーゼルの排気ガスと混じり合いながらバンの中を漂った。

ウィリアムは私たちを乗せて、ドリフト走行をしたり、急ブレーキをかけたりと、いのち知らずの運転をしながら町を抜けていった。何度も振り返って、見所を指さして教えてくれたが――

「世界初の心臓移植手術を行った医師クリスチャン・バーナード博士のこと、聞いたことあります？　あの家に住んでいたんですよ」――そうするたびに、バンが左右に傾いて荷物が床に滑り落ち、私たちは何リットルものコーヒーと飛行機で食べた朝食を戻さずにいるよう、懸命に戦った。

　私にはまだ聞いていない質問があった。「ハロルドおじさんはどこだろう。」　きっと家で待っているのだろうと思った。しかし車が停まっても、玄関口にはだれも姿を現さなかった。「ハロルドはどこ？」　私は「おじさん」を省く決意を思い起こしながら、車から荷物を降ろすときに、ウィリアムに尋ねた。

「ああ、言おうと思ってたんですけど、チャンスがなかったから。あのー、パパは刑務所に入ってるんです。」そう言って、彼はタバコを探してポケットの中に手を突っ込んだ。

「刑務所だって？」脳が縮み上がった。

「そう。きょうまでに出られるといいなと思ってたんですけど、釈放が遅れたんですよ。」

　私は目を見開いたまま立ち尽くしていたが、ウィリアムはさらに説明を続けた。「なんというか――うん、パパはときどき平常心を失うことがあるんです。そして、怒りをそのまま手紙に書いて……。」

「知ってるよ、そんな手紙を何通かもらっているから」と私は口をはさんだ。

「あ、そうか。パパは一通余計なものを出しちゃって、面倒なことになったんですよ。あとでもっと詳しく説明しますね。家の中に入って。」

私はしばらくそこに立ったまま、この知らせを受け入れようとしていたが、ウィリアムは中にひょいと入ってしまった。私はスーツケースを持ち上げると、小さな薄暗いバンガローに入った。室内は二重のベネチアンブラインドと遮光カーテンで外の光を遮断していた。家具は月並みのものだったが、落ち着いた感じで、その形態は南アフリカで私が訪れたどの家のものよりもアメリカ風だった。サラがやかんを火にかけ、みんなでしばらくの間、かしこまった会話をし、だれの頭にもある話題は避けていた。

まもなく私の注意が散るような事態が訪れた。ウィリアムはセイガイインコ、オカメインコ、コンゴウインコ、オウムなど熱帯の美しい鳥を飼っていた。彼の住んでいるアパートではペットが禁止されていたので、これらのインコを両親の家に置いていた。鳥たちはここで、かごに入れられることなく自由に飛び回っていたのだ。インコは卵の時から育てられているため、人によく馴れ、長椅子に腰を下ろした私の肩にも留まるほどだった。私は虹色のセイガイインコに舌をつつかれ、もう少しでティーカップを落とすところだった。

「ああ、ジェリーのことは気にしないで」とウィリアムは笑った。「チョコレートを食べるように訓練したんですよ。ぼくがチョコレート・キャンディをしばらくかんでから、舌を突き出すと、ジェリーがそれをなめるんです。」私は口を閉じたままにして、妻の表情は見ないようにした。

コーヒーを飲みすぎ、タバコの煙まで吸い、フォルクスワーゲンに乗って、へとへとになり、暗いバンガローに座って、鳥から湿った沈殿物を肩に落とされたり、舌に言い寄られたりしながら、私はハロルドおじさんの暗い測面について真実を聞いたのだった。確かにハロルドは、日曜日には地獄の業火を説き、アメリカの友人たちには毒のあるさばきの長文を書き送った。確かに彼は道徳の衰退を激しく非難した。しかし同時に、今私が腰を下ろしているこの小さなかび臭い家で、ポルノの売買組織を運営していたのである。ハロルドは違法の外国製出版物を持ち込み、写真を切り取り、それを南アフリカの有名な女性たちに「あなたにこんなことをしたい」というメモを添えて送りつけていた。被害にあった女性の一人でテレビのニュースキャスターが、危険を感じて警察に通報した。警察はタイプライターをたどって捜査を絞り込み、ハロルドに接近した。

特別機動隊（SWAT）が家を包囲して強行突入し、引き出しやクロゼットの中を徹底的に探しまくった日のことを詳しく語るのは、サラには耐えられそうになかった。機動隊はサラの夫のコピー機やタイプライターを押収した。そして、ハロルドのポルノの秘密の隠し場所を発見した。それからハロルドを刑務所に連行し、手錠をかけ、野球帽を深くかぶらせ、ひさしで顔を隠させた。捜査の間中、テレビのニュース用トラックが外に停車し、ヘリコプターが上空を旋回していた。この話は夕方のニュースで流れた。「説教者、わいせつ罪で逮捕」と。

サラは近所の人と顔を合わせることができず、四日間家にこもっていたと言った。やがてなんとかして教会に足を向けたのだが、そこでも、さらなる屈辱に直面しただけだった。ハロルドはこのちっちゃな教会の道徳的中心だった。教会の人たちはみなとまどいを覚えていたし、裏切られたように感じていた。彼にまでこんなことが起こるとは……。

その日、それからもう少し細かな話を聞いてから、ハロルド本人に会うことにした。私たちはプラスチック容器にピクニック用の昼食を詰め、軽警備の刑務所に持っていった。ハロルドとはそこの運動場で会った。私たちは二十五年ぶりに顔を合わせ、抱き合った。彼は今や六十代になり、痩せこけ、頭もほとんどはげていた。目はくぼみ、顔色は薄いミルク色で不健康そうだった。彼をかつて「大きな」（ビッグ）ハロルドと思っていたことがあるとは信じられなかった。

他の囚人たちと比べると、幽霊のような感じだった。ほとんどの囚人がボディービルや日光浴に時間を使っていた。ハロルドはとにかく悲しそうに見えた。彼の姿は全世界にさらされていた。隠れる場所がなかった。

いっしょに数時間を過ごすなかで、昔のハロルドおじさんが垣間見えた。彼に、かつて住んでいた所の周囲の変化した様子や、一九九六年のアトランタ・オリンピックに備えて行われている改良工事の話をしたりした。友人や親族の人たちのことを語ると彼は元気づいた。そして、彼も地面を跳び回っているさまざまな鳥を指さしたが、それは私が見たこともないエキゾチックな南アフリカの鳥だった。

私たちは世間話をし、ハロルドが刑務所に入れられることになった事件のことは直接話さなかった。彼は恐れを抱いていた。「この中では性犯罪者がどんな目に遭わされるか、聞いているんだ。だから、あごひげを生やし、帽子をかぶるようになったんだ。変装みたいなものだね。」

面会時間が終わり、私たちは他の面会者全員といっしょに、幾列にもなっている蛇腹形鉄条網のフェンスを通って、外へと出された。私はもう一回、ハロルドを強く抱きしめてから、そこを去った。もう二度と会うことはないだろうと思いながら。

私たちを乗せた飛行機が数日後、南アフリカを飛び立ったとき、妻も私もまだショックを引きずっていた。手紙を通してハロルドを知っていた妻は、世界に向かって「悔い改めよ！」と熱心に説くバプテスマのヨハネのような、皮衣を身にまとった預言者に会えるものと期待していた。私が抱いていたハロルドのイメージは、妻の期待に、子どものころから知っていた穏やかさを合わせたような人物だった。まさか服役中の囚人に会うとは、二人とも夢にも思わなかった。

面会の後、ハロルドから届いた手紙のうち最初の何通かには謙虚な響きがあった。しかし出所すると、たちまち頑なになってしまった。教会に強引な形で戻り（教会のほうは「除名して」いたのに）、新しいタイプライターを買い、世界情勢についてのさらなる見解を送付し始めた。私は、あの経験を通して彼が少し立ち止まって考えるようになるのではないかと期待していた。もっと他の人に同情を寄せ、かつてのように尊大でなく、道徳的に独断的でなくなるのではないか、と。だが、あれから数年が過ぎたが、ハロルドの手紙には、ほんのわずかな謙虚さも感じ取ることができない。

何より悲しいのは、恵みのしるしを全く感じ取れなかったことだ。ハロルドおじさんは道徳的にはよく教育を施されていた。彼にとって、世界は純粋と不純にきれいに二分されていた。そしてハロルドおじさんはますます堅固な円を描き続け、ついには自分以外はだれも信じることができなくなっていた。次いで、自分自身のことも信じられなくなった。おそらく彼は生涯で初めて、恵みに目を向けるしかないことがわかったことだろう。だが、私の見た限りでは、ハロルドおじさんは決してそちらを向こうとしなかった。たとえ欠陥があろうとも、道徳のほうがずっと安全な場所に思えたのだ。

最高の人とはどんな信念ももっていない人だが、最悪の人とは激しい情熱に満ちあふれている人だ。
W・B・イェーツ

17 複雑な香り

ビル・クリントンの最初の任期中にホワイトハウスを訪れたとき、いきなり現代の文化戦争を経験した。私はなんとも回りくどいかたちで、招待を受けた。個人的には政治に関与することがほとんどなく、その手の話題はたいてい書かないようにしている。だが、一九九三年の後半になって、福音派が社会情勢について鳴らしている警鐘（それはヒステリックとも思えた）を案ずるようになった。そして、あるコラムで、「私たちが本当に挑むべきことは、合衆国をキリスト教化することではなく（いつだって負け戦だった）、ますます対立を深めている世界の中で、キリストの教会となるよう奮闘することである」と結論を出した。

『クリスチャニティ・トゥデイ』誌の編集者たちはそのコラムに、「クリントンが反キリストでない理由」という、いささかセンセーショナルなタイトルをつけた。何通かもらった手紙の多くが、ビル・クリントンは反キリストであると強く主張していた。どういうわけかそのコラムは大統領のデスクまで届き、数か月後にクリントン大統領がプライベートな朝食に十二人の福音派の人たちを招待したとき、私の名前もリストに入っていたのである。教会あるいは超教派団体の代表者もいれば、キリスト教の学者も何人かいた。私が招待されたのは、コラムのひたすら刺激的なタイトルのおかげだった。（アル・ゴア副大統領は「クリントンが反キリストでない理由」というタイトルを見て、「さあてビル、何か行動を起こさなくちゃいけないね」と言った。）

「大統領には別に検討議題はございません。」これを聞いて、私たちはホッとした。「大統領はただ皆さんの関心事をお聞きになりたいのです。各自五分間で、大統領に話したいことを何でもおっしゃってください。」政治的知識がほとんどなくても、大統領が私たちを招集したのが、主として、福音派のクリスチャンの間で彼の支持率が低いためであるということはわかる。クリントン氏は最初の挨拶で、いくつかの心配事を伝え、こう言った。「ときどき自分が霊的孤児のように感じるのです。」

大統領は生まれてから南部バプテスト連盟に所属し、今に至るが、ワシントンD・Cにキリスト教コミュニティーを見つけるのが困難であることを知っていた――ワシントンD・Cは「かつて住んだ中で最も非宗教的な市です」と彼は語った。大統領一家が教会へ行けば、たちまちメディアが集まり報道合戦を行うので、神を礼拝するどころではなかった。大統領のスタッフ（もちろんクリントンが指名した人たちだ）の中にも、彼の信仰に関心を払う人はほとんどいなかった。

そのうえ、保守的なキリスト教コミュニティーはクリントンと関係を絶っていた。大統領がワシントンの通りをジョギングしたときも、「ビル・クリントンへの一票は神に対する罪である」と書かれたバンパー・ステッカーに出合った。妊娠中絶に反対して過激な活動を行う団体「オペレーション・レスキュー」の創設者ランドール・テリーは、クリントン一家を公然と「アハブとイゼベル」呼ばわりした。そして、大統領の所属教派である南部バプテスト連盟は、クリントンの名を教会員名簿からはずさないアーカンソーの教会を非難するよう迫られていた。

要するに、大統領はクリスチャンから恵みをあまり受けていなかった。「私は長いこと政治に携わってきたので、批判や敵意は十分予想できます。でも、クリスチャンからこんなに憎まれるとは予想だにしませんでした。クリスチャンはなぜこんなに憎むのでしょう。」

もちろん、その朝リンカーン・ダイニング・ルームにいた人たちは皆、大統領がクリスチャンの間に大きな敵意をかきたてた理由を知っていた。大統領自身の道徳上の問題が報告されていたこともあったし、特に中絶と同性愛者の権利に関する政策のせいで、自分は信仰をもっているという大統領の言葉を多くのクリスチャンが信じられなくなったのだ。人々の尊敬を集めているキリスト教指導者が私にきっぱりと言った。「ビル・クリントンが自らの信仰に真摯であるなら、あのような見解をもつはずがない。」

その朝食会のことを記事にした数か月後、再びホワイトハウスから招きを受けた。今回はある雑誌の大統領独占インタビューに加わってほしいということだった。インタビューは一九九四年二月に、主として大統領専用リムジンの車中で行われた。クリントンがスラム街の学校で話をした後、『クリスチャニティ・トゥデイ』の編集者デイビッド・ネフとともに、ホワイトハウスへ戻る大統領の長い車の旅に同行し、大統領執務室でも会話を続けることになっていた。リムジンの中は広々としていたが、それでも大統領に向き合って座ると、クリントンの長い足は窮屈そうだった。年中無理をさせられているのどを潤すために紙コップの水をときたますすりながら、大統領は私たちの質問に答えてくれた。

話はおもに、妊娠中絶問題を中心に展開した。デイビット・ネフと私はこの難問についてどのようにして切り出すか、戦略を練っておいたのだが、実際は自然なかたちでその問題に入っていった。その朝私たちは大統領朝禱会に出席し、マザー・テレサがこの国の忌まわしい妊娠中絶について大統領を躊躇することなく叱責するのを聞いていた。クリントンは、朝食が終わってから、マザーと個人的に話をしており、私たちと妊娠中絶の議論を続けたがっているようだった。

このときの私の記事は「ビル・クリントンの信仰の謎」というタイトルとなり、大統領の見解を報告するとともに、友人のデイビット・ネフが投げかけた問題を検討した。あのような見解をもちながら、ビル・クリントンは自分の信仰に真摯であると言えるのか、という問題である。子ども時代から彼のことを知っている人たちの談話も含めて、多くの取材を行ったが、結果は明らかだったと思う。クリントンの信仰は、政治に有利だからというご都合主義のポーズなどではなく、ビル・クリントンという人間に欠くことのできないものなのだ。彼は大学時代を別にすれば、忠実に教会に通い、昔からビリー・グラハムの支援者であり、聖書も熱心に学んでいた。信仰書でいちばん最近読んだものは何かと尋ねると、フラー神学校の学長リチャード・モウやトニー・カンポロの著作のタイトルを口にした。

実際、クリントン一家を信仰と切り離して理解するのはほとんど不可能だった。メソジストの家に生まれ、その信仰をもち続けているヒラリー・クリントンは、私たちが地上に置かれているのは他の人たちに奉仕して善を行うためだ、と信じている。南部バプテストのビル・クリントンは、リバイバリズムと「罪を告白していこう」という伝統の中に育った。だから、その週の間にクリントンは間違いを犯すこと――だれでもそうではないか――があっても、日曜日が来ると、教会へ行き、罪を告白し、再出発を図る。

インタビューを終えてから、クリントン大統領と彼の信仰について、自分でもバランスがとれていると思う記事を書いた。かなりのスペースを妊娠中絶の問題に割き、クリントンのどっちつかずの見解とマザー・テレサの不動の道徳観とを対比させた。ものすごい反響の嵐に見舞われるとは思ってもみなかった。怒りの手紙の詰まった袋をわが家の郵便受けまで引きずって来る郵便配達人の身体が心配だ。

ある人は言った。「クリントンには聖書の知識があると言うが、そう、悪魔にだって聖書の知識があるさ！　あんたは、あいつにまるめこまれているんだ。」手紙をくれた人の多くが、福音派の人は絶対に大統領と会うべきではない、と主張していた。アドルフ・ヒトラーとの類似点を指摘するものが六通あった。ヒトラーは皮肉なことに、自分の目的達成のために牧師たちを利用したのだ、と。あと何通かは私たちを、スターリンから脅しをかけられた教会になぞらえていた。あるものは聖書の対決の場面を記していた。バプテスマのヨハネ対ヘロデ、エリヤ対アハブ、ナタン対ダビデ。私がどうして預言者のように振舞い、大統領に向かって人差し指を立てなかったのか、と。

こんなことを書いてきた人もいる。「フィリップ・ヤンシーは、子どもが貨物列車にひかれそうなのを見たら、どうするだろう。大声をあげ、その子を突き飛ばして危険から救うのではなく、離れた所に優雅に立って、子どもに向かって『そこから離れたらどうだい？』と優しく言うのだろう。」

「良い記事だった」と書かれた手紙は一割にも満たなかった。意地悪い口調の個人攻撃は、私の想像をはるかに越えていた。ある読者はこう綴っていた。「中西部の平地から空気が薄くて人里離れたコロラドへ引っ越したためだろう、ヤンシー氏の酸素供給量が急激に減少し、識別力も鈍くなった。」さらにある読者の手紙には、こう書かれていた。「フィル・ヤンシーはホワイトハウスでエッグズ・ベネディクト（訳注＝イングリッシュマフィンにハムと卵をのせ、オランダソースをかけた料理）の朝食を十分に楽しんだことだろう。頬の無精ひげについた卵の黄身を拭うのに忙しかったとき、クリントン政権は、非常に反有神論的で道徳心のない議題を推し進めていたんだ。」

ジャーナリズムの世界に二十五年間身を置くなかで、私はさまざまな評価を受けてきた。それでも、毒舌を振るうたくさんの手紙を読んでいて強く感じるのは、なぜこの世が「恵み」という言葉から福音的なクリスチャンをすぐに連想しないのか、ということである。

使徒パウロの書いたものは、だいたいおなじみのパターンに従っている。どの手紙も、最初のところで「神の豊かな恵み」といった高尚な神学概念を探っている。そして、ある時点でいつも少し立ち止まり、予想される反対意見に答えるのだ。それからやっと現実への適用に進み、この豊かさがどのように日常生活のごたごたに当てはめられるのかを詳しく説明する。「恵みを受けた」人は、夫としてあるいは妻として、教会員として、市民として、どのように行動すべきなのか、と。

私はそれと同じパターンを使い、恵みが、国や民族や家族を縛る「恵みでないもの」の鎖を断ち切るすばらしい力であることを示してきた。恵みは可能なかぎり最高の知らせを告げている。宇宙の神が私たちを愛しておられるという知らせ、あまりにも良い知らせなのでつまずき《スキャンダル》の臭いがする知らせである。しかし私の仕事はまだ終わっていない。実際的な問いに立ち戻る時がきた。恵みがそれほど驚くべきものであるなら、なぜクリスチャンはもっと恵みを示さないのか、という問いである。

恵みの香りを放つよう召されているはずのクリスチャンが、「恵みでないもの」の有毒な煙を発しているのはどういうわけなのだろう。一九九〇年代のアメリカにいると、その問いに対する一つの答えが心に思い浮かぶ。教会は政治問題に翻弄されすぎて、権力のルールに従って動いてしまっているのである。だが、それは「恵みでないもの」のルールである。公共広場ほど、教会が使命を失ってしまう危険性が高い場所はない。

ビル・クリントンについてのコラムを書いた経験のおかげで、この点を痛感させられた。私はおそらく初めて、何人かのクリスチャンが発するほのかな香りをかいだのだが、それは決して心地よいものではなかった。そしてクリスチャンが概して世界からどのように見られているかに、より強く注意を払うようになった。たとえば『ニューヨーク・タイムズ』の社説は興奮した口調で、こんな警告を発している。「宗教的保守派の行動主義は、民主主義に対してきわめて大きな脅威となっている。それは共産主義がもたらした脅威の比ではない」と。宗教的保守派はこの言葉を真剣に考えただろうか。

時事風刺漫画は文化の一般的動向の多くを明らかにしているので、私は風刺漫画の描くクリスチャン像にも目を留めるようになった。たとえば雑誌『ニューヨーカー』の漫画では、高級レストランのウェイターが常連客にこう言ってメニューの説明をしている。「星印のついたお料理は、宗教右派ご推奨のものでございます。」さらに、別の政治漫画には、正面に次のような看板を出している伝統的なアメリカの教会堂が描かれていた。「反クリントン第一教会。」

私は、クリスチャンが政治に関わる権利と責任を全面的に支持する。奴隷制度廃止、公民権、中絶反対のような道徳的改革運動では、クリスチャンが先頭に立ってきた。そして、今日のメディアは宗教右派の「脅威」を誇張しすぎているように思う。政治に関わっている私の知るクリスチャンたちは、メディアの描くカリカチュアとは全く別人である。それでも、最近、「福音派」と「宗教右派」という名称が互換性をもつようになってきたことに懸念を覚えている。時事風刺漫画では、クリスチャンはますます、他人の人生をコントロールしたがる頭の固いモラリストとして理解されている。

なぜクリスチャンの中には、「恵みでない」ように行動する人たちがいるのだろうか。それは恐れのためである。私たちは学校で、裁判所で、時には議会でも、攻撃にさらされているように感じる。一方、周囲に見られるのは、社会の腐敗を示すモラルの変化である。犯罪、離婚、若年者の自殺、中絶、麻薬の使用、福祉援助を受けている子どもたち、非嫡出子の誕生といったことでは、合衆国はどの先進国よりも進んでいる。社会的保守派は、ますます少数派として追いつめられているように、自分たちの価値観が絶えず攻撃されているように感じている。

クリスチャンはどのようにして、恵みと愛の精神を伝えながら、世俗社会の中で道徳の価値を維持できるのだろうか。詩篇の記者が表明したように、「拠り所がこわされたら正しい者に何ができようか」(一一・三)。私に手紙を送ってきた人々の荒々しい態度の背後にあるものは、神のための場所がほとんどどこにもない世界に対する至極当然な関心である。しかしながら、イエスがパリサイ人に指摘なさったように、道徳の価値への関心だけでは決して十分とは言えない。恵みから切り離された道徳主義は、ほとんど何も解決しないのだ。

『シックスティ・ミニッツ』というテレビ番組のコメンテーター、アンディ・ルーニーがこう言ったことがある。「私は中絶に反対することにした。中絶は殺人だと思う。でも、妊娠中絶合法化に反対する人たちよりも、賛成する人たちのほうがずっと好きだというジレンマを抱えている。妊娠中絶合法化を支持するグループと夕食を共にするほうがずっと楽しいのだ。」だれと食事をするかが問題なのではなく、妊娠中絶に反対するクリスチャンの情熱のせいで、アンディ・ルーニーが神の恵みに出会えないでいるところに大きな問題があるのだ。

飛行機で隣に座った人に、「『福音派』という言葉を聞いて、どんなことを連想しますか」と尋ねると、たいていは政治用語の絡んだ回答が返ってくる。しかし、イエスの福音は本来、政治の政策綱要ではなかった。比例代表選挙や文化闘争の話をしていると、クリスチャンが提供しなければならない独自のものである恵みのメッセージが脇に行ってしまいがちである。権力の回廊から恵みのメッセージを伝えるのが、不可能ではなくても、困難であることは確かだ。

教会は現在いっそう政治色を強めている。そして社会が崩壊してゆくと、あわれみではなく、道徳性を強調せよという声がますます強くなってくる。同性愛者に汚名を着せ、シングルマザーを侮辱し、移民を迫害し、ホームレスの人々を苦しめ、法律違反者を罰せよ、という声だ。――クリスチャンの中には、厳しい法律を議会で通過させれば、この国を変えられると思っている人もいる。ある著名な霊的指導者がこう主張している。「真の霊的リバイバルを得る方法はただ一つ。立法改革だ。」彼はそれを逆にできなかったのだろうか。

一九五〇年代と六〇年代に、主流教派は福音よりも政治的な課題を語るように変わっていった。そして教会は空席が目立ち始め、会員数が半分に落ち込んだ。不満を抱いた人々は、自分たちの霊的必要に照準を合わせたメッセージが聞ける福音派の教会に足を運ぶようになった。福音派の教会がそれと同じ過ちを繰り返し、保守的な政治を過度に強調して教会員を追い出すことになったなら、実に皮肉《アイロニー》な話である。

世俗（非宗教）左派の偏狭を扱う本は別に一冊書かれてしかるべきだ。下劣さと硬直化は進んでいる。しかし本書における私の関心は一つである。恵みはどうなっているのか、という問いである。クリスチャンの道徳への関心は、罪人に対する神の愛という私たちのメッセージをかき消してしまうのだろうか。福音派のクリスチャンは、私が受け継いだ遺産であり、私の家族である。

私は彼らの中で働き、彼らとともに礼拝し、彼らのために本を書いている。家族がキリストの福音を誤って伝える恐れがあるなら、私はそのことをはっきり言わなければならない。実際、それは自己批判なのである。

確かにメディアは宗教右派を歪めて伝えているし、概してクリスチャンを誤解している。だが私たちクリスチャンにも責任の一端がある。ランドール・テリーが私の町を訪れたとき、クリスチャンに向かって、こう訴えた。「嬰児殺し、男色者、コンドーム推進者、無意味な多元主義」に関しては「狭量な狂信者」になれ、と。テリーは地元選出の女性下院議員のことを「蛇、魔女、邪悪な女」だと述べた。またこんなことも言った。「クリスチャンはクリスチャン・ゲットーの中で霊的なくだらないことに時間を費やす意気地なしになるな」と。私たちはむしろ「この国が陥ってしまった道徳の汚水槽」をきれいにし、この国をもう一度キリスト教国にする必要がある。そして、他の国をキリスト教で征服する必要がある、と。

ランドール・テリーは決して福音派を代表する人物ではないだろうが、その意見は地方新聞の一面を飾り、世間に「恵みでないもの」のイメージを提供した。次の言葉もテリーの口から発せられたものだ。「憎悪の波に洗われてほしい。そう、憎むことは良いことだ。……私たちには聖書から求められている義務がある。この国を征服するよう神から求められているのだ。」

かつて「クリスチャン・コアリション（キリスト教徒連合）」にいたラルフ・リードは、ふだんは慎重に言葉を選んで話をする人である。しかし次の彼の言葉が、おそらく最も広く読まれてきたものだろう。「静かに、こっそりと、夜陰にまぎれて動くほうがいい。……私は人目につきたくない。ゲリラ戦を行う。顔を塗り、夜、移動する。あなたは遺体運搬用の袋に入るまで、それが完了したことを知らない。選挙の夜まで知らない。」

ほとんどの人が私と同じように、こうした発言を鵜呑みにしないだろう。私たちは、大衆向けのパフォーマンスや中傷合戦の報道に慣れている。それらの言葉と反対陣営からの激烈なコメントとを闘わせることは簡単である。だが、そのようなコメントは、実際に中絶を行い、今それを後悔している若い女性にどう響くだろう。自らのアイデンティティーと闘っている同性愛者にはどんなふうに聞こえるだろう。ワシントンD・Cで多くの同性愛者にインタビューした私にはわかるのだ。

もともとこの本を書く気を起こさせてくれた売春婦の言葉を思い返す。「あんな所へなんか、行くものですか。もう十分惨めな思いを味わっているんです。教会なんかに行ったら、もっと惨めな気持ちにさせられるだけよ。」そしてイエスの生涯を思い返す。イエスはまるで磁石のように、性格のよろしくない人たち、不道徳ゆえに見捨てられた人たちを引き寄せられた。イエスが来られたのは義人のためではなく、罪人のためだった。そしてイエスが逮捕されたとき、その死を要求したのはパレスチナの悪名高い罪人たちではなく、道徳家たちだった。

私の家の近所に住む州の共和党幹部が、仲間の共和党員たちのもつ、ある懸念を語った。宗教右派の「忍びの候補」（ラルフ・リードの表現）が党を乗っ取ろうと画策しているのではないかというのだ。彼のある同僚によると、そういう忍びの候補の多くは、「恵み」という言葉を頻繁に使うところから特定できることが多いそうだ。この同僚は恵みの意味を知らなかったが、忍びの候補が、この言葉がタイトルや文書によく載っている団体や教会の出身であることに気づいていたという。

「とっておきの最高の言葉」恵みは、私たちの言語の中で唯一汚れのない神学用語であるが、他の多くの言葉と同じ運命をたどるのだろうか。恵みは政治の世界では反対の意味をもつようになってしまったのだろうか。

全く違う文脈であるが、ニーチェの発した警告は現代のクリスチャンにも当てはまる。「ドラゴンと戦っているうちに、自分がドラゴンになってしまわないように注意せよ。」

デューク大学のチャプレンであり、メソジストであるウィリアム・ウィリモンは、福音派が近年、政治と固着していることに対して警告を発している。「パット・ロバートソンがジェシー・ジャクソンになった。九〇年代のランドール・テリーは六〇年代のビル・コフィンだ。そして平均的なアメリカ人にとって、人間の願望や道徳的逸脱に対する答えといえば、法律制定だけである。」ウィリモンの言葉は自身の経験から出たものである。彼の属する教派は、議会に対してさらに強い圧力を加えられるようにと、キャピトル・ヒルに四階建てのビルを建てた。確かに強力な圧力をかけられるようになったが、それと同時に教会としていちばん大切な任務を怠り、何千人もの教会員がメソジスト教会を見限った。今、ウィリモンはメソジストに聖書を説くことに戻れと呼びかけている。ウィリモンが福音派に目を向け、そこに見るものは、神ではなく、政治についての説教である。

私は、政治と宗教の混同は恵みに対する最大の障壁の一つであると見ている。C・S・ルイスはかつて、キリスト教の歴史に見られる犯罪はほとんどすべて、宗教が政治と混同したときに起きていると述べた。政治は常に「恵みでないもの」のルールによって営まれ、恵みと権力を交換しようと誘いかけてくる。それは、教会がしばしば抵抗できなかった誘惑である。

教会と国家が厳格に分離されている所で生きている私たちは、この政教分離の取り決めが歴史的にどれほど稀なことなのか、なぜそういうことになったのかを十分に認識していないかもしれない。トマス・ジェファソンの「教会と国家を隔てる壁」という言い回しは、そのような壁を歓迎したコネチカット・バプテストに宛てた手紙の中で最初に現れる。バプテスト、ピューリタン、クエーカー、その他の少数派グループは、教会と国家をしっかりと分離する場所があるはずだという希望を抱いて、アメリカへの長い航海に出た。というのも、彼らはおしなべて国家宗教によって迫害されたからである。教会は国家と一つになるとき、恵みを与えるよりも、権力を振り回す傾向にあった。

『クリスチャン・ヒストリー』誌のマーク・ガリは、二十世紀末のクリスチャンがよく口にする不満を指摘した。教会の不統一、政治に信仰深い指導者がいないこと、キリスト教が大衆文化にあまり影響を与えていないこと。これらの不満はどれも中世にはないものである。中世の教会は統一されており、要となる政治指導者にクリスチャンが任命され、信仰が大衆文化のすべてに浸透していた。しかし、このノスタルジーにどんな結果が伴ったか、顧みる人がいるだろうか。十字軍は土地を荒廃させながら東へ進んだ。兵士とともに行軍した聖職者たちは剣を突きつけて人々を「改宗させた」。宗教裁判所はユダヤ人狩りや魔女狩りをし、忠実なクリスチャンにまで残虐な信仰のテストを行った。教会はまさに社会の「道徳警察」になっていた。恵みは権力に道を譲ったのである。

教会が社会全体に規則を提供する機会を得ると、イエスがしばしば警告なさった極端主義へと進んでしまう。ジャン・カルヴァンのジュネーブの例を取ってみよう。役人はどんな人のことでも呼び出して信仰に関して問いただすことができた。教会に通うことが強制された。食事には何枚の皿を出してよいか、衣服にはどんな色がふさわしいかといった事柄まで法律に盛り込まれていた。

ウィリアム・マンチェスターは、カルヴァンが禁じた娯楽をいくつか記録している。

「ごちそう、ダンス、歌、絵画、彫像、遺跡、教会の鐘、オルガン、祭壇のろうそく。『下品』な歌や『非宗教的な』歌、演劇の上演やそれへの参加、口紅や宝石類、レース、『慎みのない』ドレスを身につけること。目上の人に不敬な言葉を発すること、贅沢な娯楽、人をののしること、賭け事、トランプ遊び、狩猟、酩酊、旧約聖書中の人物以外の名前を子どもにつけること。『不道徳』な本や『非宗教的な』本を読むこと。」

息子に旧約聖書の中にないクロードという名をつけた父親は、刑務所に四日間入れられた。髪型が「不道徳な」高さに達した女性も同様だった。教会会議は、両親を殴った子どもの首をはねた。また、妊娠が発覚した未婚女性はみな溺死させられた。カルヴァンの義理の息子と義理の娘はそれぞれ、恋人とベッドを共にしているところを見つかり、処刑された。

そのような教会史の中のいろいろな時代について報告してから、ポール・ジョンソンはこう結論している。「この世界にキリスト教社会を完成させようという試みは、教皇によってなされようが革命家によってなされようが、恐怖政治に陥る傾向にあった。」この事実は、教会と国家を隔てる壁を打ち壊し、この社会に道徳性を再建しようと要求する声が今日あるなかで、私たちを立ち止まらせるはずである。レスリー・ニュービギンの言葉によれば、「天国を地上にもってこようというプロジェクトは結果的に、いつも下から地獄をもってくることになる」のだ。

現代アメリカに住む人は世俗主義に包囲され、道徳が悪化の一途をたどる文化の中にも生きていて、自分たちがどこから来たのかを容易に見失ってしまう。「モラル・マジョリティ」の主事が敵対する者たちの死を祈り、「私たちはもう一方の頬を向けるのに疲れました。……ああ、なんということでしょう、私たちがしてきたのはそれだけだったのです」と言うのを聞くと、私はとても不安になる。政府が「地上における神の国の警察省」となり、政府高官を選挙で選んで、いつでもすぐに「神の正義の律法を捨てた人に神からの罰を与えられる」ことを目ざしているカリフォルニアの某組織のことを読むときも、たまらなく不安になる。

アメリカは最初から、カルヴァンのジュネーブの線に沿った厳格な神権政治になりそうなぎりぎりのところで揺れ動いていた。たとえばコネチカット法典には次のような法律がある。「何人も安息日に走ってはならず、庭を歩いてはならず、あるいは集会へうやうやしく行き来するのでなければ他のどこも歩いてはならない。何人も安息日に旅行、食物の調理、ベッド・メイキング、家を掃くこと、散髪、ひげそりをしてはならない。主の日に妻に接吻する男、あるいは夫に接吻する妻がいたら、罪を犯したほうが治安判事裁判所の裁量によって懲罰を受けなければならない。」メリーランドを手中に収めた英国国教会の勢力は、法案を通過させて、集会に参加する前にカトリックから改宗することを市民に要求した。ニューイングランドのある地方では、個人的な救いの経験を証しできる敬虔な人たちに投票権が限定された。

しかし結果的に各植民地は、国立の教会をつくらないこと、そして宗教の自由を合衆国の至る所で実施することで意見の一致を見た。それは歴史上先例のない措置であり、成功した賭けであった。歴史家ゲーリー・ウィルズの言うように、キリスト教を政府から切り離した最初の国が、おそらく地上で最も宗教的な国を生み出したのである。

イエスは、エルサレムで地上の王国と共存し、またユダヤ、サマリヤ、そして地の果てまで広がっていく新しい類の王国を創設するために来られた。イエスはたとえ話の中で、「悪い者の子どもたち」をイメージである「毒麦」を抜き取ろうとすると、それといっしょに生えている麦もだめにしてしまうかもしれないと警告なさった。また、さばきに関する事柄は真の審判者である方に任せなさい、と言われた。

使徒パウロは個々の教会員の不道徳について多くを語ったが、異教を奉じるローマの不道徳についてはほとんど何も語らなかった。ローマの腐敗――奴隷制、偶像崇拝、政治弾圧、貪欲――

をめったに批判しなかった。そうした腐敗が確かに、私たちの堕落した社会が今日クリスチャンに与えているのと同じくらい嫌な感じを、当時の信者に与えていたにもかかわらず。

ホワイトハウスへクリントン大統領を訪ねたとき、彼が保守的なクリスチャンから良い評判を得るためには二つの問題があることが、私にはよくわかっていた。妊娠中絶と同性愛者の権利の問題である。この二つが、クリスチャンの発言すべき重要な道徳的問題であることに、私は全面的に賛成である。しかし新約聖書を調べてみると、これらの問題に関係する箇所はほとんど見つからなかった。当時、いずれの行為も今以上にひどい形で存在していた。ローマ市民の産児制限は主として妊娠中絶に頼っていたわけではなかった。女性は赤ん坊を産むと、道端に捨てて野生動物やハゲタカの餌にしたのである。また、ローマ人もギリシャ人も同性間の性行為を行っていた。男色では、年長の男性が少年を性の奴隷にするのが普通であった。

このようにイエスやパウロの時代では、これらの道徳的問題が二つとも、現在の地球上の文明国ならどこでも犯罪となるような形で存在したのである。月満ちて生まれた赤ん坊の殺害を許す国などない。子どもとの性行為を法的に認める国などない。イエスもパウロも、こうした嘆かわしい行為のことを知っていた。しかしイエスはどちらについても何もおっしゃらなかったし、パウロにしても異性間の性行為について少し触れただけである。二人の注意は、周辺の異教の国ではなく、それとは別の神の国に向けられていた。

こうした理由から、私は、合衆国に道徳性を回復させようと膨大なエネルギーを注ぎ込んでいる最近の動向に疑問をもつのである。私たちは、「この世のものではない国」よりも、「この世の国」のほうに心を向けているのではないだろうか。世間一般は今日の福音派教会に対して、イエスが言及すらなさらなかったあの二つの問題を強調している、というイメージをもっている。未来の歴史家が一九九〇年代の福音派教会を振り返って、「彼らは妊娠中絶と同性愛者の権利という道徳戦線で勇敢に戦った」と言いながら、しかし彼らは大宣教命令を遂行することも、世界に恵みの香りを放つこともなかったと報告したなら、私たちはどんな気持ちになるだろうか。

> 教会は……国の主人でも召使いでもなく、国の良心である。
> 教会は国の導き手であり批評家であるべきで、決して国の道具になってはならない。
>
> マーティン・ルーサー・キング

18 蛇の知恵

私が育った一九五〇年代は、校長がインターホン越しに祈禱文を読んでから、学校の一日が始まった。学校では「神のもとに」国への忠誠を誓い、日曜学校ではアメリカとキリスト教の二つの旗に忠誠を誓った。アメリカがクリスチャンに新たな挑戦を投げかけてくるとは、全く思いも寄らないことであった。どんどん敵愾心を表してくるこの社会に対してクリスチャンがいかに「恵みを与える」か、という挑戦である。

アメリカの歴史においては――少なくとも公式見解では――最近まで、教会と国家という二人のダンス・パートナーによるワルツが披露されてきた。宗教がごく深く根を張っている合衆国は、教会の魂をもつ国家だと言われてきた。「メイフラワー盟約」は、「神の栄光のため、キリスト教の信仰の促進のため、ならびにわが国王と祖国の名誉のために、約束する」ことをピルグリムたちの目標とした。合衆国の建国者たちは、民主主義が機能するには信仰が不可欠であると考えた。

ジョン・アダムズの言葉で言えば、「私たちの憲法は、道徳的で宗教的な人々のためにだけ作られた。他の政府には全くふさわしくないものである」。

アメリカは歴史的に、最高裁でさえ総じてキリスト教のコンセンサスを反映させてきた。一九三一年、裁判所はこう宣言している。「私たちはクリスチャンの民であり、宗教の自由の権利をだれに対しても等しく与え、また神の意思に従う義務を、敬虔な思いをもって認める。」一九五四年、多くの保守派の人々にとっては悪名高い最高裁判所長官アール・ウォーレンがこんな話をした。「聖書と救い主の御霊が最初から私たちを導いてきたと認識しないでは、わが国の歴史を読むことができないと、私は信じる。」続けてこう述べた。最初の植民地設立の勅許状はすべて、「クリスチャンの地はキリスト教原理によって統治される」という一つの目的を指し示していた、と。

アメリカ人は日々、キリスト教の伝統をひしひしと感じながら生活している。政府機関の名称自体――公務（訳注＝civil service 別訳「市民の礼拝」）、司法省（訳注＝the ministry of justice 別訳「正義の宣教」）――に宗教的な響きがある。アメリカ人は、災害があれば迅速に対応し、障がい者の権利を守り、途方に暮れたドライバーがいればすぐに車を停め、慈善活動に何千万円も寄付をする――こうした行為をはじめ多くの「心の習慣」が、キリスト教のルーツによって培われた国の文化を映し出している。海外旅行をする人なら、こうした「恵みの調べ」（grace notes）がどの国の文化にもあるわけではないことがわかるだろう。

（もちろん、歴史は、水面下で別の話も物語っている。ネイティブ・アメリカンはこの「キリスト教」国でまさに絶滅させられるところだった。女性は基本的人権を認められなかった。南部の「善良なクリスチャン」は良心の呵責もなく奴隷に暴力を振るった。私は南部で育ったので、アフリカ系アメリカ人が、アメリカ史の初期の「神聖な」日々を懐かしく振り返ったりしないことを知っている。「あのころ生まれていたら、ぼくも奴隷だっただろうね。」ジョン・パーキンズはそう指摘する。こうした少数派の人たちに、恵みのメッセージは隠されていた。）

今日、合衆国で教会と国家を混同する人はほとんどいないし、変化が急速だったため、過去三十年間に生まれた人には、私の語っているキリスト教のコンセンサスがわからないかもしれない。信じられないかもしれないが、「神のもとに」という言葉が忠誠の誓いに加えられたのは、一九五四年である。また、「私たちは神を信じる」という一文をこの国の公式な標語にしたのは、一九五六年である。ところがそれ以降、最高裁は学校で祈ることを禁じ、教師の中には、学生が宗教に関するテーマで論文を書くことを禁止しようとする者も現れるようになった。そして今日、映画やテレビは、中傷の対象以外でクリスチャンに触れることはめったにないし、裁判所はお決まりのように宗教的シンボルを公共の場所からはずしている。

宗教右派が激怒している理由の多くは、この文化の変わり身の早さにある。妊娠中絶に反対した初期の福音派の活動家の一人ハロルド・O・J・ブラウンは、ロー対ウェイド判決（訳注＝一九七三年の、妊娠中絶の権利を認めた最高裁判決）が、青天の霹靂であったと言っている。クリスチャンは、最高裁とは最も信頼のおける賢者の集まりであり、この国の人々の道徳上のコンセンサスから結論を出していると思っていた。ところが突然、この国を断層線に沿って分断するような判決の爆弾が落とされたのである。

「死ぬ権利」を確立する、結婚の定義を改める、ポルノを擁護する裁判所が下す判決も、保守派のクリスチャンにはめまいを起こさせるものだった。今、クリスチャンは国を教会の友というよりも、敵と見る傾向がはるかに強い。ジェイムズ・ドブソンはこの傾向をとらえて、こう言っている。「価値観をめぐる争いが、今日北アメリカ中で勃発している。それは、南北戦争に少しも引けをとらないほど大きなものだ。世界観の大きく異なる二陣営が、社会のどの階層にも広がる悲惨な抗争に釘づけになっている。」

この文化闘争は進行中である。皮肉《アイロニー》なことに、合衆国の教会は、新約聖書の教会が直面した状況に年々近づいている。初代教会は多元主義的異教社会の中で、少数派として攻撃にさらされながら生きていた。スリランカ、チベット、スーダン、サウジアラビアのような地のクリスチャンも、政府の露骨な敵意と長年対峙してきた。だが、信仰とともに歩んできた歴史をもつ合衆国で、私たちはそういう状況を決して好まないのである。

神から離反しているように見える社会において、クリスチャンはどのように恵みを示すことができるのだろうか。聖書は、その答えとなるさまざまなモデルを提供している。エリヤは洞窟に隠れ、アハブの異教体制に急襲をかけた。一方、エリヤと同時代人のオバデヤは体制の中で働いた。神の預言者たちをかくまいながら、アハブの宮殿を管理した。エステルとダニエルは異教の帝国に仕えた。ヨナは異国にさばきを宣告した。イエスはローマ総督の判断に従われた。パウロは祭司たちに訴えられた件をローマのカエサルまで上訴《じょうそ》した。

事態が複雑なのは、聖書が民主主義の世に生きる市民に直接忠告を与えていないからだ。パウロとペテロは、権威に従い、王をあがめよ、と手紙の読者に力説したが、民主主義では私たち市民が「王」である。憲法にうたわれている権利に基づいて自分たちで政府を構成したのだから、その政府を無視することなどできない。それにクリスチャンが多数派なら、なぜ自分たちは「道徳的多数派《モラル・マジョリティ》」だと公言し、文化を自分たちのもののようにしないのか。

合衆国にキリスト教のコンセンサスの形態が君臨していたときは、こうした問題はそれほど差し迫ったものではなかった。今、自らの信仰と自分の国を愛する私たちは、この国のためにどうすればよいのかを決めなければならない。以下に三つの予備的な結論を示しておく。これは将来がどのような状況になっても、妥当なものだと思う

第一に、今までのところで明らかになっているように、神の恵みを提供することは、クリスチャンが主として貢献できることである。ゴードン・マクドナルドが言ったように、教会にできてこの世にできないことが一つだけある。恵みを現すことだ。私の見解では、この世に恵みを与えるというクリスチャンの働きは芳《かんば》しくなく、特に信仰と政治の領域で成功していない。

イエスは個々人に対して愛を示されるとき、どんな制度にも邪魔をさせなかった。ユダヤの人種政策、宗教政策は、サマリヤの女と口をきくことを禁じていた。相手が波瀾万丈の道徳的経歴をもつ者だったら、なおさらだった。イエスはある者を宣教師に選ばれた。弟子の中には、イスラエル人から裏切り者と見られていた収税人や、超愛国的な熱心党員もいた。イエスは反体制的

なバプテスマのヨハネを称賛された。律法を厳守するパリサイ人ニコデモ、そしてローマの百人隊長ともお会いになった。シモンというパリサイ人の家で食事をし、「汚れている」とされた、ツァラアトに冒されたシモンの家でも食卓につかれた。イエスには、どんなカテゴリーやレッテルよりも人間のほうが大切だった。

政治問題で両極のいずれかへ押し流され、ピケの向こう側にいる「敵」に向かって叫ぶのは簡単なことだ。しかしイエスは「なんじの敵を愛せよ」(マタイ五・四四参照)とお命じになったのである。ウィル・キャンベルにとって、敵とは友人を殺した偏狭なKKK団員だった。マーティン・ルーサー・キングにとっては、警察犬をけしかけてきた保安官であった。

私の敵とはだれだろう。妊娠中絶支持者だろうか。アメリカ文化を汚しているハリウッドのプロデューサーだろうか。私の道徳原理を脅かす政治家だろうか。スラム地区を支配している麻薬密売組織の大物だろうか。この現状を改革しようとする動機がどんなによいものであっても、その思いが愛を追いやるのなら、イエスの福音を誤解していたことになる。恵みの福音ではなく、律法に縛られているのである。

社会に現れている問題はきわめて重要であり、文化闘争はおそらく避けられないものだろう。しかしクリスチャンは別の武器をもって戦うべきである。ドロシー・デイは、その武器を「あわれみという武器」というすばらしい言葉で表現している。イエスは、私たちは他の人々とは全く異なるしるしをもつべきだと言われた。政治的な正しさや道徳的な優越性ではなく、愛である。パウロは、愛がなければ、私たちのすること——信仰の奇跡も、神学の輝かしさも、個人の熱い犠牲も――は何の役にも立たないと述べた（Ⅰコリント一三章）。

　現代の民主主義には礼節の精神がとても必要だが、クリスチャンは、神の御霊の実である愛、喜び、平安、寛容、親切、善意、誠実、柔和、自制を現すことで、その道筋を示すことができる。あわれみという武器は強力なものとなる。私がホワイトハウスを訪れたことは前に書いたが、そのために怒りの手紙がわが家に多数舞い込むことになった。だが、その会に出席していたキリスト教指導者の二人は、仲間のクリスチャンが示した「恵みでないもの」について、大統領に謝罪する必要を感じた。一人が言った。「クリスチャンは、大統領とその家族に個人攻撃をするという、悪質な行為によって、福音の信用性に泥を塗ってしまいました。」ホワイトハウスでは、こうした攻撃の標的となることが多いヒラリー・クリントンからも話を聞くことができた。

　共和党員で、前国務長官ジェイムズ・ベーカーの妻であるスーザン・ベーカーが、参加している超党派の聖書研究にクリントン夫人を招いた。「保守派の人もいればリベラルな人もいる。共和党の人もいれば民主党の人もいるけれども、みんなイエスにおゆだねしている人ばかりです。」共このように語る女性たちのグループと話をすることに、ファースト・レディーは疑心暗鬼だった。彼女は用心に用心を重ね、自らの立場を弁護し、批判にも耐える準備をして、出かけた。

　ところが集会の初めに、一人の女性がこう言った。「クリントン夫人。この部屋にいる者たちはみな、あなたのために心からお祈りすることにしました。そして、クリスチャンも含めて、ある人たちがあなたに対して行った仕打ちをお詫びしたいと思います。私たちはあなたに不当なことを行い、侮辱し、クリスチャンらしくない態度を取ってきました。どうかお赦しください。」

ヒラリー・クリントンは、その朝、準備万端整えてその場に臨んでいたが、謝罪は想定外だったと言った。猜疑心はすべて消え去った。後に、大統領朝禱会で行ったスピーチでヒラリーは、その聖書研究グループから与えられた霊的な「贈り物」を数えあげる。そして、このようなグループを、娘の年ごろの若者たちのために始められないだろうか、と語った。娘のチェルシーが「恵みにあふれた」クリスチャンに会ったことがなかったからだ。

保守的な宗教グループから来た郵便物を読むと、その語調が、ACLU（アメリカ自由人権協会）やピープル・フォー・ジ・アメリカン・ウェイからのものとよく似ていて、悲しくなる。保守派、リベラルの両陣営ともヒステリックに訴えており、相手の謀略を牽制し、敵の名誉を傷つけることに余念がない。要するに、両者とも「恵みでないもの」の精神を発散しているのである。ラルフ・リードが立派なところは、そうした手法と公に縁を切ったことである。今、彼は、「私たちクリスチャンの言葉と行いを常に特徴づけるはずの贖罪の恵み」を欠いた用語を使っていたことを後悔している。

「私たちが成功するとしたなら、それは、『キリスト教の武器とキリスト教の愛をもって』戦い、私たちを憎む人々を常に愛するという〔マーティン・ルーサー・〕キングの手本に従ってきたからである。失敗するとしたら、それは金銭的な事や方法の失敗ではなく、心と魂の失敗である。……私たちの言葉や行動の一つ一つが神の恵みを反映させているべきなのだ」と、リードは『活発な信仰』に書いている。

ラルフ・リードはマーティン・ルーサー・キングにきちんと目を向けている。キングは、対立する政治的立場について多くのことを教えてくれる。「誤った考えを攻撃せよ、その考えをもっている人物ではなく」とキングは主張した。敵から嘲笑されながら刑務所の独房の中に座っていたときも、イエスの「なんじの敵を愛せよ」という命令を懸命に実行に移そうとした。私たちは、真理に基づいてのみ敵対者を説得できるのであって、一部だけが真実の言葉である誇張表現や偽りの話を使ってではない、とキングは言った。キングの組織ではどのボランティアも八つの原則に従うことになっていたが、その中にはこんなものがあった。毎日イエスの教えと生涯について黙想すること、愛の作法をもって行動し、話すこと、敵にも味方にも対してわけ隔てなく礼儀を尽くし親切にすること。

私は、キング牧師が定めたこの規則に従った対決の場面にいたことがある。前述したように、クリントン大統領にインタビューしたのは、大統領朝禱会に出席した時のことで、そこでマザー・テレサが話すのを聞いた。それは注目すべき出来事だった。マザー・テレサの左右にそれぞれ設けられた一段高くなった主賓席にクリントン一家とゴア一家が座っていた。車椅子に乗って現れたきゃしゃな八十三歳のノーベル平和賞受賞者は、立ち上がるにも助けが必要だった。マザーに演壇の向こう側が見えるように、特別の台が置かれていた。腰の曲がった身長一メートル三七センチの彼女は、その台に乗って、やっとマイクに届いた。強いなまりのある言葉ではっきりと、そしてゆっくりと語るその声は、講堂いっぱいに広がった。

マザー・テレサは、アメリカは利己的な国になってしまい、「ひたすら与える」という愛の正しい意味を見失う危険がある、と語った。マザーが言うには、その最大の証拠が妊娠中絶であり、その影響はさらにエスカレートしている暴力に見られる。「母親が自分の子どもですら殺せる。それを私たちが受け入れるなら、殺し合ってはならないと、どうして他の人に言えるでしょう。……妊娠中絶を受け入れる国はどこも、その国民に愛することを教えているのではなく、欲しいものはどんな暴力を使ってでも手に入れるように、と教えているのです。」

暴力に危機感を抱き、インドやアフリカのような所にいる栄養失調の子どもたちのことを心配しながら、母親によって故意に殺される何百万もの胎児のことを気にかけないのは明らかに矛盾している、とマザー・テレサは言った。そして、望まないのに妊娠した女性のために一つの解決法を提案した。「その子どもを私にください。その子が欲しいのです。私が面倒を見ます。中絶させられそうな子どもはみんな喜んで受け入れます、そしてその子を愛し、その子から愛される夫婦に託します。」マザーはすでに三千人もの子どもをコルカタの養子受け入れ家庭に託している。

マザー・テレサの話には、彼女が世話した人々についての胸を突かれるような話が盛り込まれていて、聞いた人はみな心を動かされた。朝食会の後、マザー・テレサはクリントン大統領と会見した。その日の話し合いが彼の心も動かしたことが私にはわかった。クリントンその人が、インタビューの間にマザーの語った話を何度も持ち出したからである。

勇敢に、きっぱりと、しかし礼儀正しさと愛をもって、マザー・テレサは中絶論争を最も単純な道徳用語に還元していた。いのちか死か、愛か拒絶か、である。懐疑論者なら、彼女の提案について、こう言うことができただろう。「マザー・テレサ、この問題の複雑さがおわかりになっていませんね。合衆国だけでも毎年百万件以上の中絶が行われているんですよ。あなたなら、その赤ん坊全部の面倒を見られるのでしょうね！」

だが、やはりマザー・テレサなのだ。マザーは、神からの明らかな召しに忠実に生きてきた。そして神が行く手に百万人の赤ん坊を送られたら、彼女はたぶんその子らの面倒を見るすべを見いだすだろう。マザーは、犠牲愛こそが、恵みというクリスチャンの兵器庫の中で最も強力な武器であることを理解している。

預言者といっても千差万別で、たとえば預言者エリヤなら、道徳的な不正を糾弾するのにマザー・テレサよりも強い言葉を使ったことだろう。しかし、クリントン大統領がオフィスで聞いた妊娠中絶に関する言葉の中で、マザー・テレサの言葉が最も心の奥深くに達したと思わずにはいられない。

第一の結論と矛盾するように思われるかもしれないが、私の第二の結論は、恵みを与えるライフスタイルに徹するとは、クリスチャンが政府に完全に同調して生きることを意味しない、というものである。元ザンビア大統領ケネス・カウンダが書いたように、「国が何より必要としているのは、宮殿にいるクリスチャン支配者ではなく、声の届く所にいるクリスチャンの預言者である」。

そもそもの初めから、創始者が国家に処刑されたキリスト教は政府との緊張関係の中で生きてきた。イエスは弟子たちに、この世はご自分を憎んだように彼らのことも憎むだろうと警告された。そしてイエスの場合、共謀して彼を亡きものにしようとしたのは罪人たちではなく、権力者たちだった。教会がローマ帝国中に広がるにつれて、信者は「キリストこそ主」というスローガンを掲げるようになったが、それは、全市民に「カエサル〔国家〕こそ主」という誓いを立てるよう要求していたローマの権威者に対するまさに侮辱であった。不動のものが、圧倒的な力と出合っていた。

初期のクリスチャンは、国家に対する義務を定める規則を考え出し、いくつかの職業を禁じもした。異教の神々の役を演じなければならない役者、公立学校で異教の神話を教えることを強いられる教師、人間のいのちをもてあそぶ剣闘士、人を殺す兵士、警官や判事などである。殉教者ユスティノスは、ローマへの服従に限界があることを明確に述べた。「私たちは神だけを礼拝しますが、他の事柄においては喜んであなたがたに仕えます。そしてあなたがたを王、人々の支配者として認め、王の権力をもつあなたがたが賢明な判断をなさるように祈ります。」

何世紀もの間、賢い判断を下す支配者もいれば、そうでない支配者もいた。抗争が起きると、勇敢なクリスチャンは国家に反抗し、さらに上の権威に訴えた。トマス・ア・ベケットはイギリス王に語った。「私たちはどんな脅しも恐れません。皇帝や王たちに常に指示を与えている、あの宮廷から来たからです。」

他文化に福音を携えていく宣教師は、国家との直接の抗争につながるような慣習に挑戦しなければならなかった。インドでは、カースト制度、子どもの結婚、未亡人のいけにえを非難した。

南米では、人間のいけにえを禁じた。アフリカでは、一夫多妻制と奴隷制に反対した。クリスチャンは、キリスト教信仰が単に個人的でデボーショナルなものにとどまらず、社会全般に影響を及ぼすものであると理解していた。

クリスチャンが神学的な基盤に立って、奴隷制反対運動を導いたのも決して偶然ではない。デイビッド・ヒュームのような哲学者たちはアフリカ人を下等な者とみなしていたし、企業家たちは彼らを安価な労働力と見た。何人かの勇気あるクリスチャンが奴隷の有用性を超えて、神に造られた人間としての本質的な価値に目を向け、解放への道を開いた。

欠点もたくさんあるが、教会は不完全ながらも途切れ途切れにイエスの恵みのメッセージを世界に提供してきた。奴隷制に終結をもたらしたのはキリスト教であり、キリスト教だけだった。そして病人の世話をする病院やホスピスをつくるように導いたのも、キリスト教だった。それと同じエネルギーが初期の労働運動、禁酒法、人権キャンペーン、公民権を推進した。

アメリカはといえば、「合衆国の歴史では、重要な問題で宗教団体が公に声をあげなかったことがない」とロバート・ベラーは言う。最近では、公民権運動の主要な指導者（マーティン・ルーサー・キング、ラルフ・アバーナシー、ジェシー・ジャクソン、アンドリュー・ヤング）が聖職者であり、彼らの感動的な演説に、それが現れていた。教会は肌の色を超えて、この運動を支えるために、建物、ネットワーク、思想、ボランティア、神学を提供した。

マーティン・ルーサー・キングは後にその改革運動を、貧困問題やベトナム戦争反対にまで広げていく。キリスト教の政治への関与が警戒されるようになったのはごく最近、政治的行動主義が保守派に転じるようになってからである。その警戒も、スティーブン・カーターが『不信仰の文化』で指摘しているように、権力の座にある人たちがこの新たな行動主義者の姿勢を快く思っていないという事実を表しているにすぎない。

スティーブン・カーターは政治的行動主義について的確な助言を与えている。「優しい」クリスチャンが、正否の選択を賢く行うことが重要なのだ、と。歴史的に見て、クリスチャンは脱線する傾向にあった。確かに、私たちは奴隷制度廃止や公民権運動の先頭を切っていた。しかしプロテスタントは、カトリック、移民、フリーメーソンらに反対する熱狂的キャンペーンへと向きを変えてもきた。現在、キリスト教の行動主義を心配する声が社会にあるが、それは多くの場合、考え方に誤りのあるこうしたキャンペーンに由来している。

今日はどうなのか。私たちは闘うべき対象を賢く選択しているだろうか。明らかに、妊娠中絶、性の問題、また生死の定義については、注意を向ける価値がある。だが、福音派が作った政治に関する小冊子には、銃を所持する権利や教育省の廃止、ＮＡＦＴＡ（北米自由貿易協定）、パナマ運河条約、議員の任期制限についても書かれている。数年前、全米福音主義同盟の会長が関心事のトップ・テン・リストに「資本利得税の撤廃」を入れていると聞いた。保守的な宗教グループの議題が保守派の政治議題とぴったり一致すること、またその優先事項が超越的なものを現していないことがきわめて多い。他のだれとも同じように、福音派にも、あらゆる問題について意見を述べる権利がある。しかし「キリスト教」の何らかの教義の一部として意見を表明するとき、自らの道徳的優位性を捨ててしまっている。

私たちの時代の大きな道徳改革運動であった公民権運動が六〇年代半ばに起こされたとき、福音派はおおむね傍観者であった。次第に、ビリー・グラハムやオーラル・ロバーツといったスポークスマンが歩調を合わせるようになった。北米ペンテコスタル・フェローシップや南部バプテストのような福音派の教派がアフリカ系の人々の教会との合同を模索するようになったのは、最近になってからである。プロミス・キーパーズのような草の根運動が人種間の和解を優先事項にするようになったのも、ついこの間のことである。

ラルフ・リードが認めているように、恥ずかしいことに、福音派が政治の世界に台頭しようとする最近の活気は、妊娠中絶や南アフリカの不正など道徳上の問題への関心によって点火されたものではない。新行動主義に火をつけたのは、むしろカーター政権だった。カーター政権は国税庁に私立学校を調査させ、その学校が人種差別を存続させるために設立されたのではないことを立証するよう求めた。この政教分離違反に憤慨して、福音派の人々が通りに繰り出したのである。

クリスチャンが政治に介入するときは、イエスの教えの正反対である「ハトのように賢く」「蛇のように無害」であることがあまりにも多かった。社会に貢献していることを真剣に受けとめてもらいたいなら、自分たちの選択にもっと知恵を働かせる必要がある。

教会と国家の関係について私が出した第三の結論は、G・K・チェスタトンから借用した原理である。すなわち、教会と国家との結託は、国家にとっては良いものでも、教会にとっては悪いものだ、ということである。

私は、教会が世界のために「道徳警察」とならないようにと警鐘を鳴らしてきた。実際、国家は道徳上の是非を判断し、取り締まる存在を必要としており、教会がやりましょうかと言えば、いつでも歓迎してくれるだろう。アイゼンハワー大統領は一九五四年に国民にこう語った。「私たちの政府は、深い宗教心に基づいていなければ意味をなしません——そして私は、その信仰が何であっても一向にかまいません。」私はアイゼンハワーのこの声明を一笑に付したが、ある週末、その言葉の背後にある素朴な真理を示す状況に出会ったのである。

私はニューオーリンズで十人のクリスチャン、十人のユダヤ人、十人のイスラム教徒といっしょに公開討論会を行っていたが、ちょうどレント（四旬節）の期間と重なっていた。お祭り騒ぎにわくダウンタウンから遠く離れたカトリックのリトリート・センターに滞在したのだが、ある夕方、カーニバルのパレードを見に、幾人かでフランス人街まで出かけて行くことにした。だが、それは実に恐ろしい光景だった。

何千人もが通りで押し合いへし合いしていたため、私たちは人波から逃げ出すこともできず、ただ押し流されて行った。若い女性たちがバルコニーから身を乗り出して、「ネックレスをくれたら胸を見せるわ！」と叫んで、けばけばしいプラスチック製のネックレスと引き換えに、Tシャツをまくり上げ、胸をあらわにするのだった。凝った細工のネックレスをもらうと、裸になった。酒に酔った男たちが群衆の中から十代の少女を引っぱりだし、「乳首を見せろ！」と叫ぶのを目撃した。男たちは、拒んだ少女の服を剥ぎ取り、肩の上に担ぎ上げると、抵抗して叫び声をあげる彼女をなで回した。酔態、情欲、そして暴力の中、カーニバルで飲み騒ぐ人々は、人間の欲望に歯止めがかからなくなると、どういうことが起きるかを実証していた。

翌朝、リトリート・センターに戻った私たちは、前夜の出来事について話し合った。熱烈なフェミニストの女性たちがぶるぶる震えていた。一同は、自分たちが信じている宗教のいずれもが社会全体に貢献することを知った。イスラム教徒もクリスチャンもユダヤ教徒も、皆、ああした獣のような行為が許されないばかりか、邪悪なものであるという理由を、社会に認識させるのに力を貸すことができる。宗教は悪を定義し、悪に抵抗する道徳的な力を人々に与える。「国家の良心」として、世界に正義と高潔を伝えることに貢献するのである。

アイゼンハワーはその市民感覚において正しかった。社会は宗教を必要としている。そして、その種類はさして問題ではないのだ。ネーション・オブ・イスラムは、ゲットーをきれいにするのに一役買っており、モルモン教会は、ユタ州を犯罪の少ない、家族的で友好的な州にしている。合衆国の創設者たちが認識していたのは、押しつけられた秩序に依存する部分は小さく、自由な市民の美徳に依存する部分が大きい民主主義は、特に宗教的基盤を必要とする、ということだった。

数年前、哲学者グレン・ティンダーが「われわれは神なくして善良たり得るか」というタイトルで書いた記事が『アトランティック・マンスリー』誌に掲載され、大きな論議を呼んだ。ティンダーが細心の注意をはらって出した結論は一言で言えば、「否」であった。人間は、超越的なもの――アガペーの愛であると論じていた――によって、自分よりも他者を気にかけるようにならない限り、快楽主義と利己主義に陥ってしまうものなのである。皮肉《アイロニー》なタイミングなのだが、この記事が出たのは、鉄のカーテンが落ちた一か月後、つまり、神なくして正しい社会を建設しようとした人たちの理想主義を永遠に打ち砕いた事件の一か月後であった。

しかし、「教会と国家との結託は、国家にとっては良いものでも、教会にとっては悪いものだ」というチェスタトンの警句の最後の部分も忘れてはならない。ここに恵みの最大の危険がある。あらゆる団体と同じように、国家も「恵みでないもの」の規則によって動いており、徐々に教会の崇高な恵みのメッセージをかき消していくのである。

飽くことのない権力欲をもつ国家が教会を支配すれば、さらに好都合だろう、と結論するのも、もっともなことである。このことはナチス・ドイツにおいて最も劇的に起こった。不気味なことに、そのとき福音派のクリスチャンは、政府と社会に道徳性を回復させるというヒトラーの約束に引きつけられたのである。多くのプロテスタント指導者が、当初はナチスの台頭を神に感謝した。ナチスが共産主義に唯一代わるものであるように見えたからだ。カール・バルトによれば、教会は「自信をもって、実際最高の希望をもって、ヒトラーの体制をほぼ満場一致で歓迎した」。国家権力によってまたもや誘惑されていたことを教会が知ったときには、すでに手遅れであった。

教会は、抵抗勢力として、そして国家の絶大な力に対する対抗勢力として、最も機能を発揮する。教会が政府と結託すればするほど、そのメッセージは薄められていく。福音そのものが市民宗教に移って、変質してしまう。アラスデア・マッキンタイアが指摘してくれるように、アリストテレスの高尚な倫理には、悪い人間に愛を示す良い人間の存在する余地がなかった——つまり、恵みの福音が存在する余地はなかったのである。

要するに、国家とは常にイエスの命令の絶対的な特質を骨抜きにし、外的な道徳という形に変えてしまうものなのである――明らかに、恵みの福音の正反対のものである。ジャック・エリュールは、新約聖書は「ユダヤークリスチャン倫理」というものは教えていない、とまで言う。聖書は回心を命じ、それから、「あなたがたは、天の父が完全なように、完全でありなさい」（マタイ五・四八）と命じている。山上の説教を読んで、そのとおりの法律を制定している政府を想像してみるとよい。

州政府は日曜日に店や劇場を閉めさせることはできても、礼拝を強制することはできない。ＫＫＫの殺人者らを逮捕し罰することはできても、彼らの憎しみをなくすことも、ましてや愛を教えることもできない。離婚を困難にする法律を通過させることはできても、夫が妻を愛し、妻が夫を愛するよう強制することはできない。貧しい人に補助金を与えることはできても、金持ちに貧しい人へのあわれみと正義を示すよう強制することはできない。姦淫を禁じることはできても、情欲を禁じることはできない。窃盗を禁じることはできても、貪る思いを禁じることはできない。嘘やごまかしを禁じることはできても、高慢を禁じることはできない。美徳を奨励することはできても、きよさを奨励することはできない。

信仰を放棄すれば、行動も小さくなる。

エミリー・ディキンソン

19 小さな草地

セント・ヘレンズ山の噴火による猛烈な熱が土壌を溶かし、むき出しの岩は厚い灰の衣で覆われた。農務省林野部の博物学者たちは、生物がそこに育つようになるまで、どれほどの時間の経過が必要だろうかと案じた。ところがある日のこと、公園の従業員が青草の繁る一画に遭遇したのである。野生の花やシダや草が、荒涼とした土地にしっかりと根を張っていた。少しして、彼は奇妙なことに気づく。この植物の繁茂する草地は、エルクの形をしていた。一頭のエルクが灰に埋もれた後、その有機物から植物が芽を吹いていたのである。それ以来、博物学者たちは植物の繁る地面を手掛かりに、野生動物の喪失数を計算するようになった。

社会の腐敗が始まってから長い時間がたっても、以前の生活の名残は顔をのぞかせる。人々は、ロバート・ベラーが「心の習慣」と表現したような過去の道徳的慣習に、理由もわからずしがみついているものだ。セント・ヘレンズ山ののっぺらぼうの山肌に点々とついている動物の形のように、これらの道徳的慣習も、きちんと種が蒔かれれば不毛の土地に生命をもたらすのである。

ヴィクトリア朝のイギリスにも、緑のいのちを吹き返した小さな草地があった。献身的なクリスチャンのグループが社会全体に恵みを与えたのである。それは、植民地の奴隷制や工場における児童労働、都市の不潔さを特徴とする陰気な時代だった。いつものことながら、変化は上から押しつけられるのでなく、下からやって来た。

イギリスでは十九世紀に、慈善団体が五百近く形成されたが、そのうち少なくとも四分の三が熱心に布教を行うグループだった。チャールズ・シメオンやウィリアム・ウィルバーフォースらがいた献身的なクリスチャンのグループ、クラパム派は、メンバーのうち五人が国会議員に選出された。ウィルバーフォースは全生涯を奴隷制の廃止にささげ、他のメンバーも、債務者監獄に収監された人たちのために働き、その結果一万四千人が釈放された。またあるメンバーは、主として教育や貧しい人々への住居の世話、障がい者援助を目ざす改革運動を率いるとともに、児童労働、公衆の前での不道徳行為、酩酊行為に反対した。敵対者たちは「聖人」と言って、あざけったが、クラパム派はむしろこのレッテルを光栄に思った。

同じ時代に、ウィリアム・ブースは、妻が聖書のクラスを教えているときに、ロンドンのイーストエンドのスラム地区をよくぶらついていた。そしてある時、五軒に一軒がパブであることに気がついた。男たちは一日中そこにたむろして、家族を養うための稼ぎを酒につぎ込んでいた。小さな子どもが上ってジンを注文できるように、カウンターに踏み台まで置いてあるパブも少なくなかった。ウィリアム・ブースはこうした状況に驚き、一八六五年に「クリスチャン・ミッション」を創設する。これは、他の人から無視されている「一文なし」の人々に奉仕する団体で、それがやがて救世軍に成長するのである(今どき、こんな名前をつける団体があるだろうか!)。自分が引き寄せている人々に伝統的な教派が眉をひそめたとき、ブースは、この「恵みの戦利品」を収容するために教会を建てなければならなかった。

救世軍が慈善団体としてばかりでなく、地域教会としての機能ももっていることは、あまり知られていない。しかし、これほど財政的支援を集めている慈善組織はほかにないし、救世軍は貢献度を測る調査では、いつでもいちばん上にランクされる。彼らは、飢えている人に食事を与え、ホームレスの人たちを保護し、アルコール等の依存症患者を治療し、災害地では真っ先に姿を現す。世界最大の常備軍の一つであるこの運動は成長を続け、その結果、今日これら恵みの兵士は百万を数え、百か国で奉仕している。ウィリアム・ブースというひと固まりのイーストが、今では世界中の社会を発酵させているのである。

ウィリアム・ブースやクラパム派の行った改革は、結果的に公の政策となった。そして、正直、勤勉、清純、慈善というヴィクトリア朝の性質は社会にくまなく広がり、イギリスが他の国のような暴力的な崩壊を遂げないよう力を貸したのである。

ヨーロッパも合衆国も、キリスト教信仰という道徳の首都と、流れ出る恵みに頼り続けている。しかし世論調査は、アメリカ人の多数が将来に対して不安を抱いていることを明らかにしている(ギャラップの世論調査では、八三パーセントのアメリカ人が、合衆国の道徳性の低下を感じている)。二冊のピュリッツァー賞作品をもつ歴史家バーバラ・タックマンは、宗教右派の杞憂を述べているわけではないが、道徳の破綻を案じている。そして、ビル・モイヤーズに次のようなことを言っている。

「道徳的感覚は、正しいことと間違ったこととの違いを知り、それによって己れを律するものだが、その感覚が失われていくのを、私たちはひっきりなしに目撃している。朝刊を開けば、決まって横領や贈賄で起訴された高官が出ている。人々は同僚を銃撃し、殺人を犯している。……私は自分に問う。何らかの物理的な理由や異民族からの圧力ではなく、道徳的感覚の喪失によって衰退した国はあっただろうか、と。私はあったと思う。」

いったんキリスト教のコンセンサスが色あせたら、一度、信仰が社会から引き離されたら、どういうことが起こるのだろうか。考えるまでもない。今世紀はまさにこの問いに対して、実例による答えを提供してきたからだ。ロシアを考えてみよう。

共産主義政府は、ロシアが受け継いできた遺産を、人類史上前例のない反宗教的な怒りをもって攻撃した。教会やモスク、シナゴーグ、修道院を徹底的に破壊し、司祭たちを投獄して殺害した。私たちはみな、何があったかを知っている。何千万もの人が亡くなり、社会的また道徳的混沌を経験して、ロシアの人々はついに目覚めた。いつものように、まず芸術家たちが口を開いた。アレクサンドル・ソルジェニーツィンは言った。

「半世紀前、私がまだ子どものころのことです。ロシアに大きな災いが振りかかった理由を幾人かの老人が次のように語っているのを聞きました。『人は神を忘れてしまった。そのせいでこんなことが起きたんだ。』それ以来、私はおよそ五十年を費やしてこの国の革命の歴史を研究してきたのです。その間、何百冊も本を読み、個人の証言を何百と集め、あの大激変が残した瓦礫を一掃しようと、八巻の著書を書き上げました。しかし、今日、約六百万人の同胞を飲み尽くした破壊的な革命の主たる原因をできるだけ簡潔明瞭に述べるよう言われたなら、あの言葉を繰り返すのがいちばん正確でしょう。『人は神を忘れてしまった。そのせいでこんなことが起きたんだ。』」

右の言葉は一九八三年のものだが、そのときソ連はまだ超大国であり、ソルジェニーツィンは攻撃を受けていた。しかしそれから十年足らずでロシアの指導者たちは、私が一九九一年のロシア訪問の際にこの耳で聞いたように、ソルジェニーツィンの言葉に賛同し、それを引用するまでになった。

ロシアで見たのは、恵みに飢えている国民だった。経済が、そして、社会全体が、急激な下落の状態にあり、みなだれかを責めていた。社会改革者は共産主義者を非難し、しぶとい共産主義者はアメリカ人を責め、外国人はマフィアとロシア人の貧しい労働観とを責めた。非難の応酬は山ほどあった。ロシアの一般市民の中には、虐待を受けた子どものような行動が見られた。頭を低く垂れ、つかえながら話し、視点が定まらないのだ。いったい彼らにだれが信頼できるのだろう。虐待されている幼児にとって秩序と愛を信じることが難しいように、この人たちにとっても、最高の権力をもって宇宙を支配し、熱い思いをもって自分たちを愛してくれる神の存在を信じることは難しかった。恵みを信じることは困難だった。しかし恵み以外の何が、ロシアの「恵みでないもの」の循環に終止符を打つことができるだろう。

ロシアを去るとき、私はこの人たちがこれから直面しなければならないさまざまな変化に圧倒されていた。しかし、確固たる希望ももっていた。道徳が根こそぎにされた地形の上にも、いのちのしるしを見たからである。まだらに生える植物が荒廃の度合いを和らげ、殺されたものの形をとりながら生長していた。

礼拝の自由を楽しむようになった一般市民たちから話を聞いた。ほとんどの人が信仰をバブ、シュカと呼ばれる年老いた祖母から学んでいた。国家は教会を弾圧したとき、この人たちのことを無視していた。どうせそのうち、みんな死んでしまうからと、年老いた女性たちが床を掃いたり、ろうそくを売ったり、伝統にしがみついたりするのを放っておいたのだ。しかし、バブーシュカたちの年季のいった手は、次の世代を育てたのである。今日の教会に通う若者たちがよく言うには、最初に神のことを学んだのは子ども時代で、眠りに落ちていくときにおばあさんが耳もとでささやいてくれた賛美歌やお話のおかげだということである。

モスクワの集会でジャーナリストたちが涙したことを、私は決して忘れないだろう――ジャーナリストが泣くところを初めて見た。それは、「プリズン・フェローシップ・インターナショナル」のロン・ニッケルが今やロシアの囚人流刑地で急成長している地下教会について語ったときのことだ。七十年間、刑務所は真理の宝庫であり、人が神の名を何の妨げもなく口にすることができる場所だった。ソルジェニーツィンのような人たちが神を見いだしたのは、教会ではなく、刑務所の中だったのである。

ロン・ニッケルからは、内務省の高官を務める将軍と交わした会話のことも聞いた。将軍は年老いた信者たちから聖書の話を聞いて、感心していたが、それは芸術品のようなものであって、信じる対象ではなかった。しかし最近起きた出来事のせいで、将軍は考えを改めるようになった。一九九一年の暮れに、ボリス・エリツィンが国や地方や地域のすべての共産党事務所の閉鎖を命じたとき、将軍の任務は解体作業の警護だった。将軍は言った。「党の幹部のだれ一人として、そう、解体作業を目の前にしてだれ一人として、抗議をする者はいなかったのです。」彼はそのことを、教会を破壊し神への信仰を踏みにじった七十年間のキャンペーンと対比させた。「キリスト教信仰はどんなイデオロギーよりも長く続きます。教会は今、私が見たことがないような形で息を吹き返しています。」

一九八三年、ユース・ウィズ・ア・ミッションのグループが、向こう見ずにもイースターの日曜日、赤の広場で旗を広げた。旗にはロシア語で「キリストはよみがえりたまえり！」と書かれていた。年老いたロシア人の中にはひざまずいて泣く者もいた。兵士たちはすぐに、賛美歌を歌っている人たちを取り囲み、旗を引き裂き、彼らを刑務所に押し込んだ。市民のその抵抗行為から十年もたたないうちに、イースターの日曜日、赤の広場の至る所で人々が伝統的な挨拶を交わしていた。「キリストはよみがえりたまえり！」……「実に主はよみがえりたまえり！」と。

モスクワからシカゴへ向かう長いフライトの間、ロシアで見たものをじっくり顧みた。ロシア滞在中の私は、不思議の国のアリスになったような気分を味わっていた。ロシア政府は緊縮財政にもかかわらず、共産党体制が傷つけ破壊した教会を建て直すために、何十億ルーブルもの予算を組んでいた。私たちはソ連邦最高会議やKGBの人たちとともに祈った。ロシア政府の建物の中で聖書が売られているのを見た。『プラウダ』の編集者たちから、新聞の第一面に宗教に関するコラムを書いてくれませんか、と聞かれた。教育者たちからは、十戒に基づいたカリキュラムを考えてほしいのです、と言われた。

私は、神が動いておられることを確信した――霊的な解釈というわけではなく、全く文字どおりに、神が荷物をまとめて引っ越してこられた、という印象だ。

西ヨーロッパは今では神をなおざりにし、合衆国は神を片隅に追いやっている。そしておそらく神の国は将来、韓国、中国、アフリカ、ロシアのような所にあるのだろう。神の国が繁栄するのは、王である神の願いに民が従う所である――今日のアメリカ合衆国はどうだろうか。

アメリカ人としては、そのような「引っ越し」を予想するのは悲しいものだ。しかし同時に、私が究極的に忠誠を示すのは神の国であって、合衆国でないことを、以前よりもはっきりと認識するようになった。イエスの最初の弟子たちは、愛するエルサレムが焼け落ちるのを目撃したが、ローマやスペイン、エチオピアへ出て行くときは、涙を流して振り返ったにちがいない。クリスチャンの二つの市民権を説明するために『神の国』を著したアウグスティヌスは、崩壊するローマの中で生き、炎が北アフリカの彼の故郷ヒッポをなめ尽くすのを、死の床から見た。

伝道生活の初期を中国で送った年配の宣教師と、少し前に話をした。共産主義者が支配するようになってから、六千人の宣教師が追放されたが、彼もその一人だった。ロシアと同様、中国の共産主義者も、必死になって教会を破壊しようとした。中国の教会はその時まで宣教活動の良き実物見本とされていた。政府は家の教会を禁じ、親が子どもに宗教教育を施すことを非合法化し、牧師や聖書教師を投獄しては拷問にかけた。

一方、海外へ追放された宣教師たちは何もできずに、悲痛な思いで外から見守っていた。中国の教会は彼らなくしてどのようにやっていくのだろう。宣教師たちのつくった神学校やバイブル・カレッジ、印刷物やカリキュラムがなかったら、聖書を印刷する能力がなかったら、教会は生き残れるのだろうか。四十年の間、この宣教師たちは、中国で起きていることについていろいろなうわさを聞いていた。がっかりするようなうわさもあれば、勇気づけられるうわさもあったが、この国が一九八〇年代になって外国に門戸を開放するまで、確かなことはだれにもわからなかった。

今や有名な中国通となったこの年配の宣教師に、この四十年間にいったい何が起きたのですか、と聞いてみた。「私が中国を出たとき、控えめに言って七十五万人のクリスチャンがいたと見ています。で、今ですか？　いろいろな数字をお聞きになっていると思いますが、実に、三千五百万人の信者がいるようです。」教会と聖霊だけでかなり順調に働きを進めたことは確かである。現在、中国の教会は、アメリカに次いで、世界で二番目に大きい福音に基づくコミュニティーを形成している。
ある中国通は、中国におけるリバイバルは教会史の中でも最大級のものに相当すると評価している。奇妙なことだが、政府の敵意が結局のところ教会に有利に働いたのだ。権力機構から閉め出された中国のクリスチャンは、教会本来の使命である礼拝と福音宣教に自らをささげ、政治にあまり関心をもたなかった。法律を変えることではなく、人生を変えることに専念したのである。

ロシアから戻ったとき、大理石や御影石でつくられた連邦議会議事堂や最高裁判所の建物の堅牢な壁の内側で起きていることについては、さしたる関心がなかった。それよりも、アメリカ中に広がっている木造の教会の壁の内側で起ころうとしていることに心が向いていた。合衆国における霊性の刷新は、上から下へと降りてくることはないだろう。もしもそれが起こるとしたら、草の根から始まり、下から上へと生長していくのだろう。

アメリカに戻っても、ロシアや世界がこの国のクリスチャンから恵みを学んでほしいという気持ちにならなかった。ランドール・テリーは「ナショナル・パブリック・ラジオ」で、中西部の洪水で何千人もの農夫が土地、家屋、家畜を失ったのは、自分の中絶反対運動をアメリカが支持しなかったことへの神のさばきだと断言していた。翌一九九二年は最も厄介な選挙年になった。宗教右派が初めて、その力を国家的規模で誇示したのである。クリスチャンは恵みよりも権力に興味があるようだった。

一九九二年の選挙の直後に、パネル・ディスカッションでルシンダ・ロブといっしょになった。

彼女の祖父はリンドン・ジョンソン大統領、両親は上院議員チャックとリンダ・ロブ夫妻である。ルシンダの家族はオリバー・ノースに反対する激しい運動を終えたばかりだったが、運動の間、彼らが姿を現す所はどこでも、右翼のクリスチャンがピケを張った。ルシンダは言った。「私たちがクリスチャンだと思っています。わが家によく来たビリー・グラハムのもとで成長しましたし、教会ではいつも活発に動き回っていました。私たちは本当に信仰をもっています。でもそのデモ隊の人たちは、私たちをまるで地獄から来た悪霊のように扱うのです。」

多くの聴衆を前にして、そのパネル・ディスカッションが取り上げた話題は「文化闘争」であった。聴衆は、強力な少数派であるユダヤ人をはじめ、リベラルな民主党支持者が占めていた。私は福音派クリスチャンの代表として選ばれていた。パネラーにはルシンダ・ロブのほか、ウェルズレー・カレッジ学長とアニータ・ヒルの代理人はもちろん、ディズニー・チャンネル社長やワーナー・ブラザース社長もいた。

話の準備のために福音書に目を通したが、イエスがいかに政治的でなかったかを改めて知らされた。P・T・フォーサイスの言葉によると、「福音書が最も多く、そして最も深く語っているのは、この世界や社会問題ではなく、来るべき永遠の世界と社会的義務である」。今日、選挙があるたびに、どの候補者がホワイトハウスにふさわしい「神の人」であるかと、クリスチャンは論じ合う。自分がイエスの時代に生きていたら、ローマ帝国にふさわしい「神の人」はティベリウスかオクタヴィウスか、あるいはユリウス・カエサルかとイエスが思案しているお姿を見るだろうか。

話す番が回ってくると、私は次のようなことを語った。「私の従っている人は、一世紀のパレスチナにいたユダヤ人です。その人もまた文化闘争に巻き込まれていました。厳格な宗教体制と異教の帝国にぶつかりました。この二つの権力はしばしば反目していましたが、この人を亡きものにしようということでは手を組みました。これに対してこの人はどう応じたでしょうか。戦いを挑むのではなく、敵であるその人たちに自分のいのちを与え、それを愛のしるしとして示したのです。彼が死の間際に語った最後の言葉はこうでした。『父よ。彼らをお赦しください。彼らは、何をしているのか自分でもわからないのです』（ルカ二三・三四）。」

ディスカッションのあと、テレビ界の某有名人が私のところへやって来て、こう言った。「ちょっとよろしいでしょうか。あなたのお話しになったことが深く胸に突き刺さりました。あなたには嫌悪を覚えるだろうと思っていました。あなたも、私の大嫌いな右翼のクリスチャンの一人だと思っていたからです。右翼の人たちからどんな手紙を受け取っているか、想像できるでしょうか。私はクリスチャンではありません——ユダヤ人なのです。でもあなたが、イエスが敵を赦したお話をされたとき、そのイエスの精神から自分がいかに遠いところにいるかがわかりました。私は敵と戦っています、特に右翼の人々と。そして、彼らを赦してはいません。イエスの精神から学ばなければならないことがたくさんありますね、ほんとうに。」

水面の流れに逆らう恵みの底流が、この人の人生をゆっくりと着実に流れていた。

イエスのイメージされる神の国は、秘密兵器のようなものである。狼の中の羊、畑に隠された宝物、庭に蒔かれたちっぽけな種、毒麦の中に生える麦、パン生地の中に働く少量のイースト菌、肉に振りかける塩――これらはみな、社会を内側から変えていく、社会の内側での活動を語っている。厚切りのハム一切れを保存するのに、シャベル一杯の塩など必要ない。ほんの少しだけ振りかければ十分なのだ。

イエスは、強固に組織化された弟子団を残されなかった。一握りの塩がこの世で最強の帝国にじわじわと浸透していくことを知っておられたからだ。ローマが造った偉大なもの――ローマ法典、図書館、元老院、歩兵軍団、道路、水道橋、有名な記念建造物――が徐々に崩れていったが、イエスから秘密兵器のイメージを与えられた小さなグループは多くの困難に直面しながらも、徐々に広がり、今日まで存続している。

ゼーレン・キェルケゴールは、自らをスパイと称し、実際、クリスチャンはスパイのように行動する。この世界に生きていながら、もう一つの世界に忠誠を尽くしているからである。私たちは在留外国人、聖書の言葉を使えば「寄留者」である。全体主義の国々を訪問したことで、私にとってこの言葉は新しい意味をもつものとなった。

東ヨーロッパの反体制派は、長年、秘密裏に人と会い、暗号を使い、公衆電話の使用を避け、地下出版で偽名を使って論文を印刷していた。しかし一九七〇年代半ば、反体制派の活動家たちは、そうした二重生活が大きな負担となっていることに気づき始める。常に肩ごしに神経質な目で見、隠れて動くことによって、彼らは恐れに屈していた。それこそ共産主義者のかねてからの狙いであった。反体制派の人たちは作戦を変更する。「どんな犠牲を払っても、自由であるかのように行動しよう。」ポーランドとチェコの反体制派の指導者たちは、そう決断した。明らかに密告者だとわかる人がその場にいても公の集会が開かれるようになったが、会場が教会堂であることも少なくなかった。彼らは機関紙の記事に署名をし、ときには住所や電話番号を付し、街角でそれをおおっぴらに配った。

要するに、反体制派の人たちは、社会では当然と思われるべき行動をとり始めたのである。言論の自由を求めるなら、自由に発言する。真実を愛するなら、真実を語る。当局は、対応の仕方に戸惑った。厳しく取り締まることもあったし――反体制派の指導者はそのほとんどが刑務所生活を経験していた――いらいらが激怒に変わる直前で見つめているときもあった。その間、反体制派の人たちは、大胆な戦術が功を奏し、連絡を取り合ったり西側と接触したりすることができるようになり、「自由群島」のようなものが形をなした。これはあのおぞましい「収容所群島」と明確な対照をなすものだった。

驚くべきことに、私たちはこの反体制派の人たちが勝利を収めるのを目撃した。ボロボロになった国民、囚人、詩人、司祭たちは、走り書きをして自分たちの言葉を地下出版というかたちで伝達したが、その彼らの王国が、難攻不落の要塞を陥落させたのである。どの国でも、教会が反対勢力として動いた。時には静かに、時には声高に、真実を主張した。それは政府の公式の宣伝報道にまさるものであり、時には対立もした。ポーランドではカトリックが「あなたがたを赦します！」と叫びながら政府庁舎の近くを行進した。東ドイツではクリスチャンがろうそくに火をともし、祈り、道を行進し、ついにあの夜、ベルリンの壁は朽ち果てたダムのように瓦解した。

スターリンは早くから、ポーランドに「新しい町」を意味するノワフータ村をつくり、共産主義の約束を実行しようとした。彼は、国全体をすぐに変えることはできないが、光り輝く鉄鋼工場、ゆったりとした住宅、あちこちにある公園、広い道路などがある新しい町を、後に続く都市モデルとして建設することができた、と言った。後日、ノワフータは「連帯」の基地の一つとなり、むしろ、共産主義がたった一つの町も治められなかったことを実証した。

クリスチャンがこの世界でこれと同じ手法を用いて成功したら、どうだろう。「クリスチャンは、この世ではまことの故郷の植民地である」とボンヘッファーは言った。クリスチャンは、私たちのまことの故郷を指し示す植民地の建設をめざして、もっと努力すべきなのだろう。残念ながら、あまりに多くの教会が、別の社会を示す窓でなく、教会を取り巻く社会をそのまま映す鏡をかざしているのである。

この世が悪名高い罪人を蔑むなら、教会はその人を愛そう。この世が貧しい人や苦しんでいる人への援助を打ち切るなら、教会は食物と癒やしを提供しよう。この世が人々を虐げるなら、教会はその人たちを助け起こそう。この世が、社会からのけ者にされた人たちを辱めるなら、教会は神の和解と愛を宣言しよう。この世が利潤と自己充足を追い求めるなら、教会は犠牲と奉仕を追い求める。この世が天罰を要求するなら、教会は恵みを分かち合う。この世が分裂するなら、教会は一つになる。この世が敵を滅ぼすなら、教会は敵を愛する。

少なくとも、これが新約聖書に描かれた教会の姿である。教会とは、敵意をもったこの世の中にある天国の植民地なのである。ドワイト・L・ムーディは言った。「百人のうち一人が聖書を読み、九十九人はクリスチャンを読む。」

共産主義国内の反体制派の人たちのように、クリスチャンは異なったルールによって生きる。ボンヘッファーは、クリスチャンは「変わった」人間であり、それは、異常であること、普通でないことを意味すると言う。つまり、当たり前でないことなのだ。イエスが十字架にかけられたのは、彼が良き市民であったからでも、他の人より少しだけ善人だったからでもない。当時の権力者たちは、イエスとその弟子たちを不穏分子であるとずばり見抜いていた。イエスたちがローマやエルサレムよりも上位にあるところから命令を受けていたからである。

不穏分子である教会は、現代の合衆国ではどのように見えているだろうか。合衆国を、地上で最も宗教的な国家と呼んだ人々もいる。もしそうなら、ダラス・ウィラードが言った次のような威勢のいい問いが出てくるのも不思議ではない。百グラムの塩を四百グラムの肉にかけたなら、もっと防腐効果が上がるはずではないか。

変わった人たちなら、当然、周囲の世界より高い個人倫理の基準を示すはずだ。だが、一例だけとると、ジョージ・バーナの世論調査では、現代のアメリカで「新生した」と言うクリスチャンは、離婚率（二十七パーセント）が未信者（二十三パーセント）よりも高い。ファンダメンタリズムのクリスチャンを自称する人の離婚率が最も高かった（三十パーセント）。実際、最も離婚率の高い六つの州のうち四州が、バイブル・ベルトとして知られている地域にある。現代のクリスチャンは、変わっているどころか、他の人々と同じように見える。そしてその傾向は強くなっている。私たちの個人倫理が周囲のレベルより上でなければ、道徳の防腐剤として働くことなど望めない。

ただし、たとえクリスチャンが最高の倫理基準を示したとしても、それだけで福音に従ったことにはならない。パリサイ人は非の打ち所のない倫理をもっていたからである。むしろイエスはクリスチャンの特徴を次の一語に絞られた。「もしあなたがたの互いの間に愛があるなら、それによって、あなたがたがわたしの弟子であることを、すべての人が認めるのです」（ヨハネ一三・三五、傍点筆者）と。教会のとる最も不穏な行動とは、この命令に常に従うことである。

教会にとって政治が落とし穴になってきた理由はおそらく、権力が愛とめったに共存しないところにあるのだろう。権力の座にある人々は敵と味方のリストを作成し、味方に報い、敵を罰する。クリスチャンは、敵であっても愛せよと命じられている。チャック・コルソンはニクソン政権のもとで権力政治術を完成させたが、今では、政治が今日の社会問題を解決するとは思っていない、と言っている。どのように愛するかをこの世に教えられないなら、教会が社会変革に全力を注いでも十分とは言えないだろう。

コルソンは、権力のルールではなく愛の命令に従ったクリスチャンの感動的な例に言及している。ニクソン大統領は不名誉な辞任をした後、サン・クレメンテの家に退き、事実上、世間から隔絶した生活を送った。政治家たちはニクソンと会うことで自分の名に傷をつけたくなかったので、ニクソンを訪ねる者は当初ほとんどいなかった。例外は、合衆国上院でよくニクソンと対立した、歯に衣着せぬクリスチャン、マーク・ハットフィールドだった。なぜあえてサン・クレメンテまで行くのかと尋ねたコルソンに、ハットフィールドは、「ニクソン氏に、彼を愛している人がいることを知らせるためです」と答えた。

ビリー・グラハムがクリントン夫妻と会見し、大統領就任式で祈ったために非難を受けた一件について、私はいくらか知っている。グラハムもまた、愛せよという戒めが政治的な立場の相違を乗り越えると信じていて、それで、政策のいかんに関わらず、ハリー・トルーマン以降すべての大統領に聖職者としての務めを果たしてきたのである。非公式のインタビューで、私はグラハムに、どの大統領といちばん長い時間を過ごしたかと尋ねてみた。驚いたことに、リンドン・ジョンソンの名が挙がった。グラハムとは政治的な立場が全く違う人物である。しかしジョンソンは死を恐れていて、「いつも牧師にそばにいてもらいたいようだった」。グラハムには、政策よりも人間が大切だったのだ。

冷戦絶頂期のブレジネフ時代、ビリー・グラハムはロシアを訪れて、政府や教会の指導者たちと会見した。本国の保守派の人たちは、礼儀と尊敬の念をもってロシア人に接した彼を非難した。人権と宗教の自由を悪用したとして責め、もっと預言者的な役割を果たすべきだった、というのだ。グラハムは教会を五十年前に引き戻してしまった、と非難する人もいた。グラハムはそれを聞くと、頭を垂れて、こう答えた。「誠にお恥ずかしいことです。私は教会を二千年前に戻そうと懸命に努力してきたのですが。」

政治は人々の間に線を引くが、それとは対照的に、イエスの愛はその線を乗り越えて恵みを与える。もちろんそれは、クリスチャンが政治に関与するべきでない、ということではない。ただ、政治に関わるとき、「愛せよ」という戒めに権力のルールが置き換わってはならないということなのである。ロン・サイダーは次のように言った。

「話が福音派の人たちに及んだとき、急進的なフェミニストが最初に思うことが、福音派の人々は結婚の誓いを守り、十字架上のイエスのように多大な犠牲を払って妻に仕えることで評判が高いということであったなら、どんなにすばらしいことか。だれかが福音派のことを口にしたとき、同性愛者のコミュニティーが最初に思うことが、福音派とは愛をもってエイズ・シェルターを運営し、最後の最後まで優しく面倒を見る人たちだということであったなら、どんなにすばらしいことか。健全で一貫性のある模範をわずかでも示し、犠牲を払って仕える姿を見せることができれば、それは、厳しい口調で語られる何百万もの真実の言葉に相当する。」

友人の一人が妊婦カウンセリング・センターで働いていた。献身的なカトリックである彼女は、相談者に中絶しない選択を勧め、赤ん坊の養い親を探す手助けをしていた。そのセンターが大きな大学の近くだったため、中絶支持のデモ隊がよくそこにピケを張った。ミシガン州の雪の降る寒い日に、友人は、センター前で抗議デモを行っているすべての人のために、ドーナツとコーヒーを注文した。そして配達された品物を受けとると、外へ出て、それらを「敵」に差し出した。彼女は言った。「この問題については意見が違うことはよくわかっています。それでも私は皆さんのことを人間として尊敬していますし、寒いなか、一日中ここに立っているのはさぞ大変でしょう。それで、何か食べる物が必要ではないかと思いました。」

ピケを張っていた人々は驚き、言葉を失った。もごもごとお礼の言葉を言い、コーヒーを見つめたが、ほとんどの人は飲もうとしなかった（コーヒーに毒が入っているのでは、と）。

クリスチャンが権力の舞台に上ることもあるかもしれないが、そのときは、愛を置き忘れないようにしたいと思う。マーティン・ルーサー・キングは言った。「愛なき力は無謀であり、腐敗している。最高の状態にある力とは、正義の要求を満たす愛である。」

フリードリヒ・ニーチェは、キリスト教会を「弱くて卑劣で、悪くつくられたものすべての味方となってきた」と非難した。彼は、進化の法則に異議を唱え、力と競争を助長するルールとに反対するあわれみの宗教を軽蔑した。ニーチェは恵みが引き起こすつまずき《スキャンダル》を指摘し、その起源を「十字架上の神」にあるとした。

ニーチェは正しかった。イエスのたとえ話の中で、裕福で健康な人は婚礼に出席するようすが見られないが、貧しい人や弱い人は走ってやって来る。そして、いつの時代も、キリスト教の聖徒たちは、ダーウィンの適者生存の法則には全く適合しない人たちを愛の対象としてきた。マザー・テレサのもとで働く修道女たちは、あと何日、あと何時間しか生きられないあわれなホームレスの人たちに惜しみない世話をする。ラルシュ共同体運動の創設者ジャン・バニエが生活しているホームでは、しゃべったり手を自由に動かしたりすることができない十人の精神障がい者たちのために十七人のアシスタントを雇い、その人たちのケアにあたらせている。カトリック・ワーカー・ムーブメントのドロシー・デイは、自分の給食施設の愚かしさを認めている。「思い切り浪費して、コーヒーの価格も考えずに、長蛇の列を作って私たちのところへやって来る極貧の人たちをおいしいコーヒーと上等のパンでもてなす。これは実に楽しいことです。」

クリスチャンは弱い人々に仕えることを知っているが、それは弱い人々が奉仕されるに値するからというわけではない。私たちが愛を受けるに値しなかったときに、神が愛を与えてくださったからなのだ。キリストは天国から「下りて」来てくださった。そして弟子が名声と権力の夢を楽しんでいるといつでも、最も偉大な人とは仕える人であるということを思い起こさせられた。権力のはしごは上へ伸びていくが、恵みのはしごは下へ伸びていくのである。

私はジャーナリストとして、クリスチャンが恵みを与えているすばらしい光景を幾度となく見てきた。政治における行動主義者とは違い、この人たちが新聞に載ることはめったにない。けれども、誠意をもって仕え、私たちの文化に福音という防腐剤（調味料）で味つけをしている。現代の合衆国の真ん中に「地の塩」がなかったら、どんなふうになっていたのだろうかと想像すると、身震いがする。

「公正で人を思いやる世界像を大切にする少数の人たちの力を過小評価してはならない」とロバート・ベラーは言った。こうした人々こそ、私が飛行機で隣り合わせた人に「福音派のクリスチャンはどんなふうに見えますか」と尋ねたときに、心に思い浮かべてほしい人たちである。

妻がホスピスでチャプレンとして働いているので、私はホスピス運動にはかなり詳しいつもりだ。ロンドンのセント・クリストファーズ・ホスピスで、現代ホスピス運動の創始者デーム・シシリー・ソーンダーズにインタビューしたことがある。ソーシャル・ワーカーであり看護師であった彼女は、死が間近に迫った人々への医療スタッフの対応に驚愕する――要するに、患者たちを失敗のしるしとして無視したのだ。この態度にクリスチャンであるソーンダーズはとても傷つけた。死にゆく者の世話は伝統的に、教会に託されたあわれみの七つのわざの一つだったからである。一看護師の言うことにだれも耳を貸さなかったので、彼女は医学部に戻って医者になり、人々が尊厳をもって、痛みを感じることなく死ねる場所を作った。現在ホスピスは四十か国につくられ、合衆国だけで二千を数える――約半数はキリスト教がベースになっている。デーム・シシリーは最初から、クリスチャンは、死に直面している人に物理的ケア、情緒的ケア、霊的ケアという最も良い形のものを提供できると信じていた。そして、ホスピス・ケアを、ケヴォーキアン博士と彼の「死ぬ権利」運動に取って代わるものとして提示したのである。

十二ステップ・プログラムに基づく何千ものAA支部の人たちのことを思う。毎晩、合衆国の至る所で、彼らは教会の地下室やVFW（退役軍人クラブ）ホールやリビングルームに集まっている。AA（アルコホリック・アノニマス）を創設する際に、それを創案したクリスチャンたちは一つの選択を迫られる。会を完全にキリスト教組織にするか、あるいはキリスト教原則に基づいて創設し、後は自由にしておくか、である。彼らは後者を選択し、今ではアメリカの何百万もの人が、アルコールやドラッグ、セックス、食べ物等の依存症の治療法として、このプログラム――「ハイヤー・パワー」と支援コミュニティーへの依存に基づいている――に期待を寄せている。

アラバマ出身の富豪の企業家で、今でも綿花地帯特有の鼻にかかった声で話すラード・フラーのことを考える。裕福でありながら悲惨な状況に陥り、結婚生活が暗礁に乗り上げたフラーは、ジョージア州のアメリカスへ向かう。そこで、クラレンス・ジョーダンという人物と「コイノニア・コミュニティー」に魅せられる。まもなく彼は財産をなげうって、地上の人間にはみなきちんとした住まいがあってしかるべきだという単純な前提のもとに、ある組織を発足させる。今日その「ハビタット・フォー・ヒューマニティー」には、ボランティアで家を建てる人の名前が世界で何千人も登録されている。疑心暗鬼なユダヤ人女性にフラーがその仕事を説明するのを聞いたことがある。「奥さん。私たちは伝道しようと思っていません。私たちが建てた家に住むのに、クリスチャンである必要はありませんし、お手伝いの必要もありません。ただこれだけは言えることなのですが、私がこのようにしているのも、またこんなにたくさんのボランティアがあのように働いているのも、みんなイエスさまに従っているからなんですよ。」

ウォーターゲート事件に関わって投獄され、上へ上ろうというのでなく、下へ下りたいという願いをもって出獄してきたチャック・コルソンを思う。彼は「プリズン・フェローシップ」を立ち上げたが、今日それは約八十か国に広がっている。これまで二百万人以上のアメリカの囚人の家族が、コルソンのエンジェル・トゥリー・プロジェクトからクリスマス・プレゼントを受け取ってきた。海外では、教会の人たちがシチューの鍋や焼きたてのパンを、餓死しそうな囚人たちのところへ持っていく。ブラジル政府はプリズン・フェローシップに、クリスチャンの受刑者自身が運営する刑務所を監督する許可を与えている。フマイタ刑務所にはスタッフが二人しかいないにもかかわらず、その再犯率は、ブラジルの他の所では七十五パーセントであるのに対して、わずか四パーセントである。

形成外科医ビル・マギーを思う。彼は、第三世界の多くの子どもたちが口蓋裂の治療を受けずに一生を過ごしていることを知り、大きな衝撃を受ける。その子たちは笑うことができない。唇が曲がり、常に薄笑いをしているかのように開いており、そのため周囲から笑いものになっている。マギー夫妻は「ほほえみ作戦」というプログラムを立ち上げる。飛行機にたくさんの医者と支援者を乗せ、ベトナムやフィリピン、ケニア、ロシア、中東といった所へ行き、奇形を治療するというプログラムである。今まで三万六千人以上の子どもに手術を施し、子どもたちのほほえみというかけがえのない財産を残してきた。

インドの医療宣教団、とりわけハンセン病患者のために働く人たちのことを思う。「恵みでないもの」のスケールから考えると、カースト制度の最下層民の出であるハンセン病患者ほど地上で心ない仕打ちを受けてきた人たちはいない。これ以上、下はないだろう。ハンセン病治療の発展に重要な役割を演じたのは、そのほとんどがキリスト教の宣教師である。彼らだけが進んで患者に触れ、世話をしようとしたからである。それら誠実な奉仕者の働きのおかげで、この病気は今では薬によって完全に治療できるし、接触感染の可能性もきわめて低くなっている。

「世界にパンを」のことを思う。クリスチャンがつくった機関であるが、「ワールド・ビジョン」と張り合うのでなく、世界の貧しい人々のためにロビー活動を行うことが、飢えている人々を助ける最善の方法だ、と信じて働いている。また、ワシントンD・Cにあるエイズ患者のための家、「ヨセフの家」のことを思う。三十五の大都市でスラム地区のためのプログラムを運営しているパット・ロバートソンの「オペレーション・ブレッシング」、ジェリー・ファルウェルの「赤ちゃんを救う家」のことを思う。「赤ちゃんを救う家」では、妊娠した女性が中絶ではなく出産を選択すると、サポートが受けられる愛情深い家庭を紹介している。創始者の政治的見解ばかりが注目されて、ほとんど目が向けられていないプログラムである。

ルソーは、教会は決して解決できない忠誠のジレンマに陥った、と言った。クリスチャンの関心が主として次の世にあるとしたら、どのようにしてこの世の良き市民になれるのか、と。私の言及した人たち、また彼らのような何百万という人たちが、ルソーの議論が誤りであることを証明している。C・S・ルイスが記したように、この世界で最も影響を及ぼしているクリスチャンこそ、もう一つの世界を意識している人たちなのである。

人間は壊れてバラバラの状態で生まれ、それを修理しながら生きる。神の恵みが接着剤である。
ユージン・オニール

20 重力と恵み

シモーヌ・ヴェイユは、輝くキャンドルのように命を燃やし、三十三歳でその生涯を閉じた。彼女はフランスの知識人だったが、労働者階級になりきるために農場や工場で働く道を選ぶ。ヒトラーの軍隊がフランスに侵攻すると、ロンドンへ逃れ、「自由フランス政府」に加わり、そこで生涯を終えた。ナチス占領下で苦しむフランス人の一日の配給分以上の食料を拒み、栄養失調になって、結核を悪化させたのである。キリストに従ったこのユダヤ人は、たった一つの遺産として、神への旅を緻密に記録した断想や日記に残した。

ヴェイユは、二つの大きな力がこの宇宙を支配している、と結論した。重力と恵みである。重力は、一つの物体が他の複数の物体を引きつけ、宇宙の中にあるものをどんどん吸収して絶えず拡大していくことを可能にしている。この重力に似たものが人間の中にも働いている。私たちも拡大したい、獲得したい、膨張したいのだ。結局のところ、「神のように」なりたいという願いがアダムとエバを反逆へと導いたのである。

ヴェイユの結論は、私たち人間は感情の面では、ニュートンの法則と同じように堅固な法則によって動いている、というものである。「たましいの自然な動きはすべて、物質における重力の法則と類似の法則に支配されている。恩寵〔恵み〕だけが、そこから除外される。」私たちのほとんどは、自己愛という重力の場にとらわれており、そのため「恩寵〔恵み〕がはいってこられそうな全部の割れ目をふさごう」としているのである。

ヴェイユがこのように書いたのと同時期に、やはりナチスから逃れたカール・バルトは、赦し、恵みというイエスがくださる賜物は、自分にとってはイエスが行われた奇跡以上に驚くべきものだ、と語った。奇跡は宇宙の物理的法則を破るが、赦しは道徳の規則を破るのである。「善が始まることとは、悪の真っただ中でわかるものだ。……恵みの単純性と包括性——だれがそれを測ることができるだろう。」

本当に、だれにそれが測れるのだろう。私はただ恵みの周辺を歩いてきただけである。一目で全貌が見ることができないほど、とてつもなく大きな大聖堂の周囲を歩く人のようなものである。問い——驚くべき恵みとは何か、そしてクリスチャンはなぜ恵みをもっと示さないのか——から始めたのだから、今、最後の問いをもって終えることにしよう。恵みに満ちあふれたクリスチャンとは、どのように見えるのか。

この問いはこう言い換えるべきかもしれない。恵みに満ちあふれたクリスチャンはどのように見るのか、と。クリスチャンの人生とは、倫理や規則に重点を置かず、むしろ新しい見方を含んでいるものであろう。私が霊的な「重力」の力から逃れるのは、どんな自己改善や自己発展の方法を用いても、自分は神を喜ばせることができない罪人である、と認識した時である。その時に初めて外に助けを求めて――恵みを求めて――神に立ち返り、聖なる神が私のことを、欠点があるにもかかわらず愛していてくださったと知って、驚くのだ。そして、再び私が重力の力から逃れるのは、隣人たちも罪人であり、神に愛されていることを理解する時である。恵みに満ちあふれたクリスチャンとは、世界を「恵み色のレンズ」を通して見る人なのだ。

牧師をしている友人が、マタイの福音書の七章からその日の指定箇所を学んでいた。そこではイエスが激しい口調で次のように言われた。「その日には、大ぜいの者がわたしに言うでしょう。『主よ、主よ。私たちはあなたの名によって預言をし、あなたの名によって悪霊を追い出し、あなたの名によって奇蹟をたくさん行ったではありませんか。』しかし、その時、わたしは彼らにこう宣告します。『わたしはあなたがたを全然知らない。不法をなす者ども。わたしから離れて行け。』」

「わたしはあなたがたを全然知らない」という句がページから飛び出してきた。明らかに、イエスは「あなたがたはわたしを全然知らない」とか「あなたがたは父のことを全然知らない」とかと言われたのではなかった。自分のことを神に知っていただくことが、私たちの主要な仕事の一つ、いや、おそらくいちばん大切な仕事であるということに友人は大きな衝撃を受けた。良い働きでは十分でない――「私たちはあなたの名によって預言をしたではありませんか」――神との関係においてはすべてが明らかにされなければならない。ありのままの姿にならなければならないのだ。
トマス・マートンは、「神が必要であるとわからなければ、神を見いだすことはできない」と書いた。熱い教会で育った人には、なかなか理解できない言葉かもしれない。私のいた教会は完全主義の傾向があり、みな、アナニヤとサッピラの例にならって、自分が霊的であると偽りたい誘惑にかられていた。日曜日に盛装して、ほほえみながら車から降りてくる一家。だが後になって、その家族は一週間ずっとののしり合いのけんかをしていたことを知った。

子どものころ、私は日曜日の朝は最高にお行儀よくしていた。神のため、また周囲のクリスチャンのためにおしゃれをした。教会が正直であっていい場所であるなどとは思いもよらないことだった。しかし今、恵みのレンズを通してこの世界を見ようとすると、不完全こそ恵みの前提条件であることがわかる。光は割れ目の中だけを通るものなのだ。

私のプライドはなお、いい恰好をしろ、外側をきれいに磨け、と誘惑してくる。C・S・ルイスは言った。「われわれは、もしわれわれが輝いているとすれば、その輝きはまったくわれわれを照らしている太陽から来ているということを認めることはやさしいが、これを悟ることは長い間ほとんど不可能であった。確かにわれわれは僅かな――どのように僅かであろうとも――固有の光輝を持っているに違いないであろうか。確かにわれわれはまったくの被造物であるはずがないであろうか。」彼は続けてこう言う。「恩恵〔恵み〕はわれわれの求めの十分な、子供らしい、楽しい受けいれ、絶対依存による喜びを与える。われわれは『陽気に物乞い』となる。」

被造物であり陽気に物ごいをする私たちは、依存することによって栄光を神に帰する。私たちの傷や欠陥こそ、恵みが通る割れ目である。欠陥があり、不完全で、弱く、必ず死ぬというのが、地上における私たち人間の運命だ。そしてその運命を受け入れることによってのみ、私たちは重力の力を逃れ、恵みを受け取ることができる。そしてその時初めて神に近づくことができる。

奇妙なことに、神は「聖人」よりも罪人の近くにおられるのだ。(「聖人」という言葉で私が意味しているのは、その敬虔さで有名な人々のことである――真の聖人は、自らの罪深さを決して軽く見ることがない。)霊性について語るある講演者がそれをこう説明している。「天の神は一人一人を糸で繋いでいる。あなたは罪を犯すとき、その糸を切る。すると、神は再びその糸を結び、結び目を作る――そしてあなたは前よりも少し神に近くなる。何回も何回もあなたの罪が糸を切る――そして結び目が増えるたびに、神はあなたをご自分に引き寄せていかれるのだ。」

いったん自分自身に対する見方が変わると、教会のことも違った光の中で見るようになった。教会とは恵みに飢え渇いている人々の集まりなのだ、と。回復途上のアルコール依存症患者のように、私たちは互いに弱さを認め合う。重力は、自分でうまくやれると思うよう誘惑してくるが、恵みはその間違いを正してくれる。

本書冒頭のあの売春婦の言葉をもう一度思い起こしている。「教会ですって! あんな所へなんか、行くものですか。もう十分惨めな思いを味わっているんです。教会なんかに行ったら、もっと惨めな気持ちにさせられるだけよ。」 教会は、自分のことをひどいものだと思っている――神学的には、それが私たちの入場券となる――人々の避難所であるべきなのだ。神は、ご自分の仕事を達成するために謙虚な人々（それは普通、謙虚にさせられた人々を意味する）を必要としておられる。自分を他の人よりすぐれていると感じさせるものや、優越感をもてと誘惑してくるようなものは何であれ、重力であって、恵みではない。

福音書を読む者は、イエスが、罪人や、社会から見捨てられた人々の間をやすやすと動き回っておられることに驚嘆する。私は「罪人」のそばで、そして「聖人」と言われる人々のそばで時を過ごしたことがあるので、イエスがなぜあれほど多くの時間を前者の人々といっしょに過ごされたのかわかる気がする。イエスはそうした人々がお好きだったのだと思う。罪人たちは自分に正直で、取り繕うこともないので、イエスは彼らを取り扱うことがおできになった。対照的に、聖人たちには気取ったところがあり、イエスをさばき、イエスを道徳的な罠にかけようとした。最終的にイエスを逮捕したのは聖人であって、罪人ではなかった。

パリサイ人シモンの家におけるイエスの晩餐の話を思い出してほしい。シカゴの売春婦と大差ない女がイエスに香油を注ぎ、髪の毛でイエスの足をぬぐって物議をかもした。シモンは不愉快だった――そんな女は自分の家に入るに値しない！　その張り詰めた雰囲気の中でイエスは次のような反応を示された。

「そしてその女のほうを向いて、シモンに言われた。『この女を見ましたか。わたしがこの家に入って来たとき、あなたは足を洗う水をくれなかったが、この女は、涙でわたしの足をぬらし、髪の毛でぬぐってくれました。あなたは、口づけしてくれなかったが、この女は、わたしが入って来たときから足に口づけしてやめませんでした。あなたは、わたしの頭に油を塗ってくれなかったが、この女は、わたしの足に香油を塗ってくれました。だから、わたしは言うのです。「この女の多くの罪は赦されています。というのは、彼女はよけい愛したからです。しかし少ししか赦されない者は、少ししか愛しません』」（ルカ七・四四―四七）。

教会が時に、この赦された女ではなくパリサイ人シモンの精神を伝えるのはなぜだろうか。そして、自分もそのようにしてしまいがちなのは、なぜなのだろうか。

一世紀前に出版された『セロン・ウェアの破滅』という小説は、教会のあるべき姿を教えている。懐疑論者の医師がファンダメンタリストの牧師とカトリックの司祭との会話の中で次のように言う。「こう言って差し支えないなら――もちろん、私はあなたがたを外側から全く公平に見ているのですが――教会は、助けを必要としている人々のためのものであって、立派な職業についていて、もう十分に善良で、教会を助けているような人々のためのものではない、というのが道理にかなっているように思えるのです。」そしてこの懐疑論者は、教会とは恵みをいつでも用意しておくべき所である、と言った。「毎日来る人もいれば、年に一度来る人もいるし、洗礼を受けてから葬式までの間、一度も来ない人もいるでしょう。しかしだれにでも、教会にいる権利があります。しみ一つない聖人と全く同じように、プロの強盗にも権利があります。唯一の規定は、虚偽を取り繕って来てはならないということです……。」

その「いつでも用意しておく」恵みを与える教会というイメージは、特に私の耳に痛いものである。それは、シカゴの教会の地下室に集まったＡＡグループを思うからだ。ＡＡに施設を貸す教会は多くないが、それには実際的な理由がある。この人たちは何でもめちゃくちゃにする傾向があるのだ。ＡＡのメンバーは、ドラッグやアルコールという悪魔と闘うにあたり、タバコやコーヒーといったやや弱めの悪魔に依存する。そのため床やテーブルにしみをつけ、壁やカーテンがタバコの煙で汚れるのはしょっちゅうだ。それに耐えようという教会はきわめて少ない。私の通っていた教会は、それでもＡＡに門を開く決断したのだった。

アルコール依存症の回復途上にある友人との連帯感を深めるために、私もときどきＡＡに参加した。初めて彼についていったとき、目にしたものに圧倒された。そこはいろいろな点で新約聖書の教会に似ていたのである。有名なテレビのブロードキャスターや著名な富豪たちが、失業中の人たちや、腕に残った注射針の跡を隠すためにバンド・エイドを貼っている子どもたちとわけ隔てなく交じり合っていた。「分かち合いの時」は、同情心いっぱいに話を聞き、温かく返答し、何度も抱きしめ合う、まさに模範的な小グループだった。自己紹介はこんなふうに進められる。「やあ、ぼくはトム。アルコールとドラッグの依存症です。」すぐに皆が古代ギリシャの合唱歌劇団のように声を合わせて応える。「やあ、トム！」出席者はおのおの、今、依存症とどのように闘っているかの経過報告を行う。

私は幾度となく、ＡＡが二つの原理に基づいて動いているのを見た。徹底した正直さと徹底した依存である。主の祈りに表されているのと全く同じ原理である。主の祈りは、「きょう一日を大切に」生きることをイエスが簡潔にまとめられたものだが、実際、多くのＡＡグループが毎回の集まりで主の祈りをいっしょに唱えている。
ＡＡは決して、「やあ、ぼくはトム、以前はアルコール依存症だったけど、今は治ったよ」と言わせせない。たとえトムが三十年間酒を口にしていないとしても、なお自分をアルコール依存症だと認めなければならない――自分の弱さを否定すると、再び餌食になってしまうのだ。それに、トムが「ぼくはアルコール依存症かもしれないけれど、そこにいるベティーほどひどくはない。彼女はコカイン依存症だよ」と言うこともない。ＡＡの地面は水平である。
ルイス・マイヤーは次のように言う。

「ここは、私が知る、地位に何の意味もない唯一の場所だ。だれも他の人をばかにしない。みな、人生をめちゃくちゃにしてしまったからここにいる。そして、ばらばらになった切れ端を元どおりにくっつけようとしている。……何千もの教会の集まりや、泊まり込みの集会や小グループの集会に出席してきたが、ＡＡに見られるような愛はどこにもなかった。たった一時間に、社会的地位が高くて力のある者が下りてきて、低い者が上っていく。その結果生まれる水平な地平こそ、人々が友愛という言葉を使うときに意味するものなのだ。」

ＡＡのプログラムは「治療」のため、メンバーに「ハイヤー・パワー」や共に闘う仲間に徹底的に依存することを求める。私が参加したグループのほとんどの人が、「ハイヤー・パワー」を「神」に置き換えている。彼らは率直に赦しと力を神に求め、周囲の友人にサポートを頼む。彼らは、恵みが「いつでもすぐに」流れ出てくると思うから、ＡＡに来るのである。

教会堂と地下室を繋ぐ階段を上り下りしながら、ときどき日曜日の朝と火曜日の夕方との違いを考えた。火曜日の夕方に集まる人たちのうち、日曜日に戻って来るのは、ほんのわずかだった。私と話したＡＡのメンバーは、地下室を開放してくれた教会の寛大さに感謝しながらも、教会ではくつろげないと言った。階上の人々は落ち着いた生活を送っているように見えるが、地下室の人々のほうはぎりぎりのところで何とか生きているのである。紫煙が立ち込める中で、ジーンズとＴシャツを着て、金属製の椅子に前かがみに座り、汚い言葉を使いたいときに使う、そうした状態のほうが、彼らにとってははるかに快適だった。彼らの居場所はまさにそこであり、まっすぐな背もたれのベンチとステンドグラスのある会堂ではなかった。

霊性について深い学びをするときに、地下室に集まっているＡＡのメンバーが私たちの先生であるということを本人たちが理解してくれたら、と思う。また、教会もそれを理解できたら、と思う。彼らは徹底的な正直さをもって始め、徹底的な依存をもって終わる。彼らは渇いており、毎週「陽気に物ごい」をしにやって来た。ＡＡが、いつでも用意してある恵みを提供する場所だったからなのだ。

私は自分の教会で何回か説教をし、次いで聖餐式の補佐をしたことがある。ナンシー・メヤーズは聖体拝領について、「私が良いカトリック信者で、きよく敬虔で身なりがいいから、それにあずかるのではない」と記している。「私が聖体にあずかるのは、心の中が疑いや不安や怒りでいっぱいの悪いカトリックだからである。魂が極度の低血糖症で気を失いそうになっているからだ。」 私は説教をしてから、空腹な魂に栄養を与える手伝いをした。

聖餐にあずかりたい人は前へ出て、静かに半円になって立ち、私たちがパンとぶどう酒を持って来るのを待つ。「あなたのために裂かれたキリストのからだです。」私は、自分の前にいる人にひとかたまりのパンを差し出し、裂きながら、そう言う。「あなたのために流されたキリストの血です。」私の後ろにいる牧師がそう言いながら、杯を差し出す。

妻が教会で働き、自分も長年クラスを教えていたので、前に立っている人たちのことはいくらか知っていた。麦わら帽子のような髪の毛で、腰がやや曲がったメイベルは、今は高齢者センターへやって来るが、昔は売春婦だった。妻はメイベルの力になろうと努めてきた。そして七年経ったとき、メイベルは、心の奥深くに隠していた暗い過去を告白した。彼女は五十年前、ひとり娘を売ったのだった。家族からはとうに見捨てられていた。妊娠すると売春という収入源を失った。ひどい母親になることがわかりきっていたので、ミシガン州に住む夫婦に赤ん坊を売った。メイベルは、どうしても自分のことが赦せないと言った。そして今、祭壇前の手すりのところに立っている。顔に頬紅のしみをつけ、恵みの賜物を受け取ろうと両手を差し出している。「あなたのために裂かれたキリストのからだです、メイベル……。」

メイベルの横にはガスとミルドレッドがいた。二人はこの教会の高齢者の中で唯一結婚式をあげたスター・プレーヤーだ。二人は同棲ではなく結婚を選んだために、社会保障給付金の受給額が一月《ひとつき》一万五千円も減らされた。しかしガスは、ミルドレッドは自分の人生の光であり、彼女がそばにいてくれるなら貧しい生活も厭わないと言った。「あなたがたのために流されたキリストの血です、ガス、そしてミルドレッド……。」

次に来たのはアドルファスという怒れるアフリカ系の若者だった。人種問題に対する彼の不安感はベトナムで極端に深刻なものになった。アドルファスが怖くて教会から離れる人もいた。あるとき、私がヨシュア記について教えていたクラスで、アドルファスが手を挙げてこう言った。「今M－16ライフル銃を持っていたら、この部屋にいるおまえたち白人全員を殺してやるのに。」そのあと、医師をしている教会の長老が彼を横へ引っ張って行き、日曜日の礼拝前に自分が処方する薬を飲むようにと言った。教会はアドルファスによく耐えた。彼が教会に来るのは怒りのためばかりでなく、飢え渇きのためでもあることを知っていたからだ。バスに乗り遅れ、車に乗せてくれる人もいないとき、アドルファスは八キロ歩いて教会に来ることもあった。「あなたのために裂かれたキリストのからだです、アドルファス……。」

シカゴ大学に勤めるエレガントなドイツ人夫婦、クリスティーナとライナーにほほえみかける。博士号を取得した二人は、南ドイツの敬虔派コミュニティーの出身である。モラヴィア派運動が世界的な規模で展開し、それが今も故郷の母教会に影響を及ぼしていると話していた。だが今、彼らは、大切にしてきたモラヴィア派運動のそのメッセージと格闘している。二人の息子がインドへの伝道旅行に旅立ったところなのだ。コルカタ最悪のスラム街で一年間暮らす予定である。クリスティーナとライナーは、そうした犠牲をいつも重んじてきたのだが、今それが自分たちの息子となると、すべてが違って見えた。息子の健康と安全が心配でならなかった。クリスティーナが手で顔を覆い、その指の間から涙があふれ落ちる。「あなたがたのために流されたキリストの血です、クリスティーナ、そしてライナー……。」

そしてサラがやって来た。脳腫瘍除去手術の傷跡をターバンで覆っている。それからマイケル。吃音がひどく、人が話しかけるといつでも身をすくませる。そしてマリア。大きな身体のこの野性味あふれるイタリア人女性は四度目の結婚をしたばかりだ。「こーんどの人は違うみたい。私にはわかるの。」

「キリストのからだ……キリストの血……。」私たちはこのような人々に、用意してある恵みのほかに何を提供できるのだろう。「恵みの手段」以外に、教会はどんな良いものを与えることができるのだろう。これらの崩壊した家庭や、やっとのことで生きている一人一人の中に、恵みははたして注がれるのだろうか。そう、ここにも注がれるのだ。階上の教会も階下のAAグループと、結局のところ大きな違いはないのだろう。

奇妙なことだが、恵みのレンズは教会の外にいる人々のことも、同じ光の中に映し出す。私のように、教会の中にいるみんなのように、彼らも神に愛されている罪人なのだ。失われた子どもたち、家から遠く離れた所で迷っている人々もいるが、それでも父なる神はいつでも喜びと祝福をもって迎えようと立っておられる。

砂漠の占い師、現代の芸術家や思想家たちは恵みに代わるものを虚しく求めている。「こう言うのは恥ずかしいが、世界が必要としているのはキリスト教の愛である」と、バートランド・

ラッセルは書いている。ヒューマニストで小説家のマーガニア・レスキは亡くなる少し前、テレビのインタビューに答えて、こう語った。「あなたがたクリスチャンを最も羨ましく感じるのは、あなたがたが赦されている、ということです。私のことを赦してくれる人はだれもいません。」また、「ジェネレーションX」という用語を作ったダグラス・クープランドは、著書『ライフ・アフター・ゴッド』(邦訳、江口研一訳、角川書店刊)をこんな言葉で結んでいる。「私の秘密は、私が神を必要としていること――病気で、もはやひとりではやっていけない、ということだ。自分を助けてくれる神が必要だ。私にはもはや与えることができないと思えるから。私が親切であるように助けてくれる神が必要だ。私にはもはや親切をすることができないように思えるから。愛することができるように助けてくれる神が必要だ。愛することは私の能力を超えているように思えるから。」

そうした願いを述べた人々にイエスが示された優しさには、ただただ驚嘆するばかりである。ヨハネは、イエスが井戸のところで女と交わされた会話の内容を書き残している。当時、離婚は夫が言い渡すものだったから、このサマリヤの女は五人の男たちから捨てられたことになる。イエスはまず、この女が人生をどんなに台無しにしてきたかを指摘することもおできになったはずである。だがイエスは、「若い女性よ、夫でない男と暮らすのは不道徳なことであることがわかっているのか」ともおっしゃらなかった。そうではなく、イエスはこう言われたのだ。「あなたは本当に渇いているんだね。」イエスは続けて、彼女の飲んでいる水は決して満足を与えないと言い、次いで、その渇きを永遠に癒やす生ける水を差し出された。

私は、道徳的にどうしても認められない人と出会うと、このイエスの心を思い出そうとする。「この人はとても渇いているに違いない」と自分に言って聞かせるのである。あるとき、サンフランシスコから戻って来たばかりのヘンリ・ナウエン司祭と話をした。彼はエイズの犠牲者のための施設をあちこち訪ね、患者たちの悲しい話に心を動かされ、あわれんでいた。「あの人たちは死ぬほど愛が欲しくて、文字どおり死ぬ思いをしているんですよ。」ナウエンの目には、彼らが間違った水を慕い求めているように映っていた。

私は、罪人や「異なる」人たちに恐れを抱いてたじろぎそうになることがあるが、そんなとき、イエスにとってこの地上で生きることはどのようなものであったかを思い起こすようにしている。完全であり、罪のなかったイエスにとっては、周囲の人々の行状は嫌悪し排除したくなるものばかりであった。しかしイエスはあわれみをもって悪名高い罪人たちを扱い、さばくことをなさらなかった。

恵みに触れた人はもはや、道をそれた人たちを「あの邪悪な人々」とか「私たちの助けを必要としているあの貧しい人々」と見ない。そして私たちは、「愛されるに値する」証拠を探す必要もない。恵みが教えてくれるのは、神は神であるがゆえに愛してくださるのであり、私たちがこうであるがゆえに愛してくださるわけではないということである。「価値」というカテゴリーが当てはまらないのである。ドイツの哲学者フリードリヒ・ニーチェは自伝の中で、すべての魂の最も奥深い所、とりわけ「多くの人たちの心の底に隠されているおびただしい数の汚物」を「嗅ぎつける」能力を自分はもっているのだ、と述べている。ニーチェは「恵みでないもの」の専門家だった。私たちはその反対のことを行うよう召されている。隠されている真に大切なものの残滓を嗅ぎつけるよう召されているのである。

映画『黄昏に燃えて』の一場面で、ジャック・ニコルソンとメリル・ストリープの演じる二人が、雪の中で倒れている年老いたイヌイットの女性を発見する。酔っているらしい。二人も酔っていたのだが、彼女をどうすべきか議論する。

「彼女、酔っぱらっているのかな、それともホームレスなのだろうか。」ニコルソンが尋ねる。

「ホームレスよ。ずっとひとりで生きてきたのよ。」

「で、その前は？」

「アラスカの売春婦。」

「生まれてからずっと売春婦じゃなかったさ。その前は何だ？」

「知らないわよ。ただの小さな子どもだったんじゃない。」

「うん、小さな子どもってのは大切な存在だ。ホームレスじゃないし、売春婦でもない。何かだ。連れて行こう。」

二人の放浪者はこのイヌイットの女性を恵みのレンズを通して見ていた。社会がホームレスや売春婦だけを見ていても、恵みは「小さな子ども」、神の似姿に造られた人間を見ていた。その似姿がどれだけわかりにくくなっていたとしても。

キリスト教には「罪を憎んで人を憎まず」という原理があるが、それは説教するよりも実践するほうがはるかに難しい。もしもクリスチャンが、イエスが示してくださった模範をそのまま素直に実行に移せたら、神の恵みを与えるという召しを達成することができるのだろう。

C・S・ルイスは、長い間、人の罪を憎むことと罪人を憎むことのほんのわずかな違いをどうしても理解できなかった、と述べている。ある人のしたことを憎みながら、その人を憎まずにいることなど、どうしてできるのだろう。

「だが、後になってわたしはふと気がついた――わたしはある一人の人間に対して今までずっとその通りのことをやってきた――その一人の人間とはこのわたし自身である、と。わたしは自分の臆病やうぬぼれや貪欲をどんなに憎んだにしても、やっぱり自分を愛しつづけてきた。しかも、そうすることにいささかの困難も感じなかった。事実、わたしがそういうものを憎んだのは、わたしが自分を愛していればこそであった。つまり、わたしは自分を愛しているがゆえに、自分がそういうことをやる人間であることを知って悲しく思ったのである。」

クリスチャンは罪を憎むことに妥協してはいけない、とルイスは言う。むしろ私たちは、自分自身の中にある罪を憎むのと同じように、他人の中にある罪を憎むべきである。つまり、その人がそのようなことをしたのを悲しく思い、そして何かの方法で、いつか、どこかで、その人が良くなることを願うのである。

賛美歌「アメイジング・グレイス」を扱ったビル・モイヤーズのドキュメンタリー映画に、ロンドンのウェンブレー・スタジアムで撮影された場面がある。ほとんどがロック・バンドだが、さまざまな音楽グループが南アフリカの変化を祝して集まっていた。そしてどういうわけか、興業主は出し物の最後にオペラ歌手のジェシー・ノーマンを予定していた。

映画は、スタジアムの野放図な群衆と、ジェシー・ノーマンがインタビューを受けている場面を交互に映し出す。十二時間もの間、「ガンズ・アンド・ローゼズ」のようなグループが何台ものスピーカーを通してけたたましくがなりたて、すでに酒や薬でハイになっているファンを騒乱の渦に巻き込んでいた。群衆はカーテン・コールを求めて叫び、ロック・グループがそれに応えている。一方、ジェシー・ノーマンは更衣室に座って、モイヤーズと「アメイジング・グレイス」について語り合っている。

この賛美歌は、粗野で残酷な奴隷商人ジョン・ニュートンによって書かれたものだ。船から海に投げ出されそうな嵐の真っただ中で、ニュートンは初めて神に向かって叫ぶ。彼が光を見るようになったのは本当に少しずつで、回心してからも商売に励んでいた。彼は奴隷の船積みをアフリカの港で待つ間に、「イエスの御名はなんとうるわしいことよ」（訳注＝聖歌二八七番の原詞）という歌を書いた。やがて仕事を捨てて牧師になり、奴隷制に反対するウィリアム・ウィルバーフォースの運動に加わる。ジョン・ニュートンは、自分がかつて陥っていたあの深みを決して軽視することがなかった。恵みを絶対に軽視しなかった。「……私のように破滅した者を救うとは」と書いたとき、真実、そのとおりの意味で書いたのである。

映画の中で、ジェシー・ノーマンはビル・モイヤーズにこう言っている。ニュートンは、奴隷たちが歌っていた古い調べを借用し、彼が贖われたのと同じように、その歌を贖った（よみがえらせた）のかもしれない、と。

ついに彼女が歌う時がくる。舞台の上を歩いてゆくノーマンを一条の光が追う。流れるようなアフリカの民族衣装ダシーキを着た、堂々たるアフリカ系アメリカ人女性だ。バックバンドもなければ楽器もない。ジェシーだけである。群衆は落ち着かず、ざわざわしている。オペラの主演女性歌手が現れたことに気づいている者はほとんどいない。「ガンズ・アンド・ローゼズ」を叫び求める声。それに同調する声。場面は険悪なムードになっていく。

ジェシー・ノーマンがひとりアカペラで、ごくゆっくりと歌い始める。

驚くばかりの恵み、何と甘美な調べよ
　私のような破滅した者を救うとは！
私はかつては失われていたが、今は見いだされた
　目が見えなかったが、今は見えている

その夜、驚くべき出来事がウェンブレー・スタジアムで起こる。声をからした七万人の観衆が、ノーマンの恵みのアリアの前に静まり返ったのである。

ノーマンが二番の歌詞「私の心に恐れを教えたのは恵みであり、恵みが私の恐れを静め

た……」を歌うころには、このソプラノの歌声に群衆はすっかりとらえられていた。
三番の「恵みが私をこれまで守り、やがて私を故郷に導く」を歌うころには、遠い記憶のかなたにあったものをたぐり寄せながら、懐かしい言葉を思い出しながら、数千人の観衆がいっしょに歌っていた。

私たちがそこで一万年いて
　太陽のように輝くときも
最初のときと同じく
　日ごと神をたたえて歌うだろう

ジェシー・ノーマンは後に告白している。その夜どんな力がウェンブレー・スタジアムに降りてきたのかわからない、と。私にはわかる。世界は恵みを渇望している。恵みが降りてくるとき、世界はその前に静まり返るのだ。

参照文献

第一章

ニーバー――D. Ivan Dykstra, *Who Am I? and Other Sermons.* Holland, Mich.: Hope College, 1983, p. 104からの引用。

ベルナノス――Georges Bernanos, *The Diary of a Country Priest*. Garden City, N.Y.: Doubleday/Image, 1974, p. 233.（邦訳、ジョルジュ・ベルナノス著、木村太郎訳『田舎司祭の日記』新潮社、二五一頁参照）

シーマンズ――David Seamands, "Perfectionism: Fraught with Fruits of Self-Destruction," in Christianity Today, April 10, 1981, pp. 24-25.

マクドナルド――個人的会話より。

『ファンダメンタリストに育つ』――Stefan Ulstein, *Growing up Fundamentalist.* Downers Grove, Ill.: InterVarsity Press, 1995, p. 72.

第二章

『バベットの晩餐会』――Isak Dinesen, *Anecdotes of Destiny and Ehrengard.* New York: Random House/Vintage, 1993 所収の短編。（訳注＝デンマーク語版からの邦訳は、イサク・ディーネ

セン著、枡田啓介訳『バベットの晩餐会』ちくま文庫、所収）

第三章

ハーバート――George Herbert, "The Church Militant," in *The English Poems of George Herbert*. Totowa, N.J.: Rowman and Littlefield, 1975, p. 196.

トゥルニエ――Paul Tournier, *Guilt and Grace*. New York: Harper & Row, 1962, p. 23.

ボンベック――Erma Bombeck, *At Wit's End*. N.p.: Thorndike Large Print Edition, 1984, p. 63.

ジェイムズ――William James, *The Varieties of Religious Experience*. New York: The Modern Library, 1936, p. 297.（邦訳、W・ジェイムズ著、桝田啓三郎訳『宗教的経験の諸相』下、岩波文庫、七五頁）

聖ヨハネ――St. John of the Cross, *Dark Night of the Soul*. Garden City, N.Y.: Doubleday/Image, 1959.

ヘクト――Anthony Hecht, "Galatians," in Incarnation, ed. Alfred Corn. New York: Viking, 1990, p. 158.

ティーリケ――Helmut Thielicke, *The Waiting Father*. San Francisco: Harper & Row. 1959, p. 133.

フランクリン――Benjamin Franklin, *Autobiography*. New York: Buccaneer Books, 1984, pp. 103, 114.

「アポロジー・サウンドオフ・ライン」――Jeanne McDowell, "True Confessions by Telephone," in Time, October 3, 1988, p. 85.

スミーズ――Lewis B. Smides, *Shame and Grace*. San Francisco: HarperCollins, 1993, pp. 80, 31.

『ニューヨーク・タイムズ』紙——Nicholas D. Kristof, "Japanese Say No to Crime: Tough Methods, at a Price," in *The New York Times*, March 14, 1995, p. 1.

ヘミングウェイ——Ernest Hemingway, "The Capitol of the World," in *The Short Story of Ernest Hemingway*. New York: Scribner, 1953, p. 38.

「子供はすべて母のもと」——Paul Johnson, *Intellectuals*. New York: Harper & Row, 1988, p. 145（ポール・ジョンソン著、別宮貞徳訳『インテレクチュアルズ』共同通信社、二三三―二三四頁）からの引用。

グリーブ——Peter Greave, *The Second Miracle*. New York: Henry Holt and Company, 1955.

第四章

ルイス——Scott Hoezee, *The Riddle of Grace*. Grand Rapids: Eerdmans, 1996, p. 42 に引用。

ナウエン——Henri J. M. Nouwen, *The Return of the Prodigal Son*. New York: Doubleday/Image, 1994, p. 114.（邦訳、ヘンリ・ナウエン著、片岡伸光訳『放蕩息子の帰郷』あめんどう、一五九頁）

キェルケゴール——Søren Kierkegaard, *Training in Christianity*. Princeton: Princeton University Press, 1947, p. 20.

第五章

ビュークナー——Frederick Buechner, *Telling the Truth*. San Francisco: Harper & Row, 1977, p. 70.

ルイス――C. S. Lewis, "On Forgiveness," in *The Weight of Glory and Other Addresses*. New York: Collier Books/Macmillan, 1980, p. 125.

ルイス自身――C. S. Lewis and Don Giovanni Calabria, *Letters*. Ann Arbor, Mich.: Servant Books, 1988, p. 67.

ヴォルフ――Miroslav Volf, *Exclusion and Embrace*. Nashville: Abingdon Press, 1996, p. 85.

ビュークナー――Frederick Buechner, *The Longing for Home*. San Francisco: HaperCollins, 1996, p. 175.

セイヤーズ――Dorothy L. Sayers, *Christian Letters to a Post-Christian World*. Grand Rapids: Eerdmans, 1969, p. 45.

ボブ・スミス博士――Ernest Kurtz, *The Spirituality of Imperfection*. New York: Bantam, 1994, pp. 105-6で語られている話。

ダン――John Donne, *John Donne's Sermons on the Psalms and the Gospels*. Berkeley: University of California Press, 1963, p. 22.

第六章

レバノンの宣教師――Kenneth E. Bailey, *Poet & Peasant*. Grand Rapids: Eerdmans, 1976, pp.161-64, 181.

第七章

トルストイ——William L. Shirer, *Love and Hatred: The Stormy Marriage of Leo and Sonya Tolstoy*. New York: Simon & Schuster, 1994, pp. 26, 65-67.

オーデン——W. H. Auden, "September 1, 1939," in *Selected Poems*. New York: Vintage Books/Random House, 1979, p. 86.

オコナー——Elizabeth O'Connor, *Cry Pain, Cry Hope*. Waco, Tex.: Word Books, 1987, p. 167.

ウィリアムズ——Charles Williams, *The Forgiveness of Sins*. Grand Rapids: Eerdmans, 1984, p. 66.

ドライデン——Louis I. Bredvold, ed., *The Best of Dryden*. New York: T. Nelson and Sons, 1933, p. 20.

ボンヘッファー——Dietrich Bonhoeffer, *The Cost of Discipleship*. New York: Macmillan, 1959, pp. 134-35.

ティーリケ——Helmut Thielicke, *Waiting*, op. cit., p. 112.

ナウエン——Henri Nouwen, *Return*, op. cit., pp. 129-30.（邦訳、一八一頁）

ジョーンズ（＊）——Gregory Jones, *Embodying Forgiveness: A Theological Analysis*. Grand Rapids: Eerdmans, 1995, p. 195.

第八章

ルター——"Colorful Sayings of Colorful Luther," in *Christian History*, vol. 34, p. 27 に引用。

マルケス——Gabriel Garcìa-Márquez, *Love in the Time of Cholera*. New York: Alfred A. Knopf, 1988, pp. 28-30.

モーリヤック——Fran ois Mauriac, *Knot of Vipers*. London: Metheun, 1984.

カー——Mary Karr, *The Liar's Club*. New York: Viking, 1995.

スミーズ——Lewis B. Smedes, *Shame*, op. cit., pp. 136, 141.

トラップ——Kathryn Watterson, *Not by the Sword*. New York: Simon & Schuster, 1995.

ユーゴー——Victor Hugo, *Les Misérables*. New York: Penguin, 1976, p. 111.

スミーズ——Lewis B. Smedes, "Forgiveness: The Power to Change the Past," in *Christianity Today*, January 7, 1983, p. 24.

ヴェイユ——Simone Weil, *Gravity and Grace*. New York: Routledge, 1972, p. 9.（邦訳、シモーヌ・ヴェイユ著、田辺保訳『重力と恩寵』ちくま学芸文庫、二二頁）

第九章

ヴィーゼンタール——Simon Wiesenthal, *The Sunflower*. New York: Schocken, 1976.

クラウスナー——Joseph Klausner, *Jesus of Nazareth: His Life, Times, and Teaching*. London: George Allen & Unwin, 1925, p. 393.

スミーズ——Lewis B. Smedes, *Forgive and Forget*. San Francisco: Harper & Row, 1984, p. 130.

グァルディーニ——Romano Guardini, *The Lord*. Chicago: Regnery Gateway, 1954, p. 302.

ティーリケ——Helmut Thielicke, *Waiting*, op. cit., p. 62.

ウィルソン——Mark Noll, "Belfast: Tense with Peace," in *Books & Culture*, November/December 1995, p. 12.

オコナー——Elizabeth O'Connor, *Cry Pain*, op. cit., p. 50.

『タイム』誌——Lance Morrow, "I Spoke...As a Brother," in *Time*, January 9, 1984, pp. 27-33.

第一〇章

ウィンク——Walter Wink, *Engaging the Powers*. Minneapolis: Fortress, 1992, p. 275.

『罪の代償』——Ian Buruma, *The Wages of Guilt: Memories of War in Germany and Japan*. New York: Farrar, Straus and Giroux, 1994.

「ドイツ民主共和国の初めて」——*Response*（the Simon Wiesenthal Center in Los Angeles の刊行物）に引用。

トゥルーブラッド——Elton Trueblood, *The Yoke of Christ*. Waco, Tex.: Word, 1958, p. 37.

ウィンク——Walter Wink, *Engaging*, op. cit., p. 191.

ツツ——Michael Henderson, *The Forgiveness Factor*. Salem, Ore.: Grosvenor Books USA, 1996, p. xix.

キング——David Garrow, *Bearing the Cross*. New York: William Morrow, 1986, pp. 81, 500, 532.

ヴァン・デル・ポスト——Laurens van der Post, *The Prisoner and the Bomb*. New York: William Morrow and Company, 1971, p. 133.

第一一章

キャンベル――Will D. Campbell, *Brother to a Dragonfly*. New York: The Seabury, 1977, pp. 220-24.

第一二章

ウーク――Herman Wouk, *This Is My God*. New York: Little, Brown and Company, 1987, p. 111.

ダグラス――Sheldon Isenberg and Dennis E. Owen, "Bodies, Natural and Contrived: the Work of Mary Douglas," in *Religious Studies Review*, Vol.3, No.1, 1977, pp. 1-17 に引用。

ノイスナー――Jacob Neusner, *A Rabbi Talks with Jesus*. New York: Doubleday, 1993, p. 122.

「私を異邦人に造られなかった」――John Timmer, "Owning Up to Baptism," in *The Reformed Journal*, May-June 1990, p. 14 に引用。

ヴォルフ――Miroslav Volf, *Exclusion*, op. cit., p. 74.

第一三章

トゥルニエ――Paul Tournier, *The Person Reborn*. New York: Harper & Row, 1966, p. 71.

ティーリケ――"Jesus gained..." from Helmut Thielicke, *How the World Began*. Philadelphia: Muhlenberg, 1961, p. 62.

ティーリケ――"When Jesus Loved..." from Helmut Thielicke, *Christ and the Meaning of Life*. Grand Rapids: Baker, 1975, p. 41.

ドストエフスキー――Helmut Thielicke, *Waiting*, op. cit., p. 81 に引用。

第一四章

ヒューズ――Robert Hughes, *The Fatal Shore* の話に基づくラジオ・インタビューより。

オーデン――W. H. Auden, "For the Time Being," in *The Collected Poetry of W. H. Auden*. New York: Random House. 1945, p. 459.

ロイドジョンズ――Stephen Brown, *When Being Good isn't Good Enough*. Nashville: Nelson, 1990, p. 102 に引用。

ルイス――"St. Augustine" from C. S. Lewis, *Letters to an American Lady*. Grand Rapids: Eerdmans, 1967, p. 71.

ルイス――"To condone" from C. S. Lewis, *The Problem of Pain*. New York: Macmillan, 1962, p. 122.（邦訳、C・S・ルイス著、中村妙子訳『痛みの問題』新教出版社、一五八－一五九頁）

ヒーニー――Helen Vendler, "Books," in *The New Yorker*, March 13, 1989, p. 107 に引用。

トゥルニエ――Paul Tournier, *Guilt*, op. cit., p. 112.

ルイス――C. S. Lewis, *Mere Christianity*. New York: Macmillan, 1960, p. 60.（邦訳、C・S・ルイス著、柳生直行訳『キリスト教の精髄』新教出版社一〇三頁）

トゥルニエ――Paul Tournier, *Guilt*, op. cit., pp. 159-60.

ルター――Walter Kaufmann, *The Faith of a Heretic*. Garden City, N.Y.: Doubleday, 1961, pp. 231-32 に

引用。
トロビッシュ――Walter Trobisch, *Love Yourself*. Downers Grove, Ill.: InterVarsity Press, 1976, p. 26.
モーリヤック――Fran ois Mauriac, *God and Mammon*. London: Sheed & Ward, 1946, pp. 68-9.
ボンヘッファー――Clifford Williams, *Singleness of Heart*. Grand Rapids: Eerdmans, 1994, p. 107 に引用。
メヤーズ――Nancy Mairs, *Ordinary Time*. Boston: Beacon Press, 1993, p. 138.
アウグスティヌス――Kathleen Norris, *The Cloister Walk*. New York: Riverhead, 1996, p. 346 に引用。

第一五章

トルストイ――Leo Tolstoy, "An Aferword to "The Kreutzer Sonata'," in A. N. Wilson, *The Lion and the Honeycomb: The Religious Writings of Tolstoy*. San Francisco: Harper & Row, 1987, p. 69.
「わいせつな性文学を売ることができず」――Walter Wink, *Naming the Powers*. Philadelphia: Fortress, 1984, p. 116 に引用。
ナウエン――Henri Nouwen, *Return*, op. cit., p. 71.（邦訳、九九、一〇五頁）
キュンク――Hans Küng, *On Being a Christian*. Garden City, N.Y.: Doubleday, 1976, p. 242.
ルター――Karen Armstrong, *A History of God*. New York: Alfred A. Knopf, 1974, p. 276 に引用。
ケイポン――Robert Farrar Capon, *Between Noon and Three*. San Francisco: Harper & Row, 1982, p. 148.

第一七章

『ニューヨーク・タイムズ』紙——"Government Is Not God's Work," in *New York Times*, August 29, 1993.

「真の霊的リバイバルを得る方法は」——Rodney Clapp, "Calling the Religious Right to Its Better Self," *Perspectives*, April 1994, p. 12 に引用。

テリー——Virginia Culver, "200 Hear Terry hit 'baby killers'," in *The Denver Post*, July 30 1993, p. 4B.

リード——Jim Wallis, *Who Speaks for God?* New York: Delacorte, 1996, p. 161 に引用。

ウィリモン——William H. Willimon, "Been there, preached that," in *Leadership*, Fall 1995, p. 76.

ジェファソン——Robert Booth Fowler, *Religion and Politics in America.* Metuchen, N.J.: Scarecrow, 1985, p. 234 に引用。

マンチェスター——William Manchester, *A World Lit Only by Fire.* Boston: Little, Brown and Company, 1993, p. 191.

ジョンソン——Paul Johnson, *A History of Christianity.* New York: Atheneum, 1976, p. 263.

ニュービギン——Lesslie Newbigin, *Foolishness to the Greeks.* Grand Rapids: Eerdmans, 1986, p. 117.

「私たちはもう一方の頬を向けるのに」——Walter Wink, *Engaging*, op. cit., p. 263 に引用。

「地上における神の国の警察省」——Rodney Clapp, *Perspectives*, op. cit., p. 12 に引用。

「コネティカット法典」——Brennan Manning, *Abba's Child.* Colorado Springs: NavPress, 1994, p. 82

に引用。

第一八章

「神の栄光のため」──Paul Johnson, "God and the Americans"（一九九四年 the Pierpont Morgan Library in New York での講演）に引用。
「私たちの憲法は」──John R. Howe Jr., *The Changing Political Thought of John Adams.* Princeton: Princeton University Press, 1966, p. 185 に引用。
「私たちはクリスチャンの民であり」──Richard John Neuhaus, *The Naked Public Square.* Grand Rapids: Eerdmans, 1986, p. 80 に引用。
「私は、聖書と救い主の御霊が」──"Breakfast at Washington" in *Time,* February 14, 1954, p. 49 に報道された、Earl Warren のスピーチ。
ドブソン──James Dobson, "Why I Use 'Fighting Words'," in *Christianity Today,* June 19, 1995, p. 28
リード──Ralph Reed, *Active Faith.* New York: The Free Press, 1996, pp. 120, 65.
カウンダ──Tom Sine, *Cease Fire.* Grand Rapids: Eerdmans, 1995, p. 284 に引用。
「キリストこそ主」──Christoph Schönborn, "The Hope of Heaven, The Hope of Earth," in *First Things,* April, 1995, p. 34.
「私たちは神だけを」──Robert E. Webber, *The Church in the World: Opposition, Tention, or Transformation?* Grand Rapids: Zondervan, 1986 に引用。

ベケット――Jacques Maritain, *The Things That Are Not Caesar's*. London: Sheed & Ward, 1930, p. 16 に引用。

ベラー――Robert N. Bellah, et al., *The Good Society*. New York: Vintage, 1992, p. 180.

アイゼンハワー――Paul Johnson, *The Quest for God*. New York: HarperCollins, 1996, p. 35 に引用。

バルト――Paul Johnson, *History*, op. cit., p. 483 に引用。

第一九章

タックマン――Bill Moyers: *A World of Ideas*, ed. Betty Sue Flowers. New York: Doubleday, 1989, p. 5 に引用。

ソルジェニーツィン――一九九三年の彼のテンプルトン賞受賞講演の抜粋。

フォーサイス――Donald Bloesch, *The Crisis of Piety*. Colorado Springs: Helmers and Howard, 1988, p. 116 に引用。

ボンヘッファー――Dietrich Bonhoeffer, *Cost*, op. cit., p. 136.

サイダー――Bob Briner, *Deadly Detours*. Grand Rapids: Zondervan, 1996, p. 95 に引用。

ニーチェ――Friedrich Nietzsche, *The Anti-Christ*. New York: Penguin, 1968, pp. 115-18.

デイ――Dorothy Day, *The Long Lonliness*. San Francisco: HarperCollins, 1981, p. 235.

ベラー――John Stott がスピーチに引用。

第二〇章

ヴェイユ――Simone Weil, *Gravity*, op. cit., pp. 1, 16.（邦訳、九、三五頁）

バルト――Karl Barth, *The Word of God and the Word of Man*. New York: Harper & Row, 1957, p. 92.

マートン――Thomas Merton, *No Man Is an Island*. New York: Harcourt, Brace and Company, 1955, p. 235.

ルイス――C. S. Lewis, *The Four Loves*. London: Geoffrey Bles, 1960, p. 149.（邦訳、C・S・ルイス著、蛭沼寿雄訳『四つの愛』新教出版社、一七二頁）

「天の神は一人一人を」――Ernest Kurtz, *Spirituality*, op. cit., p. 29 に引用。

『セロン・ウェアの破滅』――Harold Frederic, *The Damnation of Theron Ware*. New York: Penguin, 1956, pp. 75-76.

マイヤー――Brennan Manning, *The Gentle Revolutionaries*. Denville, N.J.: Dimension, 1976, p. 66 に引用。

メヤーズ――Nancy Mairs, *Ordinary Time*, op. cit., p. 89.

ニーチェ――Williams, *Singleness*, op. cit., p. 126 に引用。

ルイス――C. S. Lewis, *Mere*, op. cit., pp. 105-6.（邦訳、一八五―一八六頁）

訳者あとがき

このたび、いのちのことば社出版部の方から、フィリップ・ヤンシー著『だれも知らなかった恵み』の改訂新版を出すというお話をいただき、とても嬉しく思いました。タイトルも『この驚くべき恵み』と改まり、文章もかなり読みやすくなったのではないかと思います。

ヤンシー作品の魅力は、何よりもヤンシー氏の投げかける真摯な問いと、たんねんにその答えを求める姿勢にあります。本書が書かれたのも、多くの人々、特に傷ついている人々が、教会に行こうという気持ちをもてないことに対する疑問から始まっています。どこかがおかしい、クリスチャンはどこかで歩む方向を間違えている。その理由をヤンシー氏はずばり、恵みの欠如に見いだします。個々のクリスチャンや教会から、イエス様が説いたような愛を受けられなかったり、むしろ愛とは逆の仕打ちを受けたことさえあった人々のなんと多いことか。

恵みに目が開かれるかどうかは、クリスチャンの信仰の歩みに大きな違いをもたらします。本書にも述べられているように、恵みは他宗教には見られない、キリスト教の核心だからです。それはあらゆる隔てを超えてゆく、神様の無条件の愛です。神様の愛に出会い、洗礼を受けてクリスチャンになった私たちは、その後もイエス・キリストを通して示される神様の愛を受け続けますが、同時に、その同じ愛を他者にも注いでゆくことを求められます。ところが問題は、人間の本性にとって、神様の無条件の愛である恵みというものが、真に不愉快、不都合、腹立たしいものである、ということです。かつて放蕩息子であった私たちは、クリスチャンになると、今度は放蕩息子の兄の立場に置かれます。新約聖書の兄には、しかし喜びがありません。問題児であった弟の帰還を手放しで喜び、宴会を催す父親に怒りを覚えています。

恵みが不公平なものであることは間違いありません。神様の愛は、正しい者の上にも、正しくない者の上にも等しく注がれるのですから。残念ながら、神様の愛は私たちの敵にも等しく注がれています。意地悪な上司にも、嫌みな友人にも、心が通わなくなった家族にも、祖国を侵略した国にも。せっかく神様の子どもとされたのだから、神様には敵をやっつけてもらいたい、せめて自分といっしょに敵を責め立ててほしい。こう思ってしまうのが、多くの人間の悲しい現実です。本当に、放蕩息子の父親は、なぜ、まず息子の間違いを責め立て、償わせなかったのでしょう?

ジャーナリストでもあるヤンシー氏は、愛に痛む父に示される、神様の恵みを検証するとともに、恵みに背を向ける人々や教会等についても具体的に語っています。そして、恵みを知らなかった人々が、悩み苦しんだ果てに恵みを知るようになる様子も。歴史的な事実から、現代世界で起きている事件、ヤンシー氏の家族や親しい友人の話まで、登場する人物や団体は広範囲にわたります。恵みのない世界を描いた文学も紹介されます。最後に、この世にまかれた小さな種のような恵みが、いつのまにか大きく生長している具体例が次々に紹介されて希望を与えています。

読者は、クリスチャンが生涯をかけて歩く道とは、人を赦し、愛する者とされてゆく道であること、それは自分や他者を怒りや憎しみや罪意識から解放してゆく道でもあることを、再認識することと思います。

本書は四部から成り、それぞれが物語から始まります。一部の冒頭を飾る「バベットの晩餐会」は、イサク・ディーネセン作の、神の恵みを象徴する物語。あとの三つの物語はみな実話ですが、恵みを知らないか、かつて知らなかった人物が主人公です。とくに四部の「ハロルドおじさん」は、読むたびに胸を突かれる思いがする悲しい実話です。ハロルドおじさんは、あまりにも極端な人物ですが、恵みを知らないクリスチャンの行き着く先を暗示している、とも言えるでしょう。

さて、私たちは放蕩息子の幸せな兄になりたいものです。父とともに働くことが楽しい、ただ父のもとにいられることが嬉しい。ご馳走やプレゼントも有難くないことはないが、父とともにある平凡な日々の尊さを感じながら生きている兄。そして、あの困り者の弟が帰って来ると知るや、率先して宴会の準備をし、父親とともに弟を温かく迎えようとする兄。イエス様を十字架につけろと叫んだ群衆の中に、かつての自分もいたことを知っている兄ではないでしょうか。

旧版翻訳の際、日本アライアンス教団川口キリスト教会のドン・シェーファー、ヘーゼル・シェーファー先生ご夫妻から多くの事を教えていただきました。お二人の力添えなしにはこの新版もありませんでした。恵みにあふれたシェーファー先生ご夫妻に、この場を借りて深く感謝を申し上げます。

また、いのちのことば社出版部の皆様にはたいへんお世話になりました。とくに改訂版を出すにあたって、出版部の長沢俊夫さんから大きなご助力を賜りました。心よりの感謝を申し上げます。

山下章子

二〇〇八年　十月二十五日

本書は、一九九八年に発行された『だれも知らなかった恵み』の書名を改め、訳文全体を改訂したものです。

この驚くべき恵み

1998年 9 月15日　初版発行
2022年 2 月20日　新版再刷

著　者　フィリップ・ヤンシー
訳　者　山下　章子
印刷製本　モリモト印刷株式会社
発　行　いのちのことば社
〒164-0001 東京都中野区中野2-1-5
電話 03-5341-6923（編集）
03-5341-6920（営業）
FAX03-5341-6921
e-mail:support@wlpm.or.jp
http://www.wlpm.or.jp/

ISBN 978-4-264-02708-9